D0726569

CHEVAL DE TROIE

CHEVAL DE TROIE

MARC CERASINI

D'après une série de Joel Surnow et Robert Cochran

Fleuve Noir

Titre original :
Trojan Horse

Traduit de l'anglais (États-Unis)
par Garance Massibo

ISBN : 978-2-265-08444-5

Ce roman est dédié à ma mère,

Evelyn May Cerasini

Remerciements

L'auteur adresse ses plus chaleureux remerciements à Sharon K. Wheeler, ingénieur-conseil en informatique, pour sa précieuse assistance concernant les outils numériques. Si des erreurs ont été commises, si quelque licence littéraire a été prise dans la description de ces technologies, la responsabilité en incombe totalement à l'auteur.

Un grand merci également à Hope Innelli et Josh Behar des éditions Harper Collins pour leur capacité d'anticipation, leurs conseils et leurs encouragements. Merci à Virginia King, de 20th Century Fox, pour son indéfectible soutien.

Sans les créateurs révolutionnaires de *24 Heures Chrono*, Joel Durnow et Robert Cochran – qui ont reçu un Emmy Award –, sans leur talentueuse équipe d'auteurs, ce roman n'aurait pas vu le jour. Je tiens à exprimer une gratitude toute particulière à leur égard, et à l'endroit de Kiefer Sutherland, qui a su faire vivre le formidable personnage de Jack Bauer.

Enfin, un merci très personnel à mon agent littéraire, John Talbot, pour son soutien sans faille. Un merci tout particulier à toi, ma femme, Alice Alfonsi. Aucun homme ne pourrait rêver d'une meilleure partenaire, dans l'écriture comme dans la vie.

Cheval de Troie : nom masculin. **1/** Le gigantesque cheval de bois rempli de soldats grecs, qui s'introduisirent par ruse dans l'enceinte de la ville de Troie, afin de l'assiéger. **2/** Se dit *Trojan Horse* en anglais, d'où l'usage de ce terme par les informaticiens pour désigner un programme, anodin en apparence, que l'usager télécharge volontairement, sans se douter de rien; une fois le programme exécuté, il produit des effets néfastes.

Prologue

Il trouva Jack Bauer couché sur la table, le dos rond et la tête nichée au creux des bras. Il ne fallut qu'un court instant au directeur administratif Richard Walsh pour s'apercevoir que son agent dormait à poings fermés. Tandis qu'il installait le magnétophone digital sur le bureau, Walsh se demanda comment Jack pouvait trouver le repos. Le chaos régnait encore de l'autre côté du mur, dans la pièce servant au contrôle des opérations de la CAT, alors que la crise était en principe terminée.

Walsh défit les boutons de sa veste qui semblait un peu trop serrer ses larges épaules. Il aurait préféré laisser Jack à ses rêves. L'agent avait bien mérité de souffler un peu ! Mais ses patrons, qui se trouvaient à Langley, exigeaient des réponses – sans doute parce que leurs propres supérieurs, ceux des commissions du renseignement au Congrès et au Sénat, voulaient la même chose. Walsh n'avait d'autre choix que de rassembler toutes les informations au plus vite. Il leur ferait ensuite connaître ses découvertes. Le directeur administratif de la CAT ferma la porte et s'installa sur un siège métallique, face à l'homme endormi.

Le bruit alerta Jack, qui s'éveilla aussitôt. Il se redressa, se tint aussi droit qu'une flèche, prenant pleinement conscience de ce qui l'entourait. Avec une certaine gêne, Jack Bauer passa la main sur sa barbe de trois jours et sur ses cheveux d'un blond sableux, pour les discipliner du bout des doigts. Il était embarrassé de se montrer ainsi échevelé à son supérieur.

— Bonjour, Jack. Bonne sieste ?

Jack Bauer ignora la raillerie, comme son chef lui décochait un sourire amical qui s'évanouit un instant plus tard, quand Walsh pianota sur les touches de son magnétophone digital.

— Numéro de code 32452-IAC. Compte rendu de mission de l'agent spécial Jack Bauer, énonça Walsh, avant de mentionner le numéro de service de Jack, la date et l'heure. Puis, il gratta son menton rasé de près, et darda son regard bleu clair sur l'homme qui se trouvait de l'autre côté de la table.

— Ryan Chappelle m'apprend que c'est une descente sur un important studio de cinéma qui est à l'origine de ces désagréments. Que diable faisiez-vous à Hollywood, vous et l'équipe tactique de Blackburn ?

— Les Studios Utopie ne sont pas importants et ne se trouvent pas à Hollywood, répondit Jack. Utopie était une petite boîte de production de films vidéos avant d'essuyer quelques coups durs : l'augmentation des frais de production, la baisse de l'intérêt du public pour les pornos classiques et les films d'horreur de série B qu'ils refourguaient... Tout ça a fait que la société a coulé.

— Et c'est comme ça que ces studios sont devenus une menace pour la sécurité nationale ?

— Les Studios Utopie n'existent pas. Plus maintenant, dit Jack. Leur PD-G s'est mis en cessation de paiement, avant de rejoindre une toute nouvelle société. Grâce à son nouveau partenaire financier, il a délocalisé les structures de production à Montréal. Ce déménagement lui a sauvé la mise, mais ses studios, situés dans une impasse de la zone industrielle de Glendale, sont restés vides. Leur titre de propriété fait actuellement l'objet d'un litige. Dans l'intervalle, des trafiquants de drogue y ont installé leur commerce. C'est du moins l'info qu'on a eue, dans un premier temps.

Walsh examina la pile de papiers posée devant lui.

— D'après les Stups, cette opération ne concernait que la drogue, à l'origine.

— C'est exact. Chet Blackburn et moi-même faisions partie d'une équipe chargée de mener une opération conjointe avec la Brigade des stupéfiants, dans le cadre de la coopération entre services, initiée par le directeur régional Ryan Chappelle.

— Oui. Je crois avoir reçu un mémo à ce sujet, dit sèchement Walsh.

— L'opération a été lancée parce que la CIA et les Stups étaient tombés sur des renseignements faisant état d'une collaboration accrue entre des terroristes internationaux et des cartels de drogue. Chappelle a pensé qu'il valait mieux faire équipe avec les Stups pour venir à bout du problème.

— Et partager les responsabilités si ça tournait au vinaigre.

Jack acquiesça d'un hochement de tête.

— Oui, ça aussi.

— Alors, en dehors de ces mauvais renseignements, quelle était la raison de cette initiative conjointe ?

— Ça commençait à chauffer. Au cours des vingt derniers mois, les Stups avaient mis la main sur de l'armement militaire, lors de plusieurs opérations le long de la frontière entre le Mexique et les États-Unis. Et vous vous souvenez que la CAT a récemment déjoué un complot : il s'agissait de descendre des avions de ligne américains, à l'aide de lance-missiles nord-coréens à longue portée. Du matériel de contrebande.

Du pouce et de l'index, Walsh lissa sa moustache à la gauloise.

— Vous parlez de l'opération Hell Gate.

Ce n'était pas une question. Aussi, Jack ne répondit-il pas. Walsh remua un peu sur son siège métallique, qui semblait trop étroit pour cet homme tout en muscles.

— Chappelle m'a également dit que, en dépit d'une menace évidente pour la sécurité nationale, vous avez d'abord refusé cette mission. Pourquoi cela, agent spécial Bauer ?

Walsh fixait maintenant Jack des yeux, attendant sa réponse.

— Puis-je vous parler librement, monsieur ?

Walsh éteignit le magnétophone.

— Allez-y.

— Dès qu'il s'agit de la CAT, la collaboration entre services fonctionne toujours en sens unique, commença Jack. La CAT donne, le FBI, le ministère de la Défense, les Stups, ne font que prendre. Depuis longtemps.

— Il y a eu un mieux, répondit Walsh. Son visage marqué demeurait impassible, insondable.

— Je vous concède que la situation s'est améliorée au cours des derniers mois. Néanmoins, la CAT est systématiquement mise hors jeu par certains de ceux avec lesquels Chappelle m'ordonnait de travailler.

— Vous auriez pu refuser la mission. Vous auriez pu vous rapprocher de moi, et j'aurais arrangé les choses avec Chappelle. Un choix s'imposait à vous, là.

Walsh fit une pause.

— Alors, qu'est-ce qui vous a fait changer d'avis, Jack ?

— Le Karma.

Richard Walsh remit le magnétophone en marche.

— Dites-moi tout ce qui vous est arrivé, à vous et aux membres de l'unité de Los Angeles, durant les dernières 24 heures. Agent spécial Jack Bauer, reprenez, commencez depuis le début…

Heure 1

CES ÉVÉNEMENTS SE DÉROULENT
ENTRE 5 H ET 6 H, PDT[1]

05:01:01 PDT
Atwater Village, Los Angeles

Jack Bauer contemplait Utopie. C'était du moins ce que prétendait l'enseigne. Cependant, au-delà du vieux portail et de sa chaîne rouillée, il ne voyait qu'une étendue d'asphalte criblée de trous, contiguë à un ensemble d'immeubles de béton décrépits et maculés de graffitis.

Louchant à travers un imageur télescopique, Jack Bauer examinait les rampes de chargement définitivement fermées, les portes métalliques et les fenêtres condamnées. Il contrôla à deux reprises une entrée précise, celle dont la porte métallique était marquée du chiffre 9. Il fourra ensuite le minuscule engin dans une gaine située sur son costume d'assaut noir comme la nuit. À présent que le soleil pointait à l'horizon, il n'avait plus besoin des capacités thermales et lumineuses de l'imageur pour sonder l'obscurité.

À plat ventre sur une montée rocheuse de couleur brune

1. PDT, Pacific Daylight Time : heure d'été de l'ouest des États-Unis. *(N.d.T.)*

qui séparait Utopie d'un autre complexe industriel, Jack baissa la tête pour se cacher derrière un massif d'herbe rugueuse. Il ajusta son arme d'assaut dans l'étui zippé de Velcro qu'une sangle maintenait sur son dos. Il était arrivé à son poste plusieurs heures auparavant. Cinq hommes de l'équipe d'assaut de Chet Blackburn, désormais éparpillés et invisibles parmi les rochers et les collines basses qui l'entouraient, avaient pris place avec lui. Bien qu'il ne puisse pas les voir, Jack Bauer savait que les membres d'une autre unité tactique, appartenant à la Brigade des stups, étaient tapis dans les pics rocheux qui se trouvaient de l'autre côté du complexe. Quand le signal serait donné, les deux équipes d'assaut se dirigeraient vers les immeubles, dans une attaque coordonnée sur deux fronts.

Dans le silence de cette nuit chaude et sèche, les unités tactiques avaient convergé sur le studio de production, en principe abandonné, dans le but de l'encercler. Ceux qui se trouvaient à l'intérieur ne les avaient pas vues. Ils n'avaient même pas détecté leur présence. Les agents avaient ensuite attendu que le soleil devienne une boule jaune cerclée d'une brume poussiéreuse pour voir apparaître les gros poissons que les deux agences espéraient prendre dans leurs filets.

Jack Bauer changea de position, serrant et desserrant ses mains moites, étirant ses bras et ses jambes engourdis, toujours soucieux de ne pas s'exposer. Il dégagea une pierre qui le gênait et massa son cou fourbu. Comparée à l'époque où il faisait partie de la Delta Force, cette mission n'était pas particulièrement désagréable. Pendant son service, Jack avait subi des choses bien pires que se tenir tranquille derrière un pic rocheux pour regarder le soleil se lever sur le sud de la Californie. C'était peut-être simplement son âge qui lui rendait les articulations douloureuses et les membres rigides à force d'inactivité. C'était peut-être l'arrivée insidieuse de la vieillesse, qui expliquait l'étrange nervosité et l'impatience que Jack ressentait à l'approche de l'heure H, alors qu'il attendait le signal de bouger.

Ou peut-être était-ce le fait qu'il lui faille attendre cet ordre, comme tout le monde. Travailler en binôme avec la Brigade des stupéfiants ne faisait pas partie du travail habituel de Jack Bauer. Il n'aimait pas non plus recevoir des consignes. C'était pour cette raison qu'il avait d'abord refusé la mission quand Chappelle la lui avait présentée, quelques semaines auparavant. Ryan Chappelle n'avait pas semblé surpris par la réaction de Jack. Il lui avait plutôt conseillé de voir de quoi il retournait et de se décider ensuite.

— Assistez à la réunion prévue cet après-midi, avait proposé Chappelle. Écoutez ce que les Stups ont à raconter. Ça pourrait bien vous faire changer d'avis.

À la surprise de Jack, son avis *avait* changé, après le briefing auquel il avait pris part à la Brigade des stups avec d'autres agents des services secrets. Il avait été question des dangers du Karma, un puissant narcotique qui était sur le point de faire son apparition dans les rues des États-Unis, une drogue qui pouvait donner des airs de goûter d'anniversaire à l'épidémie de crack des années 1980.

D'après les chercheurs qui avaient étudié un échantillon du produit, le Karma était une sorte de super méta-amphétamine. Cependant, ce n'était pas seulement un puissant stimulant. La substance causait aussi un sentiment d'invulnérabilité et d'euphorie chez l'usager, accompagné quelquefois de légères hallucinations. Les experts en pharmacologie qui s'étaient penchés sur le composé et ses effets sur le cerveau pensaient que le Karma créait une plus forte accoutumance que le crack, ou même l'héroïne.

Le Karma s'ingérait par voie orale. On le faisait fondre sous la langue comme une pastille, ou on l'avalait simplement. Cette consommation facile était un des éléments qui rendaient la drogue attrayante. Pratiquement indétectable, elle pouvait être dissoute dans une boisson aromatisée ou alcoolisée, ce qui en faisait la drogue du violeur par excellence.

Nul ne savait quelle association criminelle ou quel groupe narcoterroriste avait synthétisé le Karma à l'origine. Il y avait presque un an que le produit était apparu dans les rues d'Europe de l'Est, en Russie et en Tchétchénie. Il n'était pas encore disponible aux États-Unis, ni en Europe de l'Ouest, parce qu'il était difficile à élaborer. Il fallait de véritables conditions de laboratoire pour le synthétiser convenablement. Même après cette opération, la matière se désagrégeait rapidement, ce qui en réduisait le temps de stockage. Il fallait installer des laboratoires munis d'un équipement sophistiqué sur place, si on voulait effectuer une production massive.

Pour les fabricants, l'avantage résidait dans le fait qu'une fois installés et opérationnels, les laboratoires seraient difficiles à repérer. La fabrication ne nécessitait aucune contrebande. Les ingrédients du Karma n'étaient pas des substances contrôlées. Il s'agissait de produits chimiques d'usage courant, qu'on se procurait librement dans le commerce. Il y avait déjà au moins un grand ponte de la pègre pour financer, depuis l'étranger, l'installation des laboratoires qui allaient manufacturer le Karma à Los Angeles, San Francisco, Seattle et Montréal.

D'après les informateurs les plus fiables de la Brigade des stupéfiants, la structure qui fabriquait illégalement la drogue dans les bâtiments des Studios Utopie était le premier laboratoire opérationnel aux États-Unis. Les Stups voulaient le fermer et capturer ceux qui y travaillaient, avant que leur poison ne se retrouve dans les rues.

L'écouteur de Jack Bauer grésilla, mettant fin à ses rêveries.

— Ici Ange Numéro 3. Une voiture vient de démarrer au nord, du côté de San Fernando Road. Elle se dirige vers l'est, le long de Andrita Street.

— Ici Ange Numéro 2. Bien reçu, répondit Jack, d'une voix calme.

L'Ange Numéro 3 – l'agent Miguel Avilla – était un ancien des Stups. Il y travaillait depuis vingt ans. Il avait le corps mince et nerveux, l'esprit acerbe. Avilla se tenait bien en vue, juste en face du portail des studios, de l'autre côté de Andrita Street. Ni lavé ni rasé, il traînait là, enveloppé d'une serviette de bain crasseuse. L'agent Avilla s'était fait passer pour un sans-abri pendant les neuf derniers jours, alors qu'il surveillait les activités se déroulant dans les studios désaffectés.

Pour effectuer un meilleur travail de reconnaissance des équipements, Avilla avait élu domicile dans un taillis constitué d'arbustes tordus, sur un parking désert. Il y buvait avidement et, sans se cacher, urinait dans les égouts, et n'attirait généralement pas l'attention de ceux qui travaillaient dans cette rue peu fréquentée. Toutes les heures, il faisait également des rapports à ses supérieurs de la Brigade des stups de Los Angeles. Il leur apprenait le nombre de véhicules qui arrivaient dans les studios prétendument vides, ou qui les quittaient. Il leur disait aussi ce qu'il avait observé à plusieurs reprises : des visites du représentant d'un trafiquant de drogue du Midwest.

L'agent Avilla vivait sur Andrita Street depuis trois jours, quand un certain nombre de voyous latinos étaient sortis des Studios Utopie pour le rosser copieusement. Ils l'avaient roué de coups à l'aide de leurs poings et de leurs pieds, tout en faisant les poches de ses vêtements couverts de crasse. Insatisfaits, les voyous avaient déchiré le vieux cabas rachitique que Avilla trimbalait avec lui, en dispersant le contenu dans le parking désert. Heureusement, Avilla était prudent, et les latinos ne trouvèrent rien de plus qu'une bouteille à moitié pleine de vin à bon marché. Ils la vidèrent dans les égouts. Pour eux, Avilla était désormais un authentique sans-abri. Comme tout le monde, les voyous qui travaillaient dans les studios ignorèrent souverainement le clochard. Par mesure de précaution, l'agent Avilla continua d'enterrer sa radio et son arme dans une petite crevasse, au bas d'un chêne rugueux.

— Ici Ange Numéro 3. La voiture s'est arrêtée devant le portail. Je répète, le véhicule s'est arrêté.

— Ici Ange Numéro 1. Bien reçu l'info. Ils attendent sûrement que quelqu'un ouvre le portail... Ces cons n'ont pas idée de ce qui les attend. Terminé.

Même à travers les écouteurs, Jack percevait la tension dans la voix de l'homme. Une profusion de paroles et un trop plein de bravade la dissimulaient mal. Il lui paraissait évident que l'agent Brian Mc Connell de la Brigade des stupéfiants, l'*Ange Numéro 1*, n'était pas préparé à prendre les décisions inhérentes au commandement d'une équipe d'assaut, dans une opération de pareille envergure.

Dans ce cas, pourquoi lui confier la responsabilité des équipes tactiques ?

— Ici Ange Numéro 3. Le portail est ouvert. Quelqu'un sort.

— Ça y est, s'écria l'Ange Numéro 1, la voix tendue. Préparez-vous à l'assaut.

Enfreignant toutes les règles du protocole, Jack Bauer parla.

— Ici Ange Numéro 2. Restez à vos postes. Je répète, restez à vos postes.

Personne ne l'écoutait, cependant. En tout cas, personne chez les Stups. Jack voyait des hommes vêtus de combinaisons d'assaut et de gilets pare-balles bouffants, émerger des positions qu'ils occupaient à couvert, de l'autre côté de l'enceinte des studios.

— Ange Numéro 1, dites à vos hommes de se coucher avant qu'on ne les voie, ordonna Jack Bauer. Tout en parlant, il fit glisser son Heckler & Koch G36, hors du fourreau sanglé sur son dos. C'était une carabine de commando à canon court. Il remplit le chargeur de munitions perforantes, de calibre 5.56 mm.

Une voix nouvelle prit part aux échanges.

— Ici l'Archange. Gardez votre position, Ange Numéro 1. Attendez une identification précise des occupants de la voiture.

Jack fut soulagé de voir les hommes qui se trouvaient sur le pic rocheux opposé au sien se fondre de nouveau dans le paysage.

L'Archange était Jason Peltz, le responsable de la Brigade des stupéfiants. C'était lui qui supervisait l'intégralité de l'opération en cours. La quarantaine finissante, il avait les épaules voûtées, des cheveux poivre et sel qui commençaient à tomber du milieu de son crâne. Peltz ressemblait plus à un professeur d'histoire pour classes secondaires qu'à un agent important de la Brigade des stupéfiants, avec vingt ans d'expérience. Il avait pris du galon au cours de l'année précédente, dans les services des Stups de Los Angeles. Depuis, il était plus un bureaucrate qu'un agent opérationnel de premier plan. Cependant, Peltz était suffisamment habile pour s'entourer d'anciens de la lutte antidrogue, expérimentés, dévoués et incorruptibles, comme Miguel Avilla. Dans ces conditions, sa retraite était assurée.

Si Jack avait un reproche à faire aux méthodes de commandement de Peltz, c'était que l'homme ait choisi de dispenser ses consignes à partir d'un poste de commande dissimulé dans une camionnette sale, garée à un pâté de maisons de là. Pour Jack, Peltz aurait dû se trouver ici même, sur le terrain, au milieu de ses troupes. Que Peltz laisse les charges les plus lourdes à un chef d'équipe tactique aussi inexpérimenté que Brian Mc Connell, qui n'était manifestement pas à la hauteur de la tâche, cela le troublait.

Il n'y avait pas eu mort d'homme, mais cette pagaille n'aurait pas dû se produire.

— Ange Numéro 3, ici Ange Numéro 1. Avez-vous identifié avec précision la voiture et ses occupants ?

— C'est un véhicule différent, Ange Numéro 1, rétorqua Avilla. Je pense néanmoins que c'est le même chauffeur. Il y a trois autres hommes dans la voiture, mais je ne les vois pas bien à travers les vitres teintées.

— Écoute-moi, Avilla. J'ai besoin d'une identification illico presto, sinon on remballe tout et on rentre à la maison sur-le-champ.

— J'essaie, Mc Connell. Donne-moi une putain de minute.

Cette atteinte à la discipline des échanges par radio irrita Jack Bauer. La communication en était altérée, et l'agent Mc Connell empirait la situation en harcelant Avilla.

— Ange Numéro 1, ici Ange Numéro 2, dit Jack. Je vois un mouvement à l'angle nord-est du deuxième bâtiment. Pouvez-vous me le confirmer ?

Jack avait parfaitement repéré l'oiseau voletant au-dessus du toit. Cependant, il voulait attirer l'attention de Mc Connell loin d'Avilla pendant assez de temps pour que l'homme posté dans la rue puisse faire son travail.

— Ici Ange Numéro 1. Je ne constate aucune activité au nord-est. Vous avez probablement vu un oiseau.

— Bien reçu, répondit Jack.

— Ici Ange Numéro 3. J'ai identifié le passager. La cible est dans la voiture. Je répète, la cible est dans la voiture.

— Ici Ange Numéro 1. On fonce. Allez, allez, allez !

Jack bondit de sa cachette, ses Chukkas soulevant la poussière à mesure qu'il traversait le pic au pas de course pour emprunter une descente rocheuse. Il gardait l'équilibre à l'aide d'un bras, l'autre agrippant son arme d'assaut. Derrière lui, trois autres silhouettes quittèrent leur abri. C'étaient Chet Blackburn et les membres de son équipe tactique.

Les pieds de Jack touchèrent l'asphalte avant tous les autres. D'un mouvement rapide, il défit la sécurité, puis pointa le canon du G36 en direction de la porte métallique marquée du chiffre 9. Des pieds heurtaient le trottoir, c'était Chet Blackburn, qui couvrait ses arrières.

Ils heurtèrent le mur en même temps, et se collèrent chacun contre un côté de la porte. À l'avance, Blackburn avait façonné une boulette de C-4 en beignet, pour entourer la poignée de la porte. Il l'enroula autour de la serrure métallique, et enfonça le détonateur.

— Cinq secondes, annonça Blackburn.

Cela sembla durer plus longtemps. Jack s'appuya davantage contre le mur, en attendant. Quand le souffle de l'explosion fusa enfin, il sentit les ondulations du choc le long de sa colonne vertébrale. La porte vola hors de ses gonds et tournoya au loin. Jack entendit le fracas qu'elle fit en atterrissant quelque part dans les studios. Le bruit de l'explosion s'évanouit vite. Rapides mais prudents, Jack Bauer et Chet Blackburn passèrent par la porte. Les deux autres hommes restèrent à l'extérieur, couvrant leurs arrières, et s'assurant que personne ne s'évadait de la souricière.

Puis, de l'autre côté de l'enceinte des studios, tout près de l'entrée principale, les agents de la CAT entendirent des coups de feu.

***

05:22:56 PDT
Autoroute 805, au sud de Chula Vista

La lumière aveuglante le faisait loucher. Tony Almeida chaussa des lunettes de soleil à large monture. Le soleil se trouvait déjà au-delà de la ligne d'horizon, brillant et chauffant à l'extrême. La cuvette de Los Angeles subissait la sécheresse la plus sévère qu'elle ait dû affronter en quinze ans. Ici, près de la frontière, c'était encore pis. Des rayons en forme de brosse dessinaient une brume enflammée au-dessus des collines.

Cela n'avait rien de nouveau, pour autant. Depuis que Tony s'était installé dans la Cité des Anges, après son service au sein du corps des Marines, le Sud de la Californie semblait essuyer une crise après l'autre. Les sécheresses et les feux anarchiques qui s'ensuivaient. Les coulées de boue. Les émeutes. Et aussi, les sempiternels tremblements de terre.

Il jeta un œil sur le chronomètre de la *Tag Heuer* en acier qu'il portait au poignet. Bientôt 5 h 30, et six miles encore à parcourir. La circulation était si dense qu'il pouvait bien ne pas arriver à temps. Tony poussa un juron, et fit dévier le dernier modèle de camionnette créé par Dodge pour dépasser un chauffeur à la conduite sinueuse. Il faillit ajouter des bosses et des éraflures supplémentaires à celles qui couvraient déjà la carrosserie du véhicule. La femme qui était assise sur le siège du passager émit un petit cri. Elle avait renversé un peu de son café bouillant sur son jean.

— Ralentis, Tony. Où est l'urgence ?

Tony appuya sur les freins, roula plus lentement. Non pas pour calmer Fay, mais parce que la circulation traînait de nouveau, et sur les quatre files. Quand ils durent s'arrêter un moment plus tard, il baissa la vitre. La cabine fut envahie d'air chaud et de poussière. Epongeant son jean délavé, Fay toussa de manière théâtrale. Tony l'ignora et passa la tête dehors, tentant en vain de voir par-delà l'énorme camion qui empêchait toute visibilité. Un avion qui se dirigeait vers l'aéroport municipal Brown Field vrombit au-dessus de leurs têtes, ajoutant à la cacophonie.

Tony ferma la fenêtre et s'affaissa derrière le volant. Le ronronnement du climatiseur remplaça le rugissement assourdissant de la rue.

— Dieu merci, tu n'as pas pris de café ! Tu es tellement tendu, dit Fay. On est en retard ? C'est pour ça que tu ne voulais pas t'arrêter ? Enfin, c'est vrai qu'on a perdu au moins deux minutes chez Starbucks !

Tony lâcha le volant et caressa son bouc noir. Il avait plus de barbe que d'habitude, sous la lèvre. Ses cheveux aussi étaient bizarres. Ils étaient longs derrière et rassemblés en une petite queue-de-cheval sur la nuque.

Fay lui jeta un regard, à travers de longs cils blonds, avant de détourner les yeux. Ses lèvres brillantes de gloss firent la moue. Elle écarta des mèches blondes et bouclées de son visage bronzé.

— Veux-tu bien te détendre, patron ? Ce n'est pas comme si c'était l'heure limite, n'est-ce pas ?

— Nous avons effectivement atteint la limite, agent Hubley. Si nous ne passons pas la frontière à temps, avec le bon garde-frontière en poste, nous courons le risque de nous faire arrêter. Et si on découvrait ce que contient le coffre de cette camionnette, nous aurions des explications à fournir.

— C'est pas comme si on était les méchants. Nous pouvons dire aux patrouilles postées à la frontière qui nous sommes et ce que nous faisons.

— C'est ça, nous allons permettre à un simple garde-frontière de prendre connaissance d'informations classées secrètes ! répondit Tony avec impatience. Bon Dieu, d'après ce que nous savons, le garde auquel nous avons affaire pourrait être l'enfant de salaud corrompu qui a d'abord laissé Richard Lesser s'évader par la frontière mexicaine.

Le regard de Fay quitta Tony pour se perdre à l'extérieur de la fenêtre, côté passager.

S'il ne regrettait pas ses propos, Tony se reprocha aussitôt le ton sur lequel il les avait prononcés. Ce n'était pas la faute de Fay Hubley si elle était inexpérimentée, si elle n'avait jamais fait de travail d'infiltration, si elle n'avait jamais officié sur le terrain. Elle ne serait pas là, si les circonstances ne requéraient pas son implication. Tony avait besoin de ses connaissances en informatique pour dénicher la piste électronique de leur proie, pendant qu'il lui courait après dans le monde réel.

L'homme qu'ils traquaient, Richard Lesser, avait à peu près le même âge que Fay. Diplômé de Stanford, Lesser était titulaire d'une maîtrise en informatique. Il était aussi l'un des meilleurs programmeurs de sa promotion. La perspective de gagner tranquillement un demi-million de dollars en élaborant des protocoles de sécurité ou en créant des jeux vidéo ne l'intéressait pas. Dès la sortie de l'Université, Lesser avait décidé de faire carrière dans le piratage de systèmes mis en place par les plus grands spécialistes américains de la sécurité informatique. Tous ceux qui figuraient ainsi sur sa base de données étaient ses otages. L'entreprise Boscom Systems avait dû payer jusqu'à cinq millions de dollars pour préserver sa réputation. Ses cyberlimiers avaient finalement réussi à identifier Lesser à partir des restes d'une procédure de codage qui traînait dans son programme de piratage, enfouie par inadvertance dans le processeur central de Boscom.

Deux semaines auparavant, Lesser avait trouvé le moyen de passer la frontière quelques heures après qu'une mise en examen était prononcée à son encontre. Ses délits étant de nature strictement économique et les dégâts limités, il n'était pas le genre de malfaiteur que la CAT prenait habituellement en chasse. Cependant, au cours des huit derniers jours, des échanges fréquents et empressés avaient été détectés entre deux groupes de narcoterroristes d'Amérique centrale et une cellule inconnue, dirigée par un personnage obscur nommé Hasan. Ces trois entités avaient nommément cité Richard Lesser. L'une d'elles avait été localisée en Colombie, une autre était basée à Mexico, et la troisième quelque part aux États-Unis. Après la réunion, l'agent spécial Larry Hastings, qui dirigeait les Opérations électroniques de la CAT à Washington, avait dit à Ryan Chappelle qu'il pensait que Lesser était le fugitif le plus dangereux du monde, à cause de ses connaissances et de ses compétences. Hastings avait le sentiment qu'il était impératif d'attraper Lesser et de le ramener aux États-Unis, ou de l'empêcher par tous les moyens nécessaires de nouer des liens avec des terroristes. La mission de Tony et Fay fut promptement mise sur pied, avec l'aval de Washington.

Sur l'autoroute, les voitures se remirent à avancer. Tony passa la première et continua à conduire en silence, s'en voulant encore d'avoir été aussi sec. Le fait qu'il ne se soit ni lavé ni rasé depuis bientôt 24 heures n'adoucissait pas son humeur. Qu'il ne soit même pas 6 heures du matin et qu'il soit déjà en train de suffoquer à cause de la chaleur, cependant que la crasse s'accumulait autour du col de sa veste en jean, et que la sueur formait une mare au fond de ses bottes Steve Madden… cela non plus, n'adoucissait pas son humeur.

— Je vois que tu ne te détends pas, dit Fay, essayant de briser la glace.

— Je me détendrai quand nous arriverons à Tijuana, répliqua Tony, les yeux fixés devant lui.

Tony Almeida aurait préféré laisser Fay Hubley en sécurité devant son ordinateur à Los Angeles. En temps normal, c'est ce qu'il aurait fait. Mais pour que cette mission prioritaire réussisse, il lui fallait le concours d'une personne capable de garder l'œil sur les activités informatiques de celui qu'ils pourchassaient. Quelqu'un qui puisse contrôler les comptes bancaires de Richard Lesser, ses cartes de crédit, l'usage qu'il faisait de son ordinateur et ses mouvements sur l'Internet. Personne n'était plus qualifié pour cet emploi de cyberdétective que Fay Hubley, la nouvelle recrue de la CAT à Los Angeles.

L'agent Hubley avait vingt-cinq ans. Elle sortait à peine de l'université Carnegie Mellon, et était très désireuse de servir son pays. Plutôt que retourner dans sa famille à Columbus, dans l'Ohio, et se faire embaucher par une société *point com*, Fay Hubley avait été recrutée par la CAT. Elle avait d'abord travaillé à Washington, puis au sein des équipes de Los Angeles.

C'était le directeur administratif Richard Walsh qui avait fait venir Fay sur la côte Ouest, après avoir appris qu'elle était la créatrice d'un programme de prise en filature capable de remonter jusqu'au numéro précis d'un ordinateur muni d'une ligne téléphonique, ou même une zone wi-fi. La CAT avait déjà utilisé ses protocoles pour tracer les activités d'un pirate informatique qui avait failli pénétrer dans la base de données de la CIA à Langley. L'homme était actuellement derrière les barreaux, attendant son procès.

Pour cette première mission d'infiltration, le travail informatique de Fay Hubley nécessitait l'utilisation de machines et autres logiciels valant un demi-million de dollars. Le tout se trouvait maintenant à l'arrière de leur camionnette, au milieu de quelques trompe-l'œil. Plusieurs centaines de cartes de crédit volées et quelques détecteurs de bandes magnétiques devaient en effet servir de camouflage à la mission.

S'ils se mettaient les autorités mexicaines à dos, ils auraient une couverture crédible et des preuves pour la conforter. Et Tony Almeida, alias Tony Navarro, trafiquant étatsunien de cartes de crédit et usurpateur d'identités, avait assez d'argent liquide en main pour se tirer, lui et sa petite amie, des griffes de n'importe quel policier mexicain corrompu.

Ils seraient beaucoup moins en danger ici, si on les prenait pour des délinquants en col blanc, plutôt que des agents secrets américains travaillant sous couverture. Pour Tony, l'histoire de l'agent Enrique Camarena Salazar des Stups pouvait encore se répéter. Salazar avait été enlevé dans les rues de Guadalajara par des trafiquants de drogue tuyautés par des policiers mexicains corrompus. On l'avait torturé à mort.

— Regarde ! On est presque arrivés, s'exclama Fay. Plus que deux miles pour atteindre la frontière.

Elle fit un geste pour montrer la pancarte et répandit à nouveau du café sur son jean.

Tony observa la tenue de la jeune femme. Il lui semblait difficile d'associer l'apparence calme, conservatrice et quelque peu terne qu'elle avait à la CAT avec le personnage qu'elle s'était créé comme sa couverture. À une certaine époque de sa vie, Tony Almeida avait été décrit comme un voyou des rues, et ce à juste titre. Ayant grandi dans un quartier rude et violent de Chicago, il avait dû s'endurcir. Bien que cette période de son existence soit révolue depuis longtemps, Tony pouvait encore dévoiler une part assez importante de son ancienne personnalité, pour convaincre les méchants qu'il était l'un des leurs. Mais il avait beau essayer, il ne parvenait pas à imaginer la face cachée de son tempérament que Fay Hubley exploitait pour créer sa fausse identité.

Perchée sur des sandales à talons hauts, moulée dans un jean à taille basse, Fay portait un corsage de coton rouge vif dont la frange dansait, lui dénudant le ventre. Le corsage sans manches laissait voir un tatouage fait de plantes grimpantes entrelacées, qui lui encerclait le haut du bras. Un autre tatouage, représentant un dragon volant déployant ses ailes au bas de son dos, était lui aussi bien visible. Fay avait les ongles des doigts et des orteils vernis d'un pourpre luisant, qui se mariait avec son ombre à paupières et son rouge à lèvres.

La nuit précédente, comme le duo s'apprêtait à quitter le siège de la CAT pour Tijuana, après la réunion préalable à la mission, Jamey Farrell avait regardé le déguisement de sa collègue.

— Waouh, s'était-elle écriée, qui aurait cru que Fay Hubley tenait plus de la *Bratz* que de la *Barbie* ?

Tony ignorait si les tatouages étaient vrais ou temporaires, mais la mission avait été mise en place si vite que Fay n'aurait pas eu le temps de se faire percer le nombril. Pourtant, un fin dragon d'argent tournoyait maintenant au bout d'une mince chaîne descendant de l'anneau qu'elle portait au nombril.

Tony regarda ailleurs, avant que Fay ne s'aperçoive qu'il l'examinait en détail.

Bon Dieu, pensa-t-il, *il faut vraiment se méfier de l'eau qui dort.*

*
* *

05:46:01 PDT
Les Studios Utopie

Ils n'avaient réussi à pénétrer dans les studios désaffectés que pour y être arrêtés par une salve de tirs. À présent, sur un plateau, coincés entre un mur de béton et une poubelle, Jack Bauer et Chet Blackburn se tenaient serrés, dos à dos. Des rafales perforantes claquaient sur le conteneur métallique avec suffisamment de puissance pour en percer l'acier et ricocher de manière désordonnée dans la poubelle.

— Ils sont cernés. Ils ne peuvent aller nulle part. Pourquoi diable ne laissent-ils pas simplement tomber ? cria Blackburn, au-dessus du vacarme. Sous sa protection faciale transparente, la peau sombre de l'homme luisait de sueur.

— Ils sont venus avec des flingues, dit Jack. Ils ont pensé qu'ils devaient s'en servir.

Jack s'accroupit et essuya le filet de sang qui lui coulait du nez. Il retira son casque d'un coup sec, se demandant pourquoi la radio avait cessé de fonctionner. Il découvrit que le transmetteur situé dans la pochette avait été endommagé par la rafale qui avait effleuré son casque un instant auparavant.

— Essaie de joindre l'Ange Numéro 1, demanda-t-il, en crachant du rouge. Tâche de savoir ce qui se passe de l'autre côté du mur.

Jack sortit prudemment la tête. À un mètre et demi, de l'autre côté du plateau jonchée d'éléments de décor – il y avait de tout : des meubles de la période ornementale jusqu'aux coucous de grand-papa, de faux instruments de laboratoire, et même une armure – Jack vit une autre porte métallique, encore condamnée. Comme il reculait à couvert, toujours accroupi, des rafales crépitèrent contre le mur, arrosant les deux hommes d'éclats d'obus et de poussière. Jack émit un grognement. Un tesson d'acier chaud avait crevé son costume d'assaut, lui creusant le biceps d'un trou brûlant. Jack Bauer avala de la bile, ignorant la piqûre cuisante.

— L'équipe de l'Ange Numéro 1 aurait déjà dû passer cette porte, affirma Jack à l'adresse de Blackburn.

— Ils ne peuvent pas passer, répondit Blackburn. Cette porte a été soudée pour protéger les laboratoires de descentes comme celle-ci. Les Stups ont pris le labo et serré les gros poissons. Maintenant, ils doivent chercher un autre moyen d'arriver jusqu'à nous.

— Ils feraient mieux de se dépêcher, dit Jack.

Chet Blackburn jeta un regard à la marque se trouvant sur le bras de Jack Bauer.

— Tu sais qu'on ne peut pas rester là, à attendre tranquillement. Il faut qu'on bouge, sinon on va mourir.

Un sourire ironique apparut sur ses lèvres.

— On pourrait sortir par là où on est entrés. Ces gars-là sont rien que des cons, et ils ne s'en iront pas. On pourrait les attendre dehors, ou revenir à l'intérieur avec du renfort.

Jack Bauer secoua la tête en signe de dénégation.

— Finissons-en, avant que quelqu'un soit blessé. Tu as vu combien de tireurs ?

— J'en ai compté deux, répliqua Blackburn. Un à deux heures. L'autre est tapi là-bas, à côté de l'armure. En tout cas, il s'y trouvait il y a une minute.

À présent, l'individu pouvait être n'importe où. Ils le savaient tous les deux. Jack fit tomber de son casque d'assaut en Kevlar les morceaux du transmetteur cassé. Il se le glissa sur la tête. Il abaissa sa visière brisée, puis Blackburn et lui vérifièrent leurs armes.

— On y va, annonça Jack.

Ils se détachèrent l'un de l'autre en roulant à terre et se relevèrent au pas de course, de chaque côté de la poubelle criblée de trous. Jack pointa le G36… en l'air. Sa cible s'était évanouie.

Chet Blackburn eut plus de chance. L'homme qu'il pourchassait se mit à découvert et ouvrit le feu avec une paire de semi-automatiques de calibre 45. C'était un Latino. Il avait un peu plus de vingt ans. Le voyou avait revêtu un survêtement, des baskets blanches et assez de ferraille pour ouvrir une bijouterie. Il tenait les revolvers à l'oblique, dans une prise de gangster. La méthode impressionnait lors des fusillades en voiture, mais n'était aucunement efficace dans la situation présente.

Blackburn resta debout, cependant que les deux premiers tirs sifflaient près de ses oreilles. Il fit la grimace lorsque le troisième coup pinça son gilet pare-balles et déchira un gros morceau de sa combinaison de combat. Puis, il tira deux fois. Son premier tir atteignit le Latino entre les yeux, lui envoyant la tête en arrière. Le second pénétra sous le menton de l'homme et lui fit sauter le dessus du crâne. Le mort s'affala sur le sol. Dans un mouvement nerveux de la main, il tira une dernière balle qui ricocha contre le mur.

Jack aperçut son gibier qui courait dans le vieux studio de cinéma. Il leva son G36 pour tirer, puis il abaissa le canon et hissa l'arme sur son épaule. Réfléchissant à une méthode d'approche, Jack Bauer prit son élan et se mit à courir. Il allait essayer de contraindre le jeune homme à se rabattre en bordure du plateau.

Blackburn leva les yeux, après avoir mis les armes du mort en sécurité. Il regarda Jack rattraper l'homme qui courait, lui saisir la nuque pour agripper ses longs cheveux noirs à pleine main. Les deux hommes heurtèrent l'armure, qui était en réalité une sculpture de métal soudé. Jack émit un grognement et exhala un souffle, tandis que le corps de l'autre homme amortissait l'impact.

Chet Blackburn fit la grimace. Même à dix mètres de distance, il avait entendu le terrible bruit d'écrasement, quand le nez du voyou s'aplatit, ses dents de devant se brisant sur la poitrine en fer de l'armure.

Titubant pour rester debout, Jack s'appuya sur la structure médiévale. Il se servit de menottes en plastique pour maintenir les mains du blessé dans son dos. Mais, avant qu'il puisse faire tenir son prisonnier sur ses jambes, une autre explosion secoua le studio. Des tourbillons de poussière surgirent d'un coin éloigné du gigantesque studio de tournage, alors qu'un pan du mur volait en éclats, dans un fracas de plâtre s'émiettant. L'Ange Numéro 1 et trois autres membres de la brigade d'assaut des Stups apparurent à travers la fumée.

Jack se retourna pour leur faire face. Un filet de sang dégoulinait de son nez. Il y avait davantage de sang encore sur sa tenue de combat. Pourtant, Jack Bauer se tenait droit, continuant d'agripper le prisonnier meurtri, sous l'ombre de l'armure médiévale.

— Bien, bien, se moqua Chet Blackburn, l'éclat de ses dents blanches tranchant avec le noir de sa peau. La cavalerie arrive juste à temps.

***

05:59:56 PDT
Santa Monica

La sonnerie du téléphone posé sur la table de chevet tira Teri Bauer de son sommeil. Elle roula sur le côté pour atteindre l'autre côté du lit. Les draps étaient froids, sans un pli. Elle décrocha le combiné.

— Jack ?

— Teri ?

C'était une voix masculine, plus haute que celle de Jack d'une octave, avec un accent anglais. Teri s'assit, les yeux grands ouverts.

— Dennis ? Est-ce que c'est toi ?

L'homme éclata de rire.

— Je n'arrive pas à croire que tu reconnaisses ma voix, après tout ce temps.

— C'est ton accent qui t'a trahi. Et puis, ça fait seulement un an.

— Bientôt deux, et j'ai compté les heures.

Teri passa la main dans ses courts cheveux de jais, ne sachant trop quoi ajouter. L'appel de Dennis Winthrop, son ancien employeur, était bien la dernière chose à laquelle elle s'attendait.

— Écoute, je sais que c'est dingue de t'appeler à cette heure-ci, mais je descends tout juste de l'avion de nuit qui arrive de Londres…

— Londres ! Eh bien, c'est un long voyage.

— … et je me suis souvenu qu'il t'arrivait de te réveiller à 4 heures du matin et de dessiner pendant deux heures, avant de préparer ta fille pour l'école. Tu débarquais toujours dans les locaux de production aux alentours de midi, avec des croquis vraiment épatants.

Teri sourit.

— Voyons, arrête.

— Non, non, ne dévalorise pas ton travail. L'homme fit une pause. Tu étais bien réveillée ? Je détesterais l'idée de t'avoir tirée du lit.

— Bien sûr, mentit Teri. Ça fait déjà des heures que je suis debout. Alors, que se passe-t-il ?

— Eh bien, je suis en ville à cause de la cérémonie de remise de prix. Tu sais, les Silver Screen Awards…

— Oui, oui, les Silver Screen Awards, répondit

Teri, se rappelant avoir vu quelque chose concernant la cérémonie sur la couverture d'un magazine qu'elle avait feuilleté en faisant la queue au supermarché.

— Sais-tu que *Le Chasseur de démons* est en lice pour trois trophées, dont celui de la création des décors ?

— Mon Dieu, je l'ignorais. C'est formidable, Dennis. C'est vraiment génial. Toutes mes félicitations.

— Écoute, je sais que c'est un peu juste, mais, en ouvrant mes bureaux de Los Angeles, j'ai trouvé six billets pour la cérémonie de ce soir. Ils attendaient sur mon bureau. Mon équipe ira, toute la distribution du filme aussi, et… je voudrais que tu viennes.

— Je suis sans voix. C'est vraiment généreux d'y avoir pensé…

— Pas du tout. Tu as participé autant que les autres à la création des décors. Tu y étais impliquée, et je tiens à ce que tu sois là pour partager cette joie. Je vais appeler Chandra et Carla aussi. Nancy va venir.

— Nancy ! Oh, qu'est-ce que j'aimerais la revoir !

— Elle a eu un bébé, tu sais. Un garçon.

— Je ne le savais pas.

— Et Carla est fiancée.

— Mon Dieu…

— On dirait que tout le monde se marie, se fiance ou fait des bébés.

Il y eut un bref silence.

— Tu es toujours avec Jack ?

— Mais oui, tu vois.

— Eh bien, c'est formidable. Tu me parleras de lui et de Kim ce soir. Tu viendras, n'est-ce pas ?

— Écoute, je… je…

— Dis oui.

— D'accord, je viendrai, dit Teri, se laissant finalement fléchir. Mais ce truc passe à la télé, non ? Qu'est-ce que je vais mettre ?

— Je suis sûr que tu trouveras quelque chose. Tu seras charmante, quoi que tu choisisses.

— Très bien, répondit Teri, un peu nerveuse. C'est à quelle heure ?

— J'enverrai une limousine pour te prendre à 17 heures. c'est tôt, mais la soirée est retransmise en direct sur la côte Est.

— Je n'ai pas besoin d'une limousine, Dennis, affirma Teri.

— Ne t'en fais pas pour ça. Le studio paie tous les frais. Ce sera amusant. Et puis, Teri… sa voix se fit plus grave. Ce sera bon de te revoir.

Teri sentit le rouge lui monter aux joues.

— Ce sera un plaisir pour moi aussi de te revoir, Dennis.

Heure 2

Ces événements se déroulent entre 6 h et 7 h, PDT

06:01:31 PDT
Les Studios Utopie

Une ambulance quitta les lieux, avec le prisonnier de Jack Bauer attaché à un brancard, tandis que deux infirmiers s'occupaient de Jack lui-même. Il les laissa défaire la protection qu'il portait aux épaules, sa veste en Kevlar, ses genouillères et ses jambières. Il resta assis dans un silence coopératif, pendant qu'ils lui pansaient le bras et épongeaient le sang qui coulait de son nez. Les ennuis commencèrent quand un infirmier voulut l'installer sur un brancard. Il refusa, retrouvant alors la parole. En fin de compte, une urgentiste s'avança et tenta de le raisonner.

— Je me fiche de savoir à quel point ce casque est solide, ou quel dur vous pensez être, agent Bauer. Vous avez frôlé la commotion cérébrale et vous devez vous laisser examiner.

— Écoutez… Jack lut le badge de la femme. Madame Besario… Inez. Je vais bien. Vraiment. Je ne ressens pas d'étourdissement. Je n'ai subi aucun choc. J'y vois clair, et je n'ai pas mal à la tête.

Mme Besario avait de grands yeux ronds et très noirs. À son expression, Jack vit qu'elle était aussi entêtée que lui.

— Vous avez une bosse à la tête, et votre nez vient à peine d'arrêter de saigner.

Jack lui toucha l'épaule en souriant.

— Je me ferai examiner par des médecins en rentrant au quartier général. Merci de vous inquiéter.

Elle le fixa à travers de longs cils, puis le gratifia d'un sourire narquois.

— Vous, les flics, vous êtes tous les mêmes. Vous vous prenez pour Superman.

Jack remarqua l'alliance qu'elle portait au doigt.

— On dirait que c'est votre expérience qui parle.

— Agent spécial Bauer, venez par ici.

Jack se retourna à cet appel. L'agent Brian McConnell ne l'avait pas attendu. Il avait tourné les talons pour regagner la camionnette blanche garée près de la porte détruite du studio 9.

— Veuillez m'excuser, dit Jack à l'urgentiste.

Elle acquiesça d'un hochement de tête.

— Vous feriez mieux de partir, agent spécial Bauer.

Inez Besario rejoignit l'équipe médicale qui administrait les premiers soins à la jambe de Chet Blackburn. Jack traversa rapidement le parking. Il aperçut l'agent Avilla se faisant les muscles sur un des voyous latinos qui lui avaient réglé son compte l'autre jour. Jack rattrapa finalement l'Ange Numéro 1 à la porte de la camionnette défoncée. Du plat de la main, Mc Connell frappa deux fois le panneau latéral, couvert de crasse. De l'intérieur, une voix étouffée lança :

— Entrez.

Mc Connell tordit la poignée et fit coulisser la porte pour l'ouvrir. Jason Peltz était assis dans le centre de contrôle, sur un fauteuil vissé au plancher du véhicule. L'homme était entouré d'ordinateurs, d'écrans à l'image vacillante et de rangées d'outils de communication. Il y avait même un petit laboratoire chimique à l'intérieur. Un scientifique aux mains gantées testait avec des fioles un échantillon du produit qu'on avait trouvé dans les Studios Utopie. Peltz baissa le son de sa radio, décrocha son casque et sortit de la camionnette encombrée.

— C'est du bon boulot, Bauer. Transmettez mes remerciements à l'agent Blackburn et à son équipe. Grâce à la collaboration entre agences, nous avons réussi à fermer le plus important laboratoire fabricant de méta-amphétamine existant sur la côte Ouest. Nous avons aussi arrêté les personnes responsables…

— Attendez un peu, interrompit Jack. Vous avez bien parlé de méta-amphétamine ? Ce laboratoire était censé produire du Karma.

— En fait, nos informations étaient fausses, répondit Peltz. Mon équipe médico-légale ne peut pas prouver que ce laboratoire a servi à quoi que ce soit d'autre que la cristallisation de méta-amphétamine haut de gamme.

Jason Peltz fronça les sourcils. Comme quand il souriait, ses yeux restèrent dénués d'expression.

— Je suis vraiment désolé, Jack.

Jack Bauer était en colère, mais il ne pouvait le montrer. Il regarda Brian Mc Connell, qui évita son regard. Jack ignorait si l'Ange Numéro 1 était en proie à la déception ou à la culpabilité ; du coup, il ne pouvait pas savoir si c'était encore la pagaille chez les Stups, ou si la CAT se faisait doubler.

Par réflexe, Jack Bauer se massa la tempe qui l'élançait.

— On n'a pas eu de bol, dit-il d'une voix égale. Où est-ce que tout ça nous mène, Peltz ?

Jason Peltz soupira, se frappant les cuisses du plat des mains.

— Là, maintenant, on se dit au revoir.

— Quoi ?

— C'est une assez grosse saisie de drogue, et mes supérieurs de Sacramento aimeraient s'en vanter un peu. Peltz s'arrêta un moment, avant de poursuivre. La presse est prévenue, Jack, au moment même où nous parlons. Des caméras seront ici dans une minute. J'ai déjà demandé à mes hommes de quitter les lieux. Vous feriez mieux de faire dégager votre équipe, si vous ne voulez pas que les visages de vos agents infiltrés soient vus au journal télévisé.

Jack Bauer tourna les talons, furieux, et traversa le parking. Il trouva Chet Blackburn adossé à une ambulance, en train d'inspecter le bandage qui lui entourait la jambe.

— Réunis tes gars, et fais-les sortir d'ici. La presse est en route.

— Ils sont rapides, fit remarquer Blackburn, en clignant des yeux.

Jack regarda vers la camionnette blanche.

— Quelqu'un les a mis au parfum. Je rentrerai au siège avec vous.

— Tu ne veux pas d'abord saluer un vieux copain ?

Jack Bauer se retourna. Blackburn affichait un large sourire. Derrière lui, un homme était adossé à une Lexus bleue, dernier modèle. Vêtu d'un pantalon kaki et d'un polo, il avait à peu près le même âge que Jack. Son visage et ses bras étaient très bronzés, et ses cheveux châtain clair commençaient à tomber.

— Frank ! Frank Castalano, s'exclama Jack, agrippant l'homme par le bras.

— C'est bon de te voir, Jack, dit Castalano, en appliquant une tape sur le bras de Jack Bauer qui fit la grimace. Encore dans la merde, hein ?

— Si mes souvenirs sont bons, Frank, tu ne t'es jamais trouvé bien loin de la puanteur, toi-même.

Blackburn aspira l'air.

— Moi, je ne trouve pas qu'il sente mauvais. Il a certainement cessé d'enfoncer des portes. Toute cette chaleur et il n'a pas encore sué une goutte.

Jack sourit.

— C'est parce qu'il est désormais l'*inspecteur* Frank Castalano de la Brigade criminelle de Los Angeles. Alors, qu'est-ce que tu fais là, mon vieux ?

Le regard de Frank croisa celui de Jack.

— En fait, j'aurais aimé que ce soit une visite de courtoisie, mais ce n'est pas le cas.

— Chet, tu peux retourner au siège pour rédiger ton rapport, dit Jack. Je rentrerai par mes propres moyens.

Blackburn avait compris. Il sentait maintenant l'atmosphère se refroidir.

— Bon, d'accord, répondit-il. Ça m'a fait plaisir de te revoir, Frank. Restons en contact.

Après que Chet et son équipe tactique se furent entassés dans une camionnette noire de la CAT pour s'en aller, l'inspecteur Castalano ouvrit la portière de sa Lexus, côté passager.

— Allons faire un tour, Jack.

— Suis-je en état d'arrestation ?

Frank fit mine de donner une autre tape au bras de Jack, puis se ravisa.

— Trente minutes de ton temps, Jack. C'est tout ce que je demande. Ensuite, je te ramène chez toi. Tu vis toujours à Santa Monica, n'est-ce pas ?

***

06:23:44 PDT
Tijuana, Mexique

Ils avaient atteint la frontière par la Route 5. Il ne leur restait plus que quelques secondes. Tony fit passer la camionnette par la deuxième porte en partant de la droite, conformément à ses instructions. Le garde-frontière reconnut sa voiture et son déguisement. Il fit un signe de la main pour que le véhicule passe directement, sans s'arrêter au contrôle.

L'espace situé autour de la frontière ressemblait à une zone de guerre, avec une enfilade de barrières faites de chaînes et coiffées de rouleaux de fil barbelé. Tout en haut, des lames brillaient au soleil. Dans ce *no man's land*, pas une plante ne poussait. Le seul mouvement était celui des minuscules tourbillons de poussière, qui roulaient sur ce pan brûlé du désert rocheux.

Le long des derniers kilomètres, ils avaient vu de plus en plus de panneaux d'affichage bilingues. À présent, tout – les panneaux routiers, les affiches publicitaires, absolument tout – était en espagnol. Tony dirigea la camionnette vers le pont. Tant qu'ils n'avaient pas traversé le canal de Tijuana, ils n'étaient pas encore à Tijuana. À cause de la sécheresse, le « canal » avait plutôt des allures de crique boueuse. La ville entière semblait avoir revêtu un manteau de poussière fine et poudreuse.

Tony baissa la vitre avant de doubler un camion qui roulait lentement. Des gaz d'échappement envahirent la cabine et Fay fronça le nez.

— Il lui faudrait une bonne vidange !

— C'est de l'essence au plomb. Elle est autorisée ici. Tu devras t'y habituer, affirma Tony.

De l'autre côté du canal, Tony roula le long de quelques pâtés de maisons, à travers un marché. Il tourna ensuite sur l'avenue de la Révolution. Bien qu'il fût encore tôt, des bars et des restaurants étaient déjà ouverts. Les étals des marchands ambulants emplissaient l'air chaud et sec d'une odeur de charbon et de viande grillée.

— Toute la ville ressemble à ça ? Demanda Fay.

— Ici, c'est la partie touristique.

Elle arbora un sourire entendu.

— Je comprends. C'est le quartier louche de la ville.

— Non, ce sont les beaux quartiers.

Tony traversa l'avenue de la Révolution de bout en bout, jusqu'à Centro, le centre-ville de Tijuana. Il tourna à gauche sur la rue Amacusac, puis encore à gauche sur la rue Murrieta. Il se gara face à un bâtiment en brique de la rue Juan-Escutia. Des balcons chétifs couvraient la façade, du premier au deuxième étage. Au-dessus de l'unique porte, une pancarte indiquait : La Hacienda. Tony coupa le moteur.

— On est arrivés, annonça-t-il.

Il défit sa ceinture de sécurité. Fay saisit la poignée de la portière. Tony l'arrêta.

— Rappelle-toi les instructions : on utilise uniquement nos prénoms, mais n'oublie pas nos couvertures. Je suis Tony Navarro, et tu es Fay Kelly. Ne te mêle d'aucune conversation et ne regarde personne dans les yeux. Et souviens-toi : si nous sommes séparés ou s'il m'arrive quoi que ce soit…

— Je vais immédiatement au consulat des États-Unis, et je leur dis qui je suis.

Tony approuva d'un hochement de la tête.

— Très bien. Laisse-moi activer les systèmes de sécurité et on y va.

Au bas d'une des touches, il chercha la minuscule lentille laser dissimulée sous la garniture se trouvant près de son pied gauche. Il aplatit son gros orteil sur l'œil de verre et appuya. Une fois son empreinte identifiée, Tony entendit un *bip* qui rappelait le signal d'alarme produit par une ceinture de sécurité. Ce bruit lui indiqua qu'une douzaine d'engins avaient été mis en route, rendant la camionnette impossible à pénétrer ou à déplacer, même si le moteur avait été allumé. Les roues étaient verrouillées par un système encastré qui fonctionnait comme l'entrave de agents de la circulation. Même une dépanneuse aurait du mal à tirer le véhicule.

Pendant que Tony sécurisait la voiture, Fay scrutait les environs à travers le pare-brise teinté. Le paysage était en grande partie composé d'immeubles branlants à deux étages. Ils étaient en bois ou en brique. Des boutiques sur un seul niveau étaient coincées entre des immeubles plus solides. C'étaient, la plupart du temps, des épiceries ou des étals de nourriture. Des vêtements suspendus sur des cordes à linge sales, accrochées entre les immeubles, ondulaient sous le vent comme des drapeaux. Les rares arbres que Fay voyait avaient bruni à cause de la sécheresse persistante.

— Mon Dieu ! je n'arrive pas à croire qu'on va s'installer ici.

Tony comprenait la nervosité de la jeune femme. C'était la première fois que Fay Hubley effectuait une mission sur le terrain, et elle n'était même pas un agent opérationnel, en principe. Son entraînement s'était limité à quelques réunions d'information, au cours des vingt-quatre dernières heures. Pour couronner le tout, elle n'avait sans doute jamais mis les pieds dans un bouge comme La Hacienda, et encore moins passé une nuit dans ce genre d'établissement.

— Écoute, j'ai déjà logé dans cette auberge. Elle n'est pas aussi terrible qu'elle en a l'air, lui dit Tony, d'un ton qui se voulait rassurant. On me reconnaît sans savoir qui je suis. Personne ne devrait nous déranger. Tout se passera bien.

Dehors, la chaleur les frappa comme une enclume. On avait déjà presque atteint les 25 °C et la journée allait être de plus en plus chaude. Des gaz d'échappement et des odeurs de cuisine emplissaient l'air, se mêlant à l'omniprésente poussière. Dès qu'ils sortirent de la camionnette, ils furent assaillis par une petite douzaine d'enfants : des mendiants. Tony fendit la foule, c'était comme s'il marchait au milieu des vagues. Fay sourit aux enfants. Tony lui décocha un regard pour la prévenir.

— Ignore-les, hurla-t-il. Et les fillettes avec des fleurs là-bas aussi. Ce sont certainement des pickpockets.

— C'est quoi ici ? Oliver Twist ?

— Tu n'es plus au Kansas.

— Je viens de l'Ohio, Tony. Je t'ai dit que je venais de l'Ohio.

— Laisse tomber.

Tony ouvrit la marche, comme ils passaient une porte en verre recouverte de mouches. Fay entendit un bourdonnement long et furieux. Elle leva les yeux. Elle plissa le nez de dégoût, en voyant une longue bande de papier tue-mouches, grouillant d'insectes noirs et frémissants. La bandelette insecticide lui pendait audessus de la tête. Fay se hâta d'entrer.

Il faisait dix degrés de moins dans le petit vestibule de La Hacienda. Le sol était composé de tuiles multicolores, dont certaines étaient ébréchées et sales. Le bleu pâle des murs s'écaillait. Au plafond, un ventilateur dessinait paresseusement des cercles. Près de la porte, plusieurs chaises vides étaient alignées avec, tout autour, des journaux éparpillés sur le sol.

Tony avança vers une cloison en bois. Le Formica vert qu'on avait posé dessus était couvert de rayures. Une porte s'ouvrit, et un jeune homme les salua en espagnol. Tony lui répondit gentiment. Il réserva la chambre, paya en dollars américains, et signa le registre. Ils entreprirent ensuite leur ascension vers le premier étage par un escalier couvert d'une piteuse moquette. En haut des marches, sous le drapeau mexicain, un portrait de Vicente Fox, le président du Mexique, leur adressa un large sourire.

— Chambre 6, on est arrivés.

Tony tourna la clé et poussa la porte pour l'ouvrir.

La chambre n'était pas aussi vilaine que Fay l'avait craint. Il y avait des rideaux aux deux fenêtres, une armoire, un petit bureau branlant, deux maigres lits, un fauteuil rembourré, et un téléphone. La minuscule salle de bains jouxtait des toilettes séparées. On pouvait prendre une douche, mais il n'y avait pas de baignoire.

Il faisait une chaleur étouffante dans la chambre. Fay ouvrit les lourds rideaux, pour tomber sur des fenêtres à barreaux. Elle passa la main derrière les barreaux pour ouvrir la fenêtre, mais elle ne put la faire coulisser que sur quelques centimètres, avant qu'un verrou de sécurité ne l'arrête.

Tony jeta son sac à dos sur le lit placé près de la fenêtre. Un couinement de souris en colère fusa du matelas. Il ouvrit le rideau qui cachait l'autre fenêtre et trouva le climatiseur. L'appareil trembla si fort, quand il le mit en marche, que Tony pensa qu'il allait passer par la fenêtre. Cependant, l'engin finit par se calmer et se mit à diffuser de l'air frais.

— Fay, commence à t'installer. Je redescends à la voiture pour monter le reste du matériel. Quand je reviendrai, on appellera la CAT. Il va nous falloir une mise à jour des activités de Lesser au cours des dernières 24 heures, avant de commencer l'opération ici.

***

06:54:23 PDT
Beverly Hills

L'inspecteur Castalano roulait en direction du sud-est, du côté nord de San Fernando Road, pour atteindre Fletcher Drive. Il se dirigea ensuite vers le sud, sur la Route nº 2 du réseau californien. La circulation était déjà dense et on roulait lentement. L'émetteur radio de la police situé dans la Lexus grésilla une fois. Frank l'éteignit.

— Ça doit être chouette de vivre si près de l'océan, dit Castalano. Tu as fait beaucoup de surf ces derniers temps ?

Jack Bauer secoua la tête.

— Non. Trop occupé par mon travail. Et il y a la famille. Je donne quand même des leçons de surf à Kim. Quelquefois, elle fait semblant d'aimer ça.

Castalano eut un petit rire.

— Ouais. Passer du temps en famille, ça peut être bien plus compliqué que le boulot. Comment se porte Teri ?

— Ça la démange de retravailler à temps plein. Moi, ça ne me dérange pas, mais elle n'arrive pas à trouver un emploi qui lui convienne. Comment vont Rachel et Harry ?

— Rachel va bien. Elle enseigne toujours. Harry a douze ans maintenant, et c'est une sacrée terreur. C'est sa deuxième année chez les cadets.

— Sans blague !

— L'équipe est nulle. Ils n'ont pas gagné un seul

match pour l'instant, mais il adore. C'est Nat Greer, l'entraîneur. Tu te souviens de Nat ?

— Bien sûr. Il apprécie sa retraite ?

— Retraite forcée, à cause de blessures. Il serait le premier à préciser les choses, ce qui t'indique tout ce que tu as besoin de savoir sur les joies de sa retraite.

Castalano passa sur l'autoroute 101 pour aller vers le nord. La circulation était dense, mais on avançait.

— Je te demanderais bien si l'excitation des vieux jours te manque, Jack, mais je vois que ta vie est toujours pleine de sensations. Qu'est-ce qui se passait là-bas, sur Andrita Street ?

— Mon agence travaillait sur une saisie de drogue avec les Stups. Apparemment, tout sera déballé dans le journal du soir.

— Toujours en train d'enfoncer des portes.

Jack fixa des yeux la route devant lui, et se massa la tempe.

— Quand j'y suis obligé.

— J'ai toujours eu le sentiment que la police de Los Angeles te bridait un peu, avoua Castalano. Il y avait trop de manœuvres, trop de sessions d'entraînement, et peu de temps pour l'action véritable. Nous autres, on avait du mal à tout assumer : l'entraînement, les missions, le peu de temps accordé à nos familles… On brûlait la chandelle par les deux bouts, alors que toi, tu t'ennuyais.

— J'étais plus jeune, en ce temps-là.

Les voitures cessèrent soudain d'avancer. Castalano freina et la Lexus se mit à l'arrêt. Le policier se tourna vers Jack, lui faisant face.

— Nat Greer m'a dit que tu avais toujours cherché le grand frisson. Il dit que tu faisais de la moto et du surf au lycée, avant l'armée. Il m'a aussi dit qu'on t'avait affecté aux renseignements. Genre opérations spéciales.

— Nat Greer parle trop.

Castalano vira sur l'embranchement de Sunset Boulevard. La circulation était plus fluide que sur l'autoroute, et on roulait de façon assez régulière, le long de Sunset Boulevard. Le soleil cognait contre les vitres teintées. Jack ressentit des élancements à la tête. Et puis, il en avait assez d'échanger des banalités. Il demanda :

— Où allons-nous ?

Castalano lui répondit par une question :

— Est-ce que tu travailles à ton compte ces temps-ci, Jack ? Comme détective privé ou comme consultant, par exemple ? Ou comme agent pour un groupe quelconque ?

— Non. C'est impossible avec mon travail actuel.

— Je savais que vous faisiez de l'espionnage à la CAT. Je ne pensais pas que ça vous laissait l'occasion de vous promener au clair de lune.

Jack ne put dissimuler son impatience plus longtemps.

— Dis-moi, Frank, qu'est-ce que tout ça signifie ?

Le visage de Castalano s'assombrit. Il regardait droit devant. Ils gravissaient maintenant les collines, sur une route sinueuse.

— Je pourrais te dire ce qu'il se passe, Jack, mais je préfère te le montrer. Et je vais pouvoir le faire dans une minute ou deux. On est presque arrivés.

Près de la crête d'une colline, Frank prit un virage brutal sur la droite. La Lexus s'enfonça dans une allée étroite, assez bien cachée par les arbres alentour. En dépit de la sécheresse, les pelouses et les arbres étaient plus verts et plus luxuriants, par ici.

— On est à Beverly Hills, dit Jack.

L'allée était encore longue, mais Castalano se dirigea vers un édifice circulaire, fait de pierre, et à peine plus grand qu'un garage sur pied. La voiture s'arrêta à l'ombre, sous une arcade où coulait une petite fontaine murale. Il y faisait frais. Castalano coupa le moteur, tandis que Jack étudiait les environs.

La maison avait une large baie vitrée, derrière un portail en fer forgé grand ouvert. Mais la porte n'était qu'entrebâillée. Plus loin, dans l'allée, Jack aperçut plusieurs autres véhicules regroupés sous un massif de grands eucalyptus. Il y avait deux voitures de police banalisées, deux ambulances et une camionnette de la police scientifique. Jack remarqua aussi une Rolls Royce décapotable, dont la capote avait été baissée. Hormis un policier en civil qui traînait là en essayant de faire comme si de rien n'était, il n'y avait personne en vue. Toutes les voitures était garées assez loin pour être invisibles depuis la route, et Jack Bauer pensa que c'était fait exprès. Les autorités tentaient sciemment de cacher quelque chose.

— Tu as déjà entendu parler de Hugh Vetri ? interrogea Castalano.

Le nom fit tilt dans la mémoire de Jack.

— Peut-être. Je devrais le connaître ?

— Allons-y, répondit Frank. Je vais te présenter.

Comme ils descendaient de la voiture, un agent de la police scientifique de Los Angeles passa par la porte vitrée. Il fronça les sourcils en voyant Frank Castalano en compagnie d'un inconnu. Il s'approcha et leur tendit des gants de latex.

— On a fini dans la chambre à coucher et dans le bureau, apprit-il à Castalano. Mais je ne veux toujours pas que ceux qui n'ont rien à faire là y pénètrent.

— On va faire vite, répliqua Castalano.

L'homme avait des questions supplémentaires à lui poser, alors ils s'éloignèrent pendant quelques minutes, l'inspecteur et lui. Ne voulant pas se montrer indiscret, Jack recula à une distance respectueuse et enfila les gants. Même ici, à l'ombre, la matinée était déjà brûlante. Jack se massa le front, appliqua la main sur ses yeux pour les garder fermés, empêchant ainsi la lumière de l'éblouir un instant. Finalement, Frank quitta l'homme et fit signe à Jack d'entrer.

Un moment plus tard, Jack Bauer se retrouva dans un enclos de verre climatisé faisant office d'entrée et abritant un immense escalier, constitué d'un seul poteau, d'où partait un faisceau de marches en marbre. La demeure de Hugh Vetri avait été bâtie à la verticale, au flanc de la colline. À chacun de ses étages une baie vitrée offrait une vue plongeante de la vallée, déjà baignée de brume due à la pollution.

— Par ici, Jack, en bas.

Castalano le précéda au bas de l'escalier tournant. Des sculptures d'art moderne pendaient au plafond, surplombant la pièce. Les lampes et le mobilier étaient du même style que les sculptures. Tout était fait d'acier, de verre ou de chrome. Quand ils arrivèrent au premier sous-sol, Jack entendit des voix. Le ton semblait formel, mais on chuchotait respectueusement. C'est alors qu'il comprit que quelqu'un était mort dans ce lieu.

— Qui est ce Hugh Vetri ? s'enquit Jack Bauer, son instinct professionnel soudain éveillé. Un acteur de cinéma ou un metteur en scène ?

— Vetri est un producteur indépendant, répondit Castalano. Il y a deux ans, il a produit un film fantastique qui a cartonné. Il s'apprête à faire paraître la suite. Il l'était, en tout cas.

— Était ?

Castalano s'arrêta devant une porte en chêne avec des décorations gravées dessus. Il l'ouvrit.

— Je te présente Hugh Vetri.

C'est l'odeur qui frappa Jack, en premier lieu. Celle du sang, des boyaux et de la vessie vidés. La puanteur d'un abattoir. Ses yeux suivirent une traînée de sang coagulé, qui menait à un grand bureau en chêne. Un homme était affalé dessus, les bras et les jambes écartés, telle une grenouille sur la table de dissection. Des ceintures de cuir et des cravates en soie avaient servi à lui lier les poignets et les chevilles. À l'instar d'un spécimen d'une espèce biologique quelconque, la victime avait été éviscérée. Ses intestins étaient éparpillés comme des rubans à travers la pièce. Sur le sol, un gros morceau de foie brillait d'un éclat terne, dans le rayon de soleil qui filtrait à travers le mur de verre. L'organe reposait au milieu des fournitures dispersées du bureau. Seuls le cadavre et un écran d'ordinateur demeuraient sur la surface en chêne. L'ordinateur était allumé. Sur l'écran de veille, une image représentait les interminables vagues de l'océan.

Jack Bauer contint suffisamment son dégoût pour pouvoir examiner le corps sans le toucher. La position du cadavre, les marques laissées aux poignets et aux chevilles par les liens, l'ecchymose écarlate sur la joue, tout cela lui sembla particulièrement intéressant. L'expression du mort était encore plus parlante. Il avait un œil ouvert et l'autre fermé, la bouche béante et piquée de taches de sang. Sa langue distendue était noirâtre. On avait délibérément prolongé la mort de cet homme. Il avait enduré des heures de torture, avant de pousser son dernier soupir.

L'inspecteur Castalano rompit le silence.

— Sa femme, Sarah, se trouve dans la chambre du maître. On lui a tranché la gorge. Sa fille est dans la piscine. Celui qui a fait ça l'a trouvée en train de prendre un bain de minuit. Elle a été la première à mourir.

Heureusement pour elle, ça s'est passé très vite. Pas comme avec ce pauvre homme.

— Il y a quelqu'un d'autre ? La voix de Jack était tendue.

— La gouvernante et un bébé, le fils. Ils sont tous les deux dans la chambre du petit. Tu veux y jeter un œil ?

— Non.

— C'est sage. Leurs assassinats ont été assez barbares, mais ceux qui ont fait ça ont réservé toute leur fureur à Hugh Vetri.

— Comment le meurtrier est-il entré ?

— C'est là que ça devient marrant, répliqua Castalano. La compagnie chargée de la sécurité affirme que l'alarme a été mise en marche à 20 heures, puis éteinte aux alentours de minuit. On s'est servi du code. Le meurtrier connaissait les lieux. On suit cette piste-là et quelques autres encore.

Castalano jeta un coup d'œil au corps et détourna le regard.

— On dirait un putain de travail à la Charles Manson. Je pensais que les hippies avaient disparu.

Jack commença à sortir de la pièce. Castalano lui attrapa le bras.

— Je suis désolé, Jack, tu dois encore voir quelque chose.

Le policier traversa la pièce, se dirigeant vers l'ordinateur, toujours posé sur un coin du bureau. Le clavier avait été projeté à terre, mais une souris sans fil reposait sur son tapis, tout près de la tête du mort.

— Hugh Vetri utilisait son ordinateur quand on l'a assassiné, dit Castalano. Il consultait les données d'un cd-rom.

Se servant d'une main gantée, Frank Castalano toucha la souris sans fil. L'écran de veille disparut, et l'ordinateur dévoila le dernier fichier en lecture. Sous le choc, Jack Bauer étouffa un halètement quand son propre visage apparut.

Un profil détaillé de Jack accompagnait l'image, comportant le nom des membres de sa famille et tous ses numéros de téléphone : celui de son domicile, celui de son portable et son numéro au siège de la CAT. Il se pencha plus près de l'écran. À bien y regarder, le dossier paraissait émaner directement de la base de données de la CAT.

— Où Hugh Vetri s'est-il procuré ces informations ?

Castalano haussa les épaules.

— Tu le devines comme moi. Peut-être que les experts nous le dirons, quand ils auront exploité son processeur.

Jack examina l'écran de plus près.

— Qui a trouvé les corps ?

— Nous pensons que l'assassin nous a appelés, répondit Castalano. Police Secours a reçu un appel anonyme, il y a cinq heures de ça. On a quelques pistes : l'appel a été passé à partir d'une cabine que nous avons retrouvée. Mais rien de très sérieux, pour le moment.

Il y eut un blanc.

— Jack, je dois te poser une question.

— Vas-y, fit-il en hochant la tête.

— Vois-tu une quelconque raison pour que Hugh Vetri s'intéresse à toi ou à l'un de tes proches ?

— Je n'en ai pas la moindre idée, affirma Jack.

Heure 3

CES ÉVÉNEMENTS SE DÉROULENT
ENTRE 7 H ET 8 H PDT.

07:05:11 PDT
La Hacienda, Tijuana, Mexique

Tony retira les derniers bagages du coffre et les posa sur le trottoir surchauffé. De la musique retentissait dans la rue. Ce n'étaient pas des ballades mexicaines traditionnelles, ni même une fanfare de mariachi. Rien que du rap violent, chanté en espagnol. Des hommes, jeunes et vieux, s'en allaient travailler ou chercher un emploi. Des groupes d'enfants se rendaient à l'école en traînant. Ils s'élançaient entre les voitures, traversant en courant les rues encombrées. Pendant ce temps, les embouteillages continuaient de diffuser des gaz toxiques dans une atmosphère déjà étouffante de pollution.

La malle arrière de la camionnette était vide, à présent. Ce serait le dernier voyage de Tony. À l'étage, Fay Hubley avait déjà installé et mis en marche l'appareil satellite. L'ordinateur viendrait ensuite.

Avant de fermer la portière côté conducteur, Tony pensa à mettre dans sa poche un des deux Glock C18 dissimulés dans un compartiment secret du plancher de la voiture. Il changea d'avis. Les armes lui causaient toujours des ennuis et l'homme qu'ils recherchaient n'était pas un adepte de la violence. Tony espérait mener cette opération sans y recourir.

Il avait presque fini, quand il sentit sa peau moite se couvrir de chair de poule. On l'observait. Il le sentait. Sans lever les yeux, il ralluma le système de sécurité et claqua la portière. Tandis qu'il ajustait son sac à dos sur ses épaules, Tony regarda autour de lui, d'un air décontracté. Un agent de police était adossé à une voiture de patrouille, de l'autre côté de la rue. Son uniforme gris était impeccable, en dépit de la chaleur cuisante, son visage impassible, indéchiffrable. Des lunettes de soleil lui masquaient les yeux.

Tony envisagea diverses possibilités. L'homme pouvait très bien regarder la camionnette pour la faire enlever plus tard. Bien que le véhicule soit correctement garé, on enlevait souvent les voitures à Tijuana, en particulier celles munies de plaques minéralogiques américaines. Les véhicules disparaissaient et on les restituait après le versement à la police de frais d'enlèvement extrêmement élevés.

D'un autre côté, le type pouvait très bien regarder par simple curiosité, juste pour savoir ce qu'il se passait dans son secteur. Tony espérait que cette dernière possibilité fut la bonne. Au cours du briefing préalable à la mission, la CAT leur avait rappelé, à Fay et à lui, que des gangs prenaient parfois des Américains en otage, contre le paiement d'une rançon. Les policiers corrompus prélevaient leur part, là aussi.

Après un ultime coup sec tiré sur la lanière de son sac, Tony contourna la camionnette et passa la porte de La Hacienda. À chaque pas, il sentait le regard perçant du flic dans son dos.

De retour dans la chambre 6, il s'aperçut que c'était la pagaille. Plusieurs ordinateurs portables connectés avec un petit serveur pour former un réseau étaient maintenant éparpillés sur le minuscule bureau et sur l'un des lits. Les ampoules clignotaient et les processeurs tournaient, mais il ne voyait pas Fay. Tony vit la porte fermée de la salle de bains et entendit l'eau couler. Il détacha le sac de son épaule, et le déposa près de cinq autres, identiques, tous vides à présent.

Grognant de fatigue, il se laissa choir dans le fauteuil rembourré, et ôta ses bottes. S'enfonçant dans le siège, il croisa les bras, étendit les jambes sur le bord du lit jonché d'ordinateurs portables puis ferma les yeux. Le ronronnement permanent du climatiseur l'avait presque bercé, quand il entendit la porte de la salle de bains s'ouvrir. Fay bondit à l'extérieur, dans un nuage de vapeur. Elle ne portait rien d'autre qu'une serviette. Elle avait des épingles dans les cheveux et sentait le citron. Tony changea de position pour la laisser passer, gêné par la tenue qu'elle avait choisie… Ou plutôt par l'absence de tout vêtement.

— Des infos sur Lesser ? interrogea-t-il.

Fay s'assit au bord du lit, en face de Tony, et croisa ses longues jambes.

— Il ne s'est pas encore connecté sur l'Internet, mais on le surveille, répondit-elle. Richard Lesser doit évidemment disposer de fausses identités, utiliser des serveurs et des comptes que nous ne connaissons pas, mais il ne pourra lancer aucune attaque sans se servir de ses protocoles personnels. Dès qu'il fera ça, on l'aura.

Fay défaisait ses cheveux en parlant. Des boucles blondes tombaient de part et d'autre de ses épaules blanches. Elle serrait la serviette contre sa poitrine, mais le tissu éponge avait suffisamment glissé pour que Tony découvre le dragon tatoué au bas du dos. Il détourna les yeux, fixant son regard sur les ordinateurs dispersés dans toute la chambre d'hôtel.

— À la CAT, ton patron nous a dit qu'il te fallait un demi-million de dollars de matériel pour trouver Lesser, dit Tony. Tout ce que je vois, ce sont quelques ordinateurs portables, un serveur, une antenne satellite et des outils pour tes interconnections.

Fay rit.

— L'essentiel du matériel coûteux se trouve à la CAT, lui apprit-elle. Je suis certaine que Hastings voulait parler de ce que ça représentait, d'allouer la totalité du budget de la CAT à une seule et unique chasse à l'homme. Ces instruments ne sont que des interfaces avec les systèmes qui fonctionnent actuellement à la CAT.

Tony se pencha en avant pour regarder un des ordinateurs. Des données défilaient de haut en bas, sur l'écran plat. Loin d'être un novice, il ne trouvait pourtant aucun sens aux informations qui s'affichaient.

— Qu'est-ce que tu fais ? demanda-t-il.

— Eh bien, répondit Fay en se laissant glisser sur le lit pour atteindre l'écran le plus grand, comme tu le sais, au début, la CAT utilisait deux ordinateurs distincts pour rassembler les informations. Un pour exploiter les données non classifiées, mais émanant de sources sûres : établissements de crédit, réservations d'avion, registres bancaires, administrations locales et fédérales, commerce de produits chimiques… Ce genre de choses. Étant donné que le terroriste moyen vit dans le monde réel, il lui faut accomplir les actes de la vie quotidienne. Il doit manger, faire ses courses, se rendre dans des endroits, travailler et payer un loyer. En utilisant un algorithme respectant la formule mathématique dont se servait Able Danger…

Tony massa la barbe de trois jours qui courait le long de sa mâchoire et gratta son nouveau bouc.

— Tu parles du projet secret que le ministère de la Défense a mis en place pour traquer Al Quaïda ?

— En effet. En se servant d'un système similaire, avec les mêmes algorithmes et protocoles, la CAT a réussi à localiser et à capturer des terroristes à l'intérieur de nos frontières.

— En utilisant l'échantillonneur de la CAT, c'est ça ?

Fay approuva de la tête.

— Nous disposons aussi d'un second système de traitement des données, mais celui-ci tient ses informations de sources fermées, ou même classifiées. Il permet à la CAT d'avoir accès aux comptes privés, de tracer des transactions secrètes, de fouiller les dossiers secrets de la CIA ou du ministère de la Défense, du ministère des Affaires étrangères comme de celui de l'Économie, de connaître les numéros de téléphone, d'éplucher les ordinateurs des entreprises, de prendre connaissance de données médicales non divulguées… Même de lire les dossier d'Interpol. Dans le cas de Richard Lesser, nous avons mis en place des protocoles qui nous permettront même de savoir s'il téléphone à sa banque pour demander un prêt. Notre radar détectera la moindre activité électronique.

— Ça ne me dit toujours pas à quoi te sert toute cette installation.

Fay repoussa des boucles blondes sur ses épaules.

— Grâce à l'échantillonneur, j'ai pu créer un troisième système. Il se sert de données tirées de l'Internet tout entier, y compris des informations jadis considérées comme sécurisées.

— Comme un super outil de recherche ?

Fay arbora un grand sourire, manifestement fière d'elle.

— Je dirais plutôt un extraordinaire limier. Aussitôt que je sais qui je cherche, quel ordinateur, quel serveur ou quel fournisseur d'accès Internet est utilisé, mon programme et l'ordinateur central de la CAT travaillent en binôme, grâce à mes petits doigts magiques, pour traquer l'individu.

Tony restait sceptique.

— À quel point peux-tu te rapprocher de ta cible ?

— À partir de cet ordinateur portable, je peux suivre l'activité d'un individu et remonter jusqu'à un serveur précis, un numéro de téléphone particulier, ou une zone wi-fi. Quand je suis au mieux de ma forme – c'est-à-dire pratiquement tout le temps –, peu importe combien de fois Lesser nettoiera son système ou tentera d'effacer ses traces, je l'aurai. Avec le mandat que nous avons, j'ai légalement accès à toutes sortes d'informations que le gouvernement n'avait pas le droit de collecter par le passé.

Tony croisa les bras.

— C'est étrange que l'extension de la loi RICO[1] affole tout le monde. Mais si on peut avoir recours à ce texte dans le but de poursuivre des dealers de drogue, pourquoi ne pas l'appliquer pour arrêter aussi des terroristes ?

— Oui, c'est bizarre que personne ne se plaigne du fait que le fisc connaisse chaque opération financière effectuée par un citoyen dans l'année, et que ça pose tout à coup un problème qu'on sache quel livre un suspect a emprunté à la bibliothèque.

1. Racketeer Influenced and Corrupt Organizations Act : loi fédérale prévoyant des peines plus lourde, pour les délits commis dans le cadre d'une organisation criminelle active. *(N.d.T.)*

— La théorie s'oppose ici à la pratique, expliqua Tony. Ça n'empêche pas la plupart des gens de dormir que les Fédéraux apprennent quel livre ils ont emprunté à la bibliothèque. Ce qu'ils craignent, c'est qu'une bureaucratie tatillonne empêche le gouvernement de prévenir un attentat terroriste comme ceux de Bali ou de Londres.

Fay tapota sur le clavier d'un ordinateur, perdant presque sa serviette.

— Tiens, regarde ça.

Elle se leva, se mit sur la pointe des pieds pour aller vers Tony et lui poser l'ordinateur portable sur les cuisses. Elle passa derrière lui. Se penchant par-dessus son épaule, elle pointa l'écran du doigt. Il sentait sa poitrine se presser contre son épaule, pendant que ses cheveux longs lui taquinaient le nez.

— Richard Lesser utilise deux autres identités que nous connaissons, mais il l'ignore parce qu'il croit avoir brouillé les pistes. Ces deux identités sont représentées par les graphiques que tu vois là. Bien sûr, il pourrait tout simplement utiliser son vrai nom : il n'est pas fiché ici. Voilà pourquoi je le suis également avec cette boîte-ci. Comme tu le vois, il n'y a encore eu de mouvement sur aucun des trois systèmes mis en route par la CAT, mais ce n'est qu'une question de temps.

— De temps ?

— Souviens-toi de ce que j'ai dit à propos du monde réel, répliqua Fay. Tôt ou tard, Richard Lesser va émettre un chèque, retirer de l'argent d'un de ses douze comptes bancaires, se servir d'une carte de crédit ou allumer son ordinateur. Je remonterai ses mouvements jusqu'à leur point de départ, et on trouvera l'endroit où il se trouve, ou bien celui où il était au cours des trente dernières minutes à peu près.

Tony massa son cou rigide.

— Je suis impressionné.

Fay passa les doigts dans la courte queue-de-cheval qui venait de pousser sur la nuque de Tony. Elle les déplaça ensuite le long de son cou et de ses épaules, pour masser ses muscles endoloris. Il se laissa aller un moment à cette intimité. C'était tellement agréable !

Finalement, Tony se pencha vers l'avant, échappant au contact de Fay, feignant d'examiner les mouvements qu'affichait l'écran.

— Alors, comment sais-tu que Lesser n'a pas encore lancé de virus ou d'attaque électronique quelconque, comme celle contre Boscom Systems ?

Fay fit le tour du fauteuil, s'assit sur le lit et croisa ses jambes nues.

— Les gars de Boscom ont trouvé Lesser parce qu'il s'est montré paresseux et qu'il a laissé traîner des codes planqués sous son virus. J'ai effectué quelques recherches et découvert qu'il avait tenté un coup identique avec Microsoft, alors qu'il étudiait encore à Stanford. Jamey Farrell m'a fourni une copie du bug de Lesser, par le biais d'un vieil ami qui travaillait à la sécurité, chez Microsoft. Comme on pouvait s'y attendre, ce virus cachait les mêmes codes. C'est une sorte de signature, une empreinte.

— Tu penses donc qu'il commettra à nouveau la même erreur ?

Fay acquiesça d'un hochement de tête.

— Bien entendu. Richard Lesser est brillant, peut-être même génial. Cependant, il est impatient. Si tel n'était pas le cas, ce ne serait pas un délinquant. Il veut des résultats immédiats, ce qui signifie qu'il prend des raccourcis. Et puis, il a des manies.

La jeune femme réajusta la serviette élimée de l'hôtel.

— Alors, qu'est-ce que tu veux faire maintenant, Tony ?

Elle lui sourit.

— Je veux dire… On ne peut pas sortir parce que je dois rester ici pour surveiller ces ordinateurs, mais…

Tony déglutit. Il voulait à tout prix éviter de blesser Fay Hubley. D'abord, le ressentiment compromettrait la mission, mais avoir des rapports sexuels occasionnels avec elle, dans un bouge de Tijuana également. Le fond du problème, c'était que, pour la durée de cette opération, Tony était son superviseur. Toute intimité était totalement inappropriée.

— Je pense que c'est le moment de dormir un peu, à tour de rôle, déclara-t-il. Quand Richard Lesser se décidera à bouger, on sera occupés pendant des heures, peut-être des journées entières. Mieux vaut se reposer, tant que c'est possible.

— C'est toi qui commandes, rétorqua Fay, cachant péniblement sa déception.

*
**

07:55:34 PDT
Santa Monica

Sur la rue, dans la banlieue tranquille où il vivait, Jack Bauer regarda la Lexus de Frank Castalano tourner à l'angle, avant de disparaître. Le souffle léger de la brise venue de l'océan, distant d'environ un mile, apaisait un peu la chaleur caniculaire du jour, mais pas la douleur qui martelait le crâne de Jack. Après le trottoir de pierre, il traversa la pelouse et avança vers la porte d'entrée de sa maison à deux étages, de style texan.

Il jeta un regard à sa montre et s'aperçut qu'il avait

manqué Kim. Le car scolaire était arrivé et reparti. À présent, elle était déjà installée dans sa classe. Néanmoins, c'était peut-être une chance de rater sa fille, ce matin-là. Jack toucha sa blessure. Sous sa veste légère, il portait toujours son costume d'assaut, et le pansement ensanglanté lui entourait encore le bras. C'était bien assez de garder des armes à la maison. Inutile de rappeler encore une fois les risques de son métier à Kim.

Envisageant une bonne douche et quelques heures de sommeil, il farfouilla dans sa poche pour trouver ses clés, et sentit le CD-rom enveloppé dans un sachet que la police de Los Angeles destinait à la conservation des pièces à conviction. Bien qu'il lui ait fallu se montrer extrêmement convaincant, l'inspecteur Castalano avait autorisé une équipe de la cyberunité de la CAT à emporter l'ordinateur de Hugh Vetri au siège, pour que Jamey Farrell l'examine. L'argument de Jack – concernant le fait que la CAT saurait, mieux que la police de Los Angeles, exploiter les données contenues dans le processeur –, était non seulement logique, mais véridique. Cependant, les deux hommes connaissaient le motif inavoué de la requête de Jack.

C'était cette violation. Le fait qu'on ait pénétré son intimité, exposant des détails de sa vie privée et de celle de ses proches, ce qui les mettait peut-être en danger. Jack Bauer avait besoin de savoir pourquoi et comment cela s'était produit, et comment protéger ceux qu'il aimait.

Voilà pourquoi il s'était emparé du CD-rom. Il le passerait plus tard à Jamey, de manière officieuse. Il lui demanderait de lui communiquer les résultats, à lui seul.

L'idée que sa famille puisse courir un danger lui envoya une poussée d'adrénaline, et Jack dut prendre le temps de se ressaisir avant d'ouvrir la porte. Contenant sa peur, il raffermit son emprise sur la poignée. Il était impératif que sa famille ne voie jamais son angoisse, cette incertitude et cette crainte qu'il portait sur le visage. Pour Jack Bauer, il était hors de question de rapporter les risques de son travail à la maison.

Après avoir déverrouillé la porte, il se tint dans l'entrée, avant de pénétrer dans la salle de séjour. Elle était vide, mais pas du tout calme. Kim avait encore laissé la télévision en marche. Ou alors, sa femme s'était mise à regarder MTV. Il ôta sa veste en la faisant glisser, avant de l'accrocher dans le placard. Ensuite, il déchira très vite les bandages souillés et roula la manche de son vêtement pour cacher sa blessure. Il fléchit le bras, le fit bouger d'un côté et de l'autre, heureux de constater que son membre demeurait fonctionnel et que la douleur s'était réduite à un faible élancement. Jack traversa le séjour pour éteindre la télévision.

Dans la cuisine, il enfonça profondément le pansement dans la poubelle. La cafetière contenait du café frais qu'on venait à peine de préparer. L'arôme le tenta, mais il y résista, sachant qu'il avait besoin de dormir quelques heures.

— Chérie ? dit-il, en se dirigeant vers la salle de bains.

— Par ici, fit une voix étouffée, qui venait d'un peu plus loin dans la maison.

Jack trouva sa femme encore en pyjama, dans la chambre. Elle avait pratiquement vidé son placard et ses vêtements traînaient partout : sur leur immense lit, sur la coiffeuse et sur le bureau. Ses chaussures étaient éparpillées devant la porte.

— Qu'est-ce qui se passe ? demanda Jack, s'appuyant contre le chambranle de la porte.

— Il se passe que je n'ai rien à me mettre.

Teri traversa la pièce, caressa la joue de son mari. Si elle avait remarqué sa tenue, elle ne le dit pas. Elle ne parla pas non plus de la bosse qu'il avait à la tête, mais Jack n'était pas certain qu'elle l'ait vue.

— Tu vas quelque part ?

— Je pourrais, répondit Teri. Ça va dépendre.

Les sourcils de Jack formèrent un arc.

— Ça va dépendre de quoi ?

— De ce que j'aurais ou non à me mettre ce soir. Il me faut quelque chose de convenable pour la télévision.

— Oprah enregistre son émission à Los Angeles ?

— Même pas dans les parages.

Jack vida ses poches, jeta ses clés, son portefeuille et son téléphone portable sur la coiffeuse.

— D'accord. Je donne ma langue au chat. Que se passe-t-il ?

Teri se drapa dans une petite robe noire et observa son reflet dans la glace.

— Tu te souviens du temps où je travaillais en indépendante pour Coventry Productions ?

Jack repoussa quelques vêtements et s'assit au bord du lit.

— Ce studio d'animation ? Oui, je m'en souviens. Tu travaillais avec cette autre créatrice… Natalie.

— Nancy.

— Oui, c'est ça, Nancy.

Mentalement, Jack fit un retour rapide en arrière, deux ans plus tôt. Ses premières missions à la CAT lui revinrent d'abord en mémoire. Depuis qu'il y travaillait, ses missions étaient devenues le baromètre de son existence. Deux ans auparavant, l'opération Jump Rope venait d'être bouclée, et l'opération Proteus démarrait. Et à la maison… Eh bien, Jack ne s'y trouvait pas assez souvent pour savoir ce qu'il s'y passait.

Cela, il se le rappelait bien. Kim entrait alors dans l'adolescence, et le lien mère-fille se muait en pacte d'agression mutuelle.

Jack se souvenait que Teri travaillait des heures durant, elle aussi, dans un bureau de Century City, avec un animateur anglais nommé Dennis. Jack n'avait jamais rencontré cet homme. Tout au plus avait-il entendu sa voix en répondant au téléphone. Cependant, il semblait impressionner Teri. Cela aussi, Jack s'en rappelait très bien.

— Alors, qu'est-ce qu'il y a avec Nancy ? s'enquit-il.

— Eh bien, j'ai su qu'elle venait d'avoir un bébé. Un petit garçon.

— Tu l'as appris par Nancy elle-même ?

Teri fouilla dans une autre pile de robes.

— En fait, Dennis Winthrop a téléphoné. C'était le patron de Nancy. Je ne crois pas que tu l'aies jamais rencontré. Tu ne dois donc pas te rappeler son nom.

— Non, en effet.

— Quoi qu'il en soit, *Le Chasseur de démons* – le film d'animation produit par Coventry Productions – a été sélectionné pour les Silver Screen Awards. Comme j'ai travaillé au sein de la direction artistique, j'ai été invitée à la cérémonie de ce soir. Elle sera retransmise à la télévision.

— C'est formidable, fit Jack. Tu recevras un trophée si tu gagnes ?

— Ne sois pas bête, dit Teri en riant. J'ai travaillé comme assistante contractuelle auprès de la remplaçante de la créatrice en titre. C'est une chance d'être invitée. Je suis impatiente de voir Nancy. Et aussi Carla et Chandra.

Jack enlaça sa femme.

— Puisque tu dois peut-être passer à la télévision, pourquoi ne vas-tu pas t'acheter une robe neuve ?

— Ce serait idiot, Jack. J'ai déjà choisi la robe noire.

— Très bien, approuva-t-il en souriant. Tu as du chien, dans cette robe.

— Ça ne t'embête pas, Jack ?

— Bien sûr que non. Kim et moi pouvons acheter une pizza à emporter.

— Chouette. Seulement, ne la prends pas au jambon. Kim est de nouveau végétarienne.

Jack eut un rire étonné.

— Depuis quand ?

— Depuis que j'ai préparé un pain de viande, hier soir.

— Très bien. On va s'amuser à essayer de t'apercevoir à la télé.

— Alors, il faudra éviter de cligner des yeux, répondit Teri en riant.

Jack se rassit sur le lit, ôta ses Chukkas d'un coup sec, et les lança dans un coin. Teri se dirigea vers le miroir. Du bout de ses ongles longs, elle repoussa les courtes mèches brunes qui lui tombaient sur le visage, avant de scruter ses traits dans la glace.

— Encore une chose, dit Jack en se levant pour prendre une douche rapide dans la salle de bains. Si tu gagnes vraiment, n'oublie pas de remercier ton fidèle époux pour son soutien, dans ton discours.

Teri, sourit. Son regard croisa celui de Jack dans le miroir.

— Jack, tu sais bien que vous figurez toujours en tête de ma liste, Kim et toi.

Heure 4

CES ÉVÉNEMENTS SE DÉROULENT ENTRE 8 H ET 9 H PDT

Autoroute de Angeles Crest,
Forêt nationale d'Angeles

Sans être aussi impressionnante que la célèbre Sierra Nevada, plus au nord, la chaîne montagneuse de San Gabriel et le parc national qui l'entourait présentait un avantage particulier pour la population de Los Angeles. Le site se trouvait à une demi-heure de route à partir du tunnel de Glendale. Les monts de San Gabriel étaient plantés de chênes, de pins et de cèdres. Ils étaient baignés de clairs ruisseaux, de petits lacs, de chutes d'eau. Leurs canyons profonds convenaient parfaitement à la pêche, à la randonnée et au camping.

Plusieurs routes grimpaient jusqu'à l'immense parc, toutes sinueuses, en pente et étroites. Cependant, la principale voie d'accès aux monts était l'autoroute de Angeles Crest. Elle montait tout droit depuis la ville de La Canada Flintridge pour culminer à environ vingt mille mètres au-dessus du niveau de la mer, avant de descendre et de s'arrêter dans ce terrain vague, plat et desséché qu'était le désert de Mojave.

Si on prenait un certain virage abrupt de cette autoroute, on trouvait un chemin non indiqué. Au bout d'un sentier court, moutonnant de poussière et flanqué de pins géants, il y avait trois bâtiments en bois, quelques tables de pique-nique, un mât portant un drapeau, et une demi-douzaine de tentes. Ce rassemblement religieux sans prétention avait été mis en place par deux Églises du centre-ville de Los Angeles à la fin des années 1980 : l'église du Lion de Dieu, située à South Central, et l'église baptiste de Compton, une petite congrégation cachée derrière une devanture délabrée.

Avec des falaises acérées offrant une très belle vue des pics les plus élevés, ces Églises permettaient aux gamins de s'échapper, durant quelques jours, de la fournaise de la ville. Elles remplissaient aussi la mission qu'elles s'assignaient : ici, les enfants admiraient la grandeur de Dieu telle que la nature la reflétait plutôt que les péchés et l'arrogance du genre humain, coulés dans le béton ; ils respiraient le parfum des plantes et des arbres, au lieu de la pollution ; ils écoutaient le chant des oiseaux, tout en recevant l'instruction religieuse, et ne subissaient pas les assauts constants des haut-parleurs encastrés dans les véhicules.

Neuf des enfants qui étaient venus là pour cette retraite, quatre garçons et cinq filles âgés de douze à quatorze ans, étaient à présent installés autour de deux tables de pique-nique. Le petit déjeuner était terminé et les assiettes de carton avaient été rassemblées. Le Révérend Landers, un homme grand, aussi mince qu'un roseau, avec une peau ressemblant à du cuir brun et des cheveux blancs qui se hérissaient sur un très large front, leur faisait dire une prière d'adieu.

Quelques mètres plus loin, Laney Caulder, une Afro-Américaine de vingt-cinq ans, sortit du bâtiment le plus grand, et se tint sur le perron. Louchant pour affronter la lumière éblouissante du matin, la jeune femme mince, dont les cheveux tressés ressemblaient à un superbe champ de maïs, détourna les yeux du soleil jaune qui flamboyait dans le ciel. Elle se couvrit ensuite la tête d'une casquette de base-ball.

— C'est sûr qu'il va faire chaud là-bas, en ville. Je suis presque triste de quitter ces montagnes, dit Laney.

Derrière elle, une femme noire corpulente, la cinquantaine vieillissante, quittait le bâtiment en roulant sur un fauteuil électrique.

— Il fait chaud, en effet, fit remarquer Rita Taft, mais je sens un souffle frais, qui vient des hauteurs. L'hiver arrive. D'ici deux semaines, le Révérend va devoir fermer cet endroit jusqu'au printemps.

De ses yeux fatigués, la vieille femme scruta la montagne lointaine. Puis, actionnant une commande à l'aide de son menton pour faire avancer le fauteuil roulant, elle tourna pour faire face à la jeune femme.

— Dans le temps, il y a vingt ans, quand cet endroit a été ouvert, on pouvait voir de la neige sur les montagnes tout l'été. Même en juillet. Cette année, c'est différent. Avec la sécheresse et tout ça, il n'a pas neigé. Pas le plus petit flocon.

Rita se tut. Ses yeux fixèrent la jeune femme.

— Je me disais que les choses allaient peut-être mieux sans la poudre blanche. Tu vois ce que je veux dire ?

Laney Caulder hocha la tête, en signe d'approbation.

— C'est mieux.

— Tu es en train de me dire que tu n'auras plus besoin de cette méchante neige ? Pas même quand tu rentreras en ville, dans ce monde aux influences diaboliques ?

La jeune femme secoua la tête.

— Je n'ai pas pris de drogue depuis neuf mois, maintenant. Je suis saine et libre. Grâce à toi et au Révérend, j'ai trouvé une voie meilleure. Je ne vais pas rechuter…

Un grand sourire illumina le visage rond de Rita Taft.

— Dieu te bénisse, petite. Continue comme ça et, l'année prochaine, tu prendras ma place !

Laney ouvrit grand ses yeux bruns.

— Je ne pourrais jamais…

— Tu as dit la même chose il y a six mois, quand le Révérend t'a nommée éducatrice. Maintenant, tu es le chouchou des gamins.

— C'est vrai que je les aime.

Un nuage de poussière se leva au-dessus des arbres, à l'autre bout de la concession. Un instant plus tard, la camionnette de l'église arriva pour ramener les enfants chez eux. Laney regarda le véhicule avec nervosité. Elle hésitait à s'en aller.

Rita se racla la gorge.

— Tu as ton téléphone portable. N'oublie pas de m'appeler quand tu rentreras à Compton, déclara-t-elle. Et ne t'en fais pas. Tu ne seras partie que quelques jours. Je te reverrai mardi prochain, quand tu reviendras avec une nouvelle fournée de gosses.

Laney se pencha pour embrasser la vieille dame sur la joue.

— Prenez soin de vous, madame Taft, et souvenez-vous de rappeler à Tyrell de recharger la batterie de votre fauteuil. Sinon, vous allez encore rester bloquée.

Rita fit tourner le fauteuil tout en avançant, pour s'amuser.

— Allez, rentre à la maison, petite.

Laney bondit pour quitter l'entrée et rejoindre le car. C'était vraiment un grand véhicule, avec quatre rangées de sièges pour les passagers. Les enfants montaient déjà à l'intérieur et choisissaient leurs places. Elle le contourna pour se diriger vers l'entrée et monta. Thelma Layton, une femme à la peau couleur cacao, coiffée de petites boucles noires, la salua avec un grand sourire de derrière le volant. Thelma avait cinq enfants.

— Petite, tu vas regretter de retourner en ville. L'enfer doit être plus frais que Compton.

— Chut, fit Laney dans un sifflement. Surveille ton langage devant les petits.

Thelma envoya la tête en arrière, et rit.

— Ces gamins ne me font pas peur. Ils n'écoutent pas, de toute façon. Je fais quand même gaffe à ce que je dis devant Mme Taft. Une fois, j'ai dit un gros mot, et elle m'a flanqué un grand coup dans les tibias avec son satané fauteuil.

Laney darda un regard choqué sur son amie.

— Tu as eu de la veine qu'elle n'ait pas demandé à Tyrell de te laver la bouche avec du savon.

Thelma gratifia Laney d'un sourire narquois.

— Je ne m'en fais pas pour Tyrell, ni pour le Révérend. Ils sont tous les deux trop vieux pour m'attraper.

Thelma regarda les passagers dans le rétroviseur.

— Très bien, attachez tous vos ceintures, cria-t-elle, sa voix couvrant les rires et le chahut des enfants.

Un instant plus tard, elle mit le moteur en marche, et alluma la climatisation. Le car fit une dernière fois le tour du camp et gravit la colline, en direction de l'autoroute. Le portail en bois était fermé. Thelma freina, soulevant un nuage de poussière qui recouvrit le véhicule.

— J'ai dit à Tyrell de laisser ce portail ouvert. Où fallait-il qu'il aille ?

— À Vertugo City, au supermarché. Mme Taft avait

besoin de certaines choses, répliqua Laney. Ne t'inquiète pas, je vais aller l'ouvrir.

Elle débloqua prestement la portière, bondit à l'extérieur et courut vers le portail en bois. Elle le tira vers elle. L'autoroute commençait à serpenter comme un ruban de béton, quelques mètres au-delà de l'entrée.

— Grimpe ! hurla Thelma.

Laney secoua la tête, en signe de dénégation.

— Je ne veux pas le laisser ouvert. Avance, et attends-moi sur l'autoroute.

Thelma esquissa un geste de la main et s'exécuta. Par-dessus le rugissement du moteur, Laney pensa entendre un autre bruit. Une sorte de vrombissement, rappelant celui d'un avion.

Comme le bus de l'église roulait vers l'autoroute, le son étouffé, non encore identifié, que Laney avait entendu auparavant, devint soudain assourdissant. Lancée à pleins gaz, une voiture de sport rouge vif fit crisser ses roues au tournant. Elle fonçait vers le car bondé, qu'elle allait heurter de front. Les pneus crissèrent encore, et le véhicule fit un tête-à-queue, tandis que Thelma essayait de s'écarter de son chemin. Sa manœuvre rapide évita la collision frontale, mais les deux véhicules se heurtèrent obliquement.

Laney entendit un bruit de métal se déchirant et vit des étincelles. Une pluie de tessons de verre se déversa sur l'autoroute, cependant que les vitres du car volaient en éclats. Dans une tentative brusque pour éviter le bolide, le car cogna une glissière de sécurité, déjà affaiblie par un léger glissement de terrain. La vitesse du bus et son poids arrachèrent le bas de la glissière de sécurité. Le car alla s'écraser au bas du flanc escarpé de la montagne.

Impuissante, ne pouvant rien faire d'autre que crier, Laney regarda l'engin rouler au bas d'un talus.

Horrifiée, elle se prit la tête dans les mains sans remarquer la voiture de sport qui roulait sur l'accotement de la route, et qui s'arrêta en dérapant, dans une pluie de poussière et de pierres.

La jeune femme se précipita de l'autre côté de l'autoroute, alors que le car de l'église basculait et s'écrasait dans un abîme profond. Par-dessus le bruit de métal éclatant et celui de l'éboulement rocheux, Laney entendit les pleurs de Thelma et les cris des enfants. Quand le véhicule percuta le fin fond du canyon, toutes ces voix se turent.

Laney tomba à genoux, sanglotant, tapant des poings sur l'asphalte. Elle regarda autour d'elle, espérant de l'aide, priant pour un miracle. Ce n'est qu'à cet instant qu'elle vit la Jaguar rouge. Le conducteur n'avait à aucun moment pris la peine de sortir de la voiture. À présent, il tentait une marche arrière pour quitter le bas-côté, et regagner la chaussée. Laney se rendit compte que le chauffard essayait de s'enfuir.

— Arrêtez ! cria-t-elle. Ils ont besoin d'aide ! Vous ne pouvez pas simplement les abandonner.

En fin de compte, la voiture dérapa sur le trottoir. Laney vit que la vitre avait sauté, côté conducteur. Elle s'était brisée. La portière, quant à elle, était enfoncée. À l'intérieur, un homme basané vêtu d'un T-shirt blanc maculé de taches brunes se trouvait au volant. Des lunettes de soleil lui cachaient les yeux. Les pneus fumaient, alors qu'il faisait ronfler le moteur, déterminé à prendre la fuite. Les roues prirent enfin leur impulsion et le conducteur fila au loin, sans regarder derrière lui.

Bien que le drame auquel elle venait d'assister l'ait ébranlée au plus profond d'elle-même, Laney eut la présence d'esprit de sortir son téléphone cellulaire de son sac. Elle appela la police. Elle rapporta l'accident, indiqua l'endroit où il s'était produit, et donna le numéro de la plaque d'immatriculation du véhicule qui venait de quitter les lieux.

Il ne fallut que trente secondes à la police de Los Angeles, pour identifier avec certitude la voiture impliquée dans ce délit de fuite. Il s'agissait d'une Jaguar rouge cerise, modèle 1998, immatriculée au nom du producteur de cinéma Hugh Vetri. La plaque minéralogique personnalisée portait l'inscription FYLM-BOY. Plus tôt dans la journée, le vol de cette voiture, sur les lieux d'un crime à Beverly Hills, avait été signalé. En deux minutes, on avait lancé un avis à toutes les patrouilles. La traque du fugitif avait commencé à travers toute la Californie.

***

08:23:06 PDT
La Hacienda,
Tijuana, Mexique

Un seul petit coup donné à la porte fit bondir Tony hors du lit étroit. Pieds nus, il se déplaça silencieusement sur le plancher et colla l'oreille contre le bois fissuré. De l'autre côté de la chambre, Fay se redressa sur le second lit, inquiète et tendue. Le regard de Tony croisa le sien. Il posa les doigts sur la bouche.

— Qui est là ? demanda-t-il.

— Salut, Navarro… C'est moi, Ray Dobyns.

Ce n'est qu'à ce moment-là que Tony regarda par l'œil-de-bœuf. Ils reconnut aussitôt Dobyns et poussa un juron muet.

Ray Dobyns était un immigré, originaire de Wichita, au Kansas. Ses escroqueries dans son État natal, puis en Arkansas, au Texas et en Californie, l'avaient rattrapé dix ans auparavant. Il s'était alors enfui au Mexique, ce pays ne risquant pas de l'extrader aux États-Unis. Depuis ce temps, Ray avait mené une vie de marginal, en mettant sur pied des escroqueries du même ordre que celles auxquelles Tony était censé s'adonner sous le non de Navarro. Trafic de cartes de crédit, arnaques sur l'Internet, émission de chèques en bois.

Sous le nom de Navarro, Tony Almeida avait parfois fait affaires avec Dobyns, il y avait de cela deux ans. C'était à Ensenada, où il effectuait alors une autre mission. Désormais, Tony essayait de se rappeler s'il avait donné la moindre raison à cet homme de le soupçonner d'être plus qu'un petit escroc.

— Allez, vieux, laisse-moi entrer, dit Dobyns, de l'autre côté de la mince porte au bois ébréché.

— Donne-moi une seconde, répondit Tony. Il se retourna ensuite vers Fay Hubley.

— Habille-toi, chuchota-t-il. Quand je te présenterai, parle le moins possible.

Fay traversa la chambre pour se rendre dans la salle de bains, dont elle ferma la porte. Tony ôta son T-shirt, le jeta sur le lit, et l'enroula dans les draps. Vêtu uniquement de son pantalon en coton, il déverrouilla la porte et l'ouvrit toute grande.

Dobyns était plus petit que Tony, presque d'une tête. Il avait à peu près la même taille que Fay. Cependant, sa corpulence compensait plus que largement cette stature insignifiante. Dobyns avait encore grossi, depuis la dernière fois que Tony l'avait vu. Avec à peine plus d'un mètre soixante, Dobyns devait bien peser ses cent cinquante kilos, sur la balance de Roberval.

— Salut, Ray. Allez, entre, invita Tony en se poussant sur le côté.

Dobyns avait le visage rond, rougeaud et parsemé de taches de rousseur. Des mèches de cheveux roux et courts, luisants de sueur, dépassaient de sous le bord de son Panama blanc. Il avait peut-être quarante ans, mais le gras juvénile de sa peau le faisait paraître dix ans de moins.

Des bras grassouillet pendouillaient hors des manches d'une longue chemise hawaïenne et d'épais mollets velus sortaient d'un short en lin blanc. Ses larges pieds tournés en dehors et le bout de ses sandales élimées révélaient des ongles cassés.

— Je t'ai interrompu ? demanda Dobyns, avec un grand sourire lubrique.

Il inspecta la pièce du regard. Ses yeux se posèrent immédiatement sur les ordinateurs éparpillés sur le bureau et sur le sol. Il vit aussi le sac contenant les cartes de crédit en plastique et les décodeurs magnétiques empilés dans un coin.

— Je vois que tu es toujours sur les mêmes coups, Navarro.

Tony ferma la porte.

— La routine. J'utilise l'Internet pour remplir un entrepôt à Pasadena. Simplement, la marchandise entre par une porte et ressort par une autre, si tu vois ce que je veux dire. Encore une semaine et je disparaîtrai avec deux cent mille dollars de produits.

Dobyns hocha la tête, impressionné.

— Et toi, Ray ? Qu'est-ce que tu fais ces temps-ci ?

Dobyns ôta son chapeau, le lança sur le lit.

— Un peu de ci, un peu de ça… Récemment, j'ai fait passer des articles de chez Prada au nord. Certaines des boutiques huppées de Beverly Hills comptent parmi mes meilleurs clients. On ne peut vraiment se fier à personne, de nos jours.

— Comment as-tu su que j'étais en ville ?

— C'est mon petit doigt qui me l'a dit. Un petit doigt du genre *officiel*.

Tony repensa au policier mexicain, qui le regardait décharger sa voiture. *Dobyns a toujours eu d'excellents contacts. Et puis, un type dans son genre doit bénéficier de protection pour survivre par ici.*

La porte de la salle de bains s'ouvrit et Fay Hubley en sortit. Elle avait passé une courte jupe en jean et un minuscule corsage qui dévoilait ses épaules.

— Je t'ai effectivement interrompu, fit Dobyns, avec un sourire concupiscent.

— Voici Fay, ma nouvelle partenaire, dit Tony.

Fay traversa la pièce, et enroula son bras dans celui de Tony.

— Je suis aussi sa petite amie, mais il a trop peur de s'engager pour le dire, expliqua-t-elle.

Fay enfonça son nez dans le cou de Tony et lui mordit doucement le lobe de l'oreille. Le sourire lubrique de Dobyns se fit plus large.

— J'allais te dire de te caser, tu m'as devancé.

Tony écarta tendrement Fay.

— Remets-toi au travail.

La jeune femme repoussa ses longues boucles blondes et se dirigea vers le bureau. Le regard de Dobyns suivait chacun de ses mouvements.

— Veinard, souffla-t-il, avant de demander :

— Tu veux un verre ?

Tony fit non, de la tête.

— Quoi que tu aies à me dire, Fay peut l'entendre, annonça-t-il à l'homme.

— Ça semble assez normal, répondit Dobyns. La semaine dernière, j'ai perdu une cargaison. Des sacs à main de chez Prada. Quatorze mille pièces. Ces enfoirés de Fédéraux les ont chopés à la frontière. De toute façon, la file de voitures n'avançait pas.

Tony écourta la conversation.

— En quoi ça me concerne ?

Les yeux de Dobyns passèrent de Tony à Fay, avant de revenir à leur point initial.

— Je me demandais si tu avais de la place pour un troisième joueur, dans ton équipe. Les choses deviennent difficiles dans le coin. Les gangs s'immiscent dans tous les coups. Les MS-13, les Seises Seises, les Kings… C'est d'ailleurs une des choses dont je voulais te prévenir.

Tony émit un soupir et se massa le cou. Fay feignait d'analyser l'affichage de l'écran posé en face d'elle.

— C'est un petit coup. La partie est presque terminée, dit Tony.

Le visage de l'homme se décomposa. Tony pensa que c'était le moment de lui donner un os à ronger. Il enroula son bras autour des épaules de Dobyns. Quand il prit de nouveau la parole, ce fut dans un murmure conspirateur.

— Hé, Ray, écoute. Peut-être bien que je pourrais te mettre sur un coup.

— Parle, ça m'intéresse, fit Dobyns avec un grand sourire.

— Y a un type qui est arrivé dans les parages il y a deux ou trois jours. Il s'agit un escroc qui se sert de l'informatique, exactement comme moi. Il s'appelle Richard Lesser, et il me doit un paquet de pognon. Si tu peux me dire où le trouver, je te promets du boulot.

Dobyns fixa Tony de ses yeux verts humides.

— On parle de combien là ?

Tony feignit de réfléchir à la question.

— Je pense que ça vaut bien une avance de mille dollars. Dix de plus, si tu me conduis à Lesser.

Dobyns cligna des yeux.

— Ce mec te doit sûrement un tas de blé. Marché conclu, Navarro.

Tony fouilla les poches de son pantalon et en sortit

un épais portefeuille. Il déplia dix billets froissés de cent dollars, et les mit dans la main moite de Ray Dobyns. Ensuite, il le poussa vers la sortie.

— J'attendrai ici, dit Tony, mais seulement pendant deux ou trois jours. Trouve Richard Lesser, et dis-moi où il se planque. Tu auras plein d'autres gros billets.

*
* *

08:46:18 PDT
Au sud de San Pedro Street,
Little Tokyo

Lonnie décrocha le combiné à la première sonnerie.

— Ici Nobunaga. Parlez.

— Debout et au boulot, Samouraï. Je n'arrive pas à croire que tu sois encore chez toi. Tu perds du temps, mec. C'est ton grand jour, et une telle opportunité ne se présente qu'une fois.

Lon salua son rédacteur en chef, l'appelant par son nom. Même s'il n'avait pas reconnu sa voix, il avait identifié son style. Gollob ne s'exprimait qu'avec des clichés.

— Je suis levé depuis des heures, Jake, répondit Lon. Je m'apprête à sortir, maintenant.

Il retira un autre uniforme de livreur du placard – un costume de chez Peter's Pizza cette fois –, et le jeta avec le cintre, en haut d'une pile de chemises et de salopettes se trouvant déjà sur le lit.

Il aperçut son propre reflet dans la glace en pied. Avec son mètre quatre-vingts, il était plutôt grand pour un Américain d'origine japonaise, mince, presque maigre. Le manque de sommeil et son régime infect n'arrangeaient pas les choses. Il avait les cheveux noirs et en bataille. De son propre avis, Lon n'avait pas beaucoup changé depuis sa première année à l'université de Californie. Il avait abandonné ses études cette année-là.

— Les appareils photo sont rangés et j'irai au centre-ville dans un quart d'heure, dès que je me serai décidé sur un déguisement, dit-il à son patron.

Il tira une salopette de la penderie. L'inscription était celle d'une compagnie d'électricité.

— À ton avis, demanda-t-il, j'y vais avec l'uniforme de la pizzeria, ou est-ce que je garde celui du restaurant chinois ?

— As-tu un costume de la compagnie aérienne de Singapour dans ton placard ?

— Qu'est-ce qui se passe ? demanda Lonnie, après une courte pause.

— Un correspondant de Reuters a aperçu Abigail Heyer montant à bord d'un avion à Singapour.

— Ah ouais ? Elle remet un trophée aux Silver Screen Awards, ce soir. Ça fait partie du programme, vieux.

— Écoute, Lon.

Gollob chuchotait presque, à présent.

— Le gars de chez Reuters m'a dit qu'elle était enceinte. De six mois, voire plus. En tout cas, ça se voyait.

Lonnie fit tomber la salopette à terre.

— Putain, c'est vrai ? Tu crois que le père c'est ce Tarik Fareed, ce Turc avec qui elle sortait à Londres ? Ou alors Nikolaï Manos, ce type qu'elle fréquentait pendant son dernier tournage en Roumanie ?

— Comment diable veux-tu que je le sache ? lança Gollob, en guise de réponse. Il y a tout juste cinq minutes que j'ai appris que cette salope était en cloque. En revanche, je sais autre chose...

Oh, merde.

— Je veux une photo de Mlle Heyer à la une, la semaine prochaine.

— Seigneur... Patron, tu n'as qu'à attendre une

dizaine d'heures pour choisir parmi les photos des agences de presse.

— S'il faut que j'achète la photo de couverture à une agence de presse, pourquoi est-ce que je te paie, toi ? aboya Gollob.

— Là, tu marques un point.

— Écoute, Lon. Le vol d'Abigail Heyer atterrit à l'aéroport de Los Angeles dans une heure et demie, s'il n'est pas retardé. Tu y vas, et tu me fais une photo.

— S'il te plaît, patron…

Il n'y avait plus personne à l'autre bout du fil. Le rédacteur en chef avait déjà raccroché. Rageusement, Lon composa le numéro du magazine *Confidences*, situé sur Sunset Strip. Puis, une idée lui vint soudain. Il décida de ne pas passer ce coup de fil.

Pourquoi je me prendrais la tête à conduire jusqu'à l'aéroport, à jouer des coudes au milieu de cinquante autres paparazzis, tout ça pour finir par avoir la même photo pourrie que n'importe qui d'autre ? Ce serait tout simplement stupide. D'autant que j'ai un bien meilleur moyen pour obtenir une photo… exclusive !

Lonnie empoigna son sac rempli d'attrapes. C'était un gros sac à linge plein à ras bord de déguisements amassés au fil des ans. Il suspendit ensuite la besace contenant l'appareil photo à son épaule. Pour se porter chance, il toucha un cliché couleur en papier brillant de format huit par dix, en avançant vers la porte.

Des tas de gens s'identifiaient à un personnage de cinéma. Pour certains, c'était Batman. D'autres adoraient les durs à la Humphrey Bogart. Le héros de Lonnie était accroché au mur, à côté de l'interrupteur. Il s'agissait de l'acteur Danny De Vito, dans le film *L.A. Confidential*.

*
* *

08:55:13 PDT
Au-dessus de Verdugo City

L'inspecteur Frank Castalano entendait à peine la communication radio de son équipier. L'hélicoptère de la police de Los Angeles, à bord duquel il se trouvait, volait à toute vitesse, moins de mille mètres au-dessus des banlieues nord de la ville. À cette altitude basse, le vrombissement du moteur et le claquement des hélices faisaient trembler la terre, amplifiant le bruit assourdissant régnant dans la cabine.

— Tu peux répéter ? rugit Castalano, appuyant fermement le casque sur ses oreilles pour faire disparaître tout autre bruit.

— J'ai dit que tout le monde était sur le coup, maintenant, répondit l'inspecteur Jerry Adler. Il y a les policiers en uniforme, la police d'État, le bureau du shérif, même ces satanés gardes forestiers. Une barrière a été placée tout autour du parc, même les cerfs ne pourront pas passer, et un hélico traque la Jaguar…

— J'espère qu'il le fait d'assez loin pour rester discret.

— Tu sais comment ça se passe, rétorqua Adler.

Castalano émit un juron. C'était son affaire, mais il en perdait le contrôle. C'était déjà assez grave d'avoir laissé Jack Bauer le convaincre de lui donner l'ordinateur. Bien que Castalano sache que l'analyse complète du processeur se ferait plus vite avec la CAT qu'avec ses propres services, c'était à double tranchant. Jack et ses supérieurs pouvaient aussi cacher des informations à la police de Los Angeles, en prétextant la sécurité nationale.

— Bon sang, Jerry, gémit Castalano, avec toutes ces voitures de patrouilles et toutes ces armes dans le coin, les chances de le capturer sans provoquer de bain de sang sont aussi minces que le coincetot d'une machine à sous de Las Vegas. Et puis, ce fichu téléphone arabe m'a fait savoir que la nouvelle se répandait, concernant le car rempli d'enfants que le suspect a abandonnés sur la route.

— C'est dégueulasse, répondit Adler, mais ça ne fait qu'empirer.

— Mets-moi au parfum.

— Nina Vandervorn, de la chaîne TV News 9, vient juste de téléphoner au patron, annonça Adler. Elle a tourné des séquences de voitures de police garées devant la maison de Vetri et de l'ambulance entrant et sortant. Elle a dit qu'elle les passerait au journal de midi…

— Merde.

— On ne pourra pas garder ça pour nous plus longtemps, prévint Adler.

— Midi, c'est dans un peu plus de deux heures, affirma Castalano, en réfléchissant à la vitesse de l'éclair. Si on parvenait à mettre la main sur ce connard et sa Jaguar, on pourrait résoudre l'affaire. Vas-y, et obtiens la permission de programmer une conférence de presse pour onze heures. On tiendra peut-être notre homme, d'ici là. Dans le cas contraire, on gardera le contrôle de l'information, et on gâchera son effet à Mme Vandervorn.

08:59:43 PDT
Santa Monica

Jack Bauer ouvrit les yeux au moment où Teri lui toucha l'épaule. Il n'avait pas besoin de sa montre pour savoir qu'il n'avait pas dormi longtemps. Il avait encore les cheveux humides après la douche et continuait de ressentir des élancements à la tête. Teri était penchée au-dessus de lui, le téléphone sans fil à la main.

— Excuse-moi de te réveiller, Jack. C'est Nina Myers.

Jack se redressa et prit le téléphone. Il tint le combiné contre sa poitrine nue, jusqu'à ce que Teri quitte la chambre. Ensuite, il se le mit à l'oreille.

— Nina ?

— Qu'est-ce que tu fabriques, Jack ? cria Nina. Ryan Chappelle est rentré de Washington par le vol de nuit. Il est dans une fureur noire.

— Je ne comprends pas.

Jack Bauer massa son bras blessé, que le sommeil avait à présent rendu rigide.

— Cette descente sur les Studios Utopie. Il devait s'agir d'une opération secrète. Pourtant, tous les journaux du matin en parlent.

— Bon Dieu, grogna Jack.

— J'ai discuté avec Chet Blackburn. Il m'a dit que tu étais parti avec un policier de Los Angeles, pour des raisons personnelles. Est-ce que l'ordinateur que la cyberunité a ramené a quelque chose à voir avec tout ça ?

— Oui.

— Évidemment, je n'ai rien dit à Chappelle. Il est déjà assez remonté comme ça.

— Merci, Nina. Je m'expliquerai en arrivant là-bas.

— Tu ferais bien de te dépêcher.

Jack jeta un œil à sa montre.

— Donne-moi une demi-heure.

— Je ferai de mon mieux, répondit Nina, en soupirant.

— Je te le revaudrai, Nina.

— Oui, Jack. J'y compte bien.

Heure 5

CES ÉVÉNEMENTS SE DÉROULENT ENTRE 9 H ET 10 H, PDT

09:00:35 PDT
Siège de la CAT, Los Angeles

Lorsque Jamey Farrell, la programmeuse en chef de la CAT, arriva à son poste pour commencer sa journée de travail, elle eut la surprise de trouver Milo Pressman sur la plate-forme de diagnostics. Milo était spécialisé dans les réseaux et les procédures de cryptage. Il était chargé de la sécurité informatique de la CAT. L'agence lui avait mis la main dessus dès sa sortie de l'université de Stanford. Il avait le regard expressif, des cheveux bruns frisés, et portait toujours la boucle d'oreille dont il se parait au cours de ses années d'études.

Petite, le corps nerveux, Jamey était hispanique et n'avait que deux ans de plus que Milo. Divorcée, mère d'un enfant en bas âge, elle se sentait plus vieille que lui de dix ans. Milo n'arrivait jamais en avance au travail. Pourtant, ce matin, il était là, en train de télécharger la mémoire d'un processeur Dell.

— Bienvenue à la maison, étranger. Déjà de retour ? demanda Jamey, laissant tomber son sac sur le bureau.

Milo s'adossa à son fauteuil.

— Je t'ai manqué ? la taquina-t-il.

— Non, affirma Jamey, faisant sauter le couvercle de son café, acheté chez *Starbucks*. C'était sympa de n'avoir personne dans les pattes. Quand es-tu rentré ?

— J'ai pris le vol de nuit depuis Washington, hier. J'ai voyagé avec Ryan Chappelle… En première classe. Il m'a aussi déposé à la CAT, dans sa voiture.

— Ooooh, je suis impressionnée.

Le ton de Jamey démentait ses propos.

— Allez, Jamey, sois plus cool avec lui. Chappelle n'est pas un mauvais bougre. À mon avis, il est pris entre le marteau et l'enclume.

Jamey évacua ce commentaire d'un geste de la main.

— Tu es resté trop longtemps à Washington. Tu parles comme un bureaucrate.

— Langley se trouve en Virginie.

Jamey sirotait son café à la française – avec de la crème et plein de sucre –, tout en observant l'installation de Milo.

— C'est quoi, tout ça ?

Il haussa les épaules.

— Je l'ai trouvé sur la table, enveloppé dans du plastique. D'après la note qui l'accompagnait, Jack aurait envoyé cet ordinateur ici, pour le faire analyser. Si je me fie au bordereau, on l'a reçu ce matin.

— Tu as besoin d'aide pour faire ça ?

— Je contrôle la situation, répondit Milo. Où est Fay ?

— Partie sur le terrain, avec Tony Almeida. Ils sont au Mexique, à la recherche d'un dénommé Lesser.

— Richard Lesser ? s'enquit Milo, ouvrant grand la bouche.

Jamey leva les yeux.

— Comment le sais-tu ?

— Disons que ça ne m'étonne pas. J'ai fait sa

connaissance à Stanford. À l'époque, c'était vraiment un sombre crétin. Il se faisait appeler : *Le don de la déesse Silica à la programmation.*

— La déesse Silica ?

— Un truc de jeu vidéo, fit Milo en haussant les épaules. Revenons en arrière : tu dis que Fay cherche Lesser au Mexique ?

— Tout est dans le rapport journalier. Dossier rouge nº 7.

— Tu crois que j'ai eu le temps de lire le rapport ? Je viens de rentrer après avoir passé deux semaines au Puzzle Palace, et presque toute une troisième semaine enfermé dans une cave sans fenêtre, imperméable aux ondes radio. Je n'ai pas fermé l'œil depuis 24 heures. En tout cas, je…

Milo se leva brusquement.

— Qu'est-ce que c'est que ça ? Je viens de recevoir une alerte concernant un virus inconnu.

Jamey entendit le signal d'alarme un instant plus tard et manqua de renverser son café.

— D'où ça vient ?

— Je téléchargeais la mémoire de ce processeur, quand mes protocoles de sécurité se sont affolés. Ça fait combien de temps que les archives ont été mises à jour ?

Les archives de la sécurité informatique à la CAT contenaient une copie du moindre virus, du plus petit logiciel espion et de tout programme servant à afficher des bannières publicitaires sur l'Internet dès qu'ils faisaient leur apparition. Cette collection de *logiciels à faire du grabuge*, comme Milo les appelait, constituait une des raisons d'être de la CAT. C'était la mission la plus importante des cybernautes de l'agence. Jamey effectuait scrupuleusement la mise à jour du système deux fois par jour au moins, et Milo le savait.

— Écoute, Milo, j'ai mis les archives à jour la nuit dernière, à 21 heures. Je l'ai fait avant de rentrer chez moi, comme tu peux le voir sur le registre, là sur l'écran.

— Calme-toi, je ne t'accuse de rien.

— Peux-tu isoler ce virus ?

— Oui ! fit gaiement Milo. C'est presque fait.

Milo Pressman caressait le clavier de son ordinateur, tout en emprisonnant le fichier contenant le virus dans un dossier sécurisé. Il lui attribua un code et le fit passer dans les archives. À des fins d'analyse, Milo en conserva une copie sur son propre ordinateur.

Tandis que ce dernier était penché sur son ordinateur, continuant à pianoter, Jamey décrocha les consignes écrites de Jack Bauer du haut d'une boule de plastique transparent qui avait servi à envelopper la machine.

— Ce virus est un énorme fichier. C'est un *Trojan*[1]. Il est planqué dans un film téléchargé, annonça Milo.

— Ce n'est pas surprenant, lui apprit Jamey. Cet ordinateur appartient à Hugh Vetri, un producteur de cinéma.

— Cool, dit Milo. Comment le sais-tu ?

Jamey lui agita les directives de Jack sous le nez.

— Parce que j'ai lu ce mémo au-delà de la première page.

Milo cligna des yeux.

— Le fichier téléchargé s'appelle *Les portes du paradis*. Ce n'est pas le titre d'un film ?

— Si Brad Pitt ou Vin Diesel ne jouent pas dedans, je n'y prête aucune attention, répliqua Jamey, après avoir avalé une gorgée de café.

1. Les informaticiens français utilisent ce mot, venu de l'expression *Trojan Horse*, qui se traduit par : Cheval de Troie. La prononciation française : *troyen*, est la plus usitée. Il s'agit de fichiers souvent malveillants, dissimulés dans des programmes divers. *(N.d.T.)*

*
* *

09:18:40 PDT
Route 39, près de la Réserve Morris

L'inspecteur Castalano ouvrit énergiquement la porte et bondit hors de l'hélico. Ses pieds touchèrent le sol rocheux avant les traîneaux de l'engin. Se baissant sous les hélices qui tournoyaient, il courut sur la route en direction d'un groupe de voitures de la police d'État californienne et de véhicules de la sécurité du parc.

Castalano tenait presque son homme. Presque. Le plus dur restait à faire. Devant lui, la route consistait en deux voies étroites, pleines de trous et de fissures. Au milieu, il y avait une ligne jaune effacée. Deux kilomètres environ devant le barrage routier, la route s'évanouissait derrière un tournant abrupt. L'accotement, surélevé de part et d'autre, était coiffé d'un enchevêtrement d'arbustes et de ronces. La police d'État avait bien choisi sa planque. Elle semblait parfaite.

De l'autre côté de la route, l'hélicoptère s'éleva de nouveau, soulevant une nuée de poussière et d'herbe sèche. Castalano passa la main dans ses cheveux bruns clairsemés, les peignant pour les remettre en place, tandis qu'il approchait le contingent de véhicules officiels. Un officier de la police d'État s'avança pour le saluer.

— Castalano ? Frank Castalano ? Je suis le capitaine Lang.

Ils se serrèrent la main. Le policier était aussi massif qu'un arrière de football. Il faisait au moins une tête de plus que l'inspecteur de la police de Los Angeles. Il avait la peau brûlée par le soleil, des cheveux d'un gris métallique et de profondes pattes d'oie autour des yeux. Ses bottes noires brillaient comme des miroirs et Castalano aurait parié que ce type en avait fait voir à plus d'un usager de la route californien, au cours des années.

— Capitaine, pouvez-vous me mettre au courant ?

Lang dirigea Castalano vers un véhicule vert émeraude de la Sécurité du parc. Faisant les cent pas devant l'engin, un agent de la Sécurité du parc, vêtu d'un uniforme brun foncé, tenait une grande carte topographique de la zone environnante. Penché au-dessus de son épaule, un autre homme parlait dans la radio de la voiture.

— Avec l'aide du pilote de l'hélicoptère qui survole le secteur, ces deux agents suivent les mouvements de la Jaguar. Vous pouvez les voir sur ce graphique, expliqua Lang.

Castalano examina la carte.

— Le suspect errait sans but depuis un moment, continua le capitaine. Il a ensuite tenté de trouver l'ancienne voie d'accès qui reliait la route 39 à l'autoroute de Angeles Crest. En empruntant ce passage, il est arrivé de ce côté-ci de la route 39. Seulement, l'artère est fermée depuis des années et il s'est en quelque sorte enfermé. Il ne peut pas faire demi-tour pour reprendre le chemin par lequel il est venu : environ une centaine de voitures de police bloquent désormais cet accès. Et en reculant par là – Lang brandit un pouce épais au-dessus de sa tête –, un glissement de terrain barre le chemin.

— Quel est votre plan, capitaine ?

Lang fit un geste en direction d'un point à l'horizon, où l'autoroute déserte disparaissait à un tournant.

— Le fugitif ne peut pas voir le barrage routier avant d'arriver dessus. Nous disposons de déchiqueteuses de pneus, disséminées le long du tournant. Il y en a un autre jeu, à cinq cents mètres du premier. Une seconde à peine après avoir pris ce tournant, je vous promets qu'il ne roulera plus que sur ses jantes.

Lang fit face à l'inspecteur.

— Enfin, si notre plan vous convient.

— Vous êtes le responsable ici, capitaine Lang. Tout ce que je vous demande, c'est que vos hommes fassent tout leur possible pour prendre le suspect vivant.

Le capitaine fixa l'endroit où la route tournait pour disparaître.

— J'ai bien peur que cela ne dépende pas de mes hommes, inspecteur. Avec toutes ces déchiqueteuses sur la voie, la vie du suspect dépendra de la vitesse avec laquelle il arrivera à ce niveau.

— Il est soupçonné dans une enquête pour meurtre, comptant plusieurs victimes.

— J'ai entendu parler de ces petits, dans le car.

— Pas seulement eux, ajouta Castalano. Il a aussi tué une famille à Los Angeles, et il n'agit peut-être pas seul. Je dois le ramener en vie à Los Angeles, pour l'interroger.

— Est-il armé, inspecteur ?

— Aucune arme à feu n'a été utilisée au cours du carnage.

Castalano savait que ce n'était pas une réponse. On pouvait parfaitement supposer que le fuyard porte une mitraillette de calibre 50 en bandoulière. L'agent qui tenait la radio fit un geste pour demander le silence. Il écoutait avec attention.

— Il se trouve à moins de trois kilomètres et il arrive à toute vitesse, dit-il enfin. Il sera là dans quatre-vingt-dix secondes, peut-être moins.

Lang se tourna vers ses hommes.

— Tout le monde en position, rugit-il assez puissamment pour se faire entendre sans porte-voix.

— Cachez-vous derrière les véhicules. Il est possible

que le suspect ne soit pas armé. Je répète : il est possible que le suspect ne soit pas armé. Servez-vous de balles tranquillisantes pour le neutraliser s'il le faut, mais ne faites usage d'aucune arme mortelle. Je veux qu'on prenne cet homme.

Castalano opina du chef pour remercier le capitaine Lang. Il regarda avec attention le visage des autres hommes. Les officiers de la police d'État étaient bien remontés et prêts à en découdre. Les agents de la Sécurité du parc semblaient inquiets, alors qu'il se repliaient derrière le mur d'acier formé par les voitures.

En moins de trente secondes, tous étaient parés, et écoutaient. Pendant un long moment, les seuls bruits qu'ils entendirent, furent celui du vent soufflant dans les hauteurs, et le bruissement du feuillage des arbres.

Plus haut sur la route, près du tournant, un officier de la police d'État qui faisait le guet aux avant-postes, bondit hors de sa cachette. Il adressa un geste de la main à Lang et s'accroupit pour se remettre à couvert. Le capitaine toucha la crosse de son 357 Magnum, encore dans son étui.

— Il est presque arrivé, prévint-il, d'une voix pareille à un tonnerre assourdi.

Le vrombissement du puissant moteur de la Jaguar se fit plus fort, avant de baisser. On vit arriver le rouge et le chrome d'une masse indistincte. Vint ensuite le souffle de l'explosion, comme les deux roues avant éclataient en même temps. Castalano grimaça. Il eut peur un instant qu'un officier de la police d'État à la gâchette facile n'ait ouvert le feu. Deux autres explosions suivirent, et la Jaguar tomba sur l'asphalte fissuré. Du caoutchouc déchiqueté s'éparpilla et un abominable grincement remplaça le grondement du moteur. Des étincelles s'envolèrent, comme le châssis heurtait le sol. La Jaguar fit une queue de poisson, se penchant si fort d'un côté que Castalano crut que le bolide de métal allait tomber à la renverse. Au lieu de cela, le véhicule s'avança violemment vers l'accotement surélevé pour s'arrêter brusquement, dans un nuage de poussière et une volée d'étincelles et de roche.

Des pieds martelèrent aussitôt le sol. Castalano suivit les policiers, qui s'élançaient à découvert, en direction de la voiture. Le premier agent de la Sécurité du parc à atteindre la Jaguar tendit les bras, pointant un pistolet tranquillisant des deux mains.

La portière s'ouvrit grand, côté passager. Un gros morceau de chrome dégringola au sol.

— Ne bougez pas, cria l'officier. Gardez les mains sur le volant et restez assis, ou je tire.

Castalano se tenait encore un mètre plus loin environ, quand il vit une silhouette bondir comme un tigre hors de la voiture en miettes. L'agent tira. La balle tranquillisante toucha l'homme en plein milieu de la poitrine, mais l'impulsion prise par le chauffeur fit tomber les deux hommes à terre. C'est à ce moment là que Castalano vit les dents du conducteur plantées dans la gorge du policier. Un flot rapide de sang formait une mare sur la route dégradée par les intempéries.

L'inspecteur Castalano sortit son arme de service, la sauvagerie de l'attaque lui faisant oublier son souhait de prendre l'homme en vie. Une haie de policiers entoura les deux hommes au sol. Des pistolets tranquillisants firent feu. Castalano vit des étincelles, accompagnant des bruits secs. Un cri strident fusa. L'odeur fétide de l'ozone lui piqua les narines, se mêlant à celle plus âpre de la sueur, et à la puanteur métallique du sang. Des bouts de cuivre pointus percèrent la chair du fugitif. Des décharges électriques grésillèrent à même sa peau. Le suspect se tordait de douleur et criait, mais il continuait à se battre.

Castalano se fraya un passage à travers la haie de muscles et de cuir noir. En posant le pied au sol, il glissa dans une mare de sang. La carotide du policier avait été déchirée. Pris de spasmes, les yeux grands ouverts de surprise, l'homme voyait sa vie s'écouler sur le sol, tandis que le forcené le taillait en pièces. En fin de compte, une botte s'écrasa sur l'arrière du crâne de l'agresseur. Il grogna en s'affaissant. Le capitaine Lang donna un coup de pied supplémentaire, qui envoya le criminel sanguinolent valdinguer sur la chaussée, loin du policier. Les autres officiers fondirent tels des vautours sur le forcené, le rouant de coups de poing et de pieds.

— Non ! hurla Castalano. Prenez-le vivant.

Des grognements furieux se firent entendre. Quelqu'un souleva brutalement le suspect pour le faire tenir sur ses jambes. L'homme demeurait conscient, même si du sang lui coulait du nez, même si sa tête roulait sur le côté. Pour la première fois, Castalano fut en mesure de bien le regarder. Il était grand, de type moyen-oriental. Son visage et ses vêtements étaient couverts de sang frais. Des flots d'hémoglobine lui ruisselaient sur le menton, atteignant son cou. Il y avait aussi des taches sèches et brunes, manifestement plus anciennes. Était-ce celui de Hugh Vetri ?

Les yeux du suspect ne se fixaient sur rien. Puis, il surprit le regard de Castalano, qui l'observait. Impuissant, les mains menottées derrière son dos, six hommes lui entravant les membres, l'individu cracha du sang chaud dans sa direction.

— Hasan Bin Sabah ! Le vieil homme sur la montagne ! Il voit tout, et lorsqu'il étendra sa main, aucun infidèle ne sera en paix.

Il parlait avec ses lèvres en lambeaux et ses dents cassées. Il avait le regard fou. Cependant, les mots étaient parfaitement intelligibles, prononcés avec l'accent d'un étudiant d'Oxford. La suite de sa diatribe fut incohérente. Ses yeux brillèrent à nouveau et il se débattit derechef. Il criait maintenant dans une autre langue. Castalano pensa qu'il s'agissait sans doute de l'arabe, parce que les mots *Allah Akbar* étaient répétés plusieurs fois. Ça ne lui disait rien qui vaille.

— Mettez-le dans l'hélicoptère, fit Castalano, avec dégoût. J'emmène cet enfoiré au commissariat, pour l'interroger.

Tandis qu'on l'entraînait dans la clairière pour attendre l'hélico, Castalano trébucha soudain et s'appuya sur la carcasse de la Jaguar défoncée. Ouvrant grand la bouche, il tira un mouchoir de sa poche et essuya le sang sur son visage. Il jeta un coup d'œil à l'intérieur de la voiture. Les sièges de cuir fauve étaient maculés de sang séché, mais il n'y avait trace d'aucun couteau, ni d'outil ayant servi à tuer. Castalano remarqua plusieurs éprouvettes de verre vides sur le plancher de la Jaguar. Elles ressemblaient à ces fioles utilisées pour contenir du crack. Il en vit une encore pleine. Elle contenait une substance d'un bleu cristallin. Certainement pas du crack, ni de la méta-amphétamine… Il avait suffisamment vu ces deux produits pour faire la différence. La police scientifique de Los Angeles n'était pas encore arrivée, et Frank Castalano décida de ne pas attendre. Il enfila une paire de gants en latex, fourra la main dans le véhicule, farfouilla pour trouver la fiole qu'il empocha prestement.

Quand il eut fini, il leva les yeux et trouva le capitaine Lang penché au-dessus de lui.

— Beau boulot, capitaine, fit l'inspecteur d'une voix rauque. Comment se porte votre homme ?

Le visage de Lang s'assombrit. Il secoua la tête.

*
* *

06:27:17 PDT
Siège de la CAT, Los Angeles

Jack Bauer pénétra dans la salle de conférences, vêtu d'un pantalon gris anthracite, dont le pli impeccable semblait coupé au couteau. Il portait également une chemise bleu foncé, fraîchement repassée. Ryan Chappelle, qui présidait la réunion organisée à la hâte, leva les yeux depuis son fauteuil situé en bout de table.

— Vous êtes bien bon de vous joindre à nous, Jack.

Jamey Farrell était assise et tapotait sur la table avec son crayon. À ses côtés, Milo Pressman froissait les pages d'un document imprimé. Nina Myers se trouvait également là. Elle lui adressa un regard pour le mettre en garde.

— Je suis désolé pour toute cette confusion, Ryan. J'aurais dû rentrer au QG après l'opération…

— J'aurais préféré, en effet, dit Chappelle, l'interrompant. Ça m'aurait évité d'apprendre la mauvaise nouvelle par un reportage télévisé.

— On a reçu un mauvais tuyau, c'est tout…

— Oublions cette affaire, agent spécial Bauer. Jamey Farrell et Milo Pressman m'ont informé d'un autre sujet.

— Un autre sujet ? interrogea Jack, en s'installant en face de Nina.

— Cet ordinateur que tu nous as adressé ce matin, pour qu'on l'examine, répondit Jamey. Ton intuition était bonne. Ce qu'on a trouvé est lié à une autre opération.

Chappelle fixa Jamey du regard.

— Prétendez-vous que Jack savait ce que contenait ce processeur ?

— Il lit les rapports quotidiens, rétorqua Jamey. Il sait donc que Richard Lesser nous intéresse, dans le cadre d'une opération en cours.

Jack savait que Jamey tentait de le couvrir, mais il ne voyait pas où elle voulait en venir.

— Attends un peu, dit-il. Tu insinues que cet ordinateur a un rapport avec l'enquête sur Richard Lesser ?

Cette fois, Milo Pressman prit la parole.

— C'est bien le cas, Jack. Il y a un film piraté sur le processeur, une copie des *Portes du paradis*. J'ai pu le tracer et remonter jusqu'au serveur de Lesser, au Mexique. Si ça ne suffit pas comme preuve, il y a autre chose. Cette copie pirate contient un programme enfoui, un *Trojan*.

— Tu viens de dire qu'il s'agissait d'une copie pirate des *Portes du paradis*, dit Jack. Ça n'a pas de sens.

Chappelle reprit la parole.

— Éclairez notre lanterne, Jack. Commencez par nous dire comment vous avez eu cet ordinateur.

Jack leur parla de la visite de l'inspecteur Frank Castalano, des meurtres ayant eu lieu dans la maison de Hugh Vetri, et qui n'avaient pas encore été rendus publics. Il prit soin d'omettre l'existence du CD-rom qu'il gardait toujours dans sa poche et les informations personnelles sur sa famille et sur lui, enregistrées dessus. Il espérait que personne ne demanderait pourquoi un inspecteur de la police de Los Angeles, l'avait contacté lui, en premier lieu.

— Je comprends maintenant ce que Jack veut dire. Pourquoi Hugh Vetri voudrait-il télécharger son propre film ? demanda Chappelle.

— Il savait que c'était un pirate. Peut-être qu'il voulait savoir ce que les voleurs avaient vraiment en leur possession, tenta Milo. En voyant la version pirate, il pouvait peut-être remonter à celui qui avait volé le fichier digital, dans un premier temps.

— Ou alors, il était au courant pour le *Trojan*, et il voulait empêcher le virus de se répandre, dit Jamey.

— On connaît effets de ce virus ? demanda Jack.

Milo haussa les épaules.

— On l'a libéré dans un ordinateur isolé. Jusqu'ici, il ne s'est rien passé. Le virus est trop bien crypté pour qu'on le craque facilement. Il va falloir démanteler ses rouages pour savoir ce qu'il est supposé faire.

Milo fit une courte pause.

— C'est ça, ou attraper Richard Lesser. Si je connais le bonhomme aussi bien que je le pense, il ne résistera pas très longtemps.

Jamey ferma les yeux, avec un soupir inaudible.

Qu'est-ce que Milo peut être bête, pensa-t-elle. *Et au lieu de la fermer, il continue de parler et de creuser plus profondément sa tombe, avec les conneries qui lui sortent de la bouche.*

— Richard Lesser a laissé ses empreintes sur ce programme, affirma Milo, tout en levant les mains au ciel. C'est exactement le genre de merde qu'il fabriquait déjà à Stanford !

Ryan Chappelle regarda Milo avec un grand sourire.

Nous y voilà, pensa Jamey.

— Monsieur Pressman, êtes-vous en train de dire que vous connaissez ce Richard Lesser ?

Évidemment, Milo ne le vit pas venir.

— Oui, bien sûr, fit-il en hochant la tête. Je suis allé à la fac avec lui... Quand j'étais maître assistant, mon bureau se trouvait près du sien.

Ryan Chappelle posa la paume de ses mains sur la table, s'appuya dessus pour se lever.

— Monsieur Pressman, je vous autorise à prendre un hélicoptère, jusqu'à la frontière mexicaine. Prenez une voiture dans le garage sécurisé de la CAT et foncez vers le sud. Je veux que vous preniez contact avec Almeida à Tijuana, dès que possible.

Milo cligna des yeux.

— Hé, attendez un instant. Je ne fais pas d'espionnage ! Je ne suis pas un agent de terrain.

— Fay Hubley non plus. Vous la rejoindrez aussi au Mexique. Ne vous en faites pas. Tony sera là pour s'occuper de la sécurité, pendant que vous traquerez Lesser.

— Moi ? cria Milo, les mains sur la tête. Mais comment je vais m'y prendre, pour pister Richard Lesser ?

— Vous connaissez ce type, répondit Chappelle. Vous connaissez sa psychologie, ses petites manies, des éléments ne figurant dans aucun dossier.

— Mais…

— Vous vous y collez, Milo. Immédiatement.

Ryan Chappelle traversa la salle de conférences. Il s'arrêta à la porte.

— Jack… J'attends votre rapport de fin de mission, concernant l'opération manquée de ce matin. Je le veux sur mon bureau d'ici une heure.

Quand Chappelle fut parti, Jamey se mit à gronder Milo.

— Je t'ai déjà dit de ne pas l'ouvrir devant Chappelle. Tu le prenais pour ton copain… Maintenant, il t'envoie au feu.

Nina se leva. Elle attendit Jack à la porte. Il lui fit signe de s'en aller et s'approcha de Jamey Farrell.

— Il faut que je te voie dans mon bureau, dit doucement Jack. Dans vingt minutes.

— D'accord, patron, répondit Jamey, une expression de surprise sur le visage.

Jack rattrapa Nina dans le couloir.

— Merci encore, Nina.

— Que s'est-il passé ce matin, Jack ? demanda-t-elle.

— Tu parles de l'opération ? C'est comme je l'ai dit à Chappelle. Une mauvaise info, c'est tout. Le labo fabriquait de la méta-amphétamine, rien de plus. On n'a toujours pas trouvé de laboratoire synthétisant du Karma.

— Eh bien, la Brigade des stupéfiants se vante néanmoins de cette descente. J'ai vu le maire aux infos, il y a dix minutes.

Jack fronça les sourcils.

— Un coup de génie d'avoir envoyé cet ordinateur, continua Nina. Il n'y avait pas de meilleur moyen pour faire diversion et détourner l'attention de Chappelle d'une énorme bourde. Je suis impressionnée. Tu commences à bien maîtriser le jeu de la politique bureaucratique.

Jack soupira.

— J'essaie simplement de faire mon boulot, Nina. C'est tout.

*
* *

09:56:52 PDT
La Hacienda,
Tijuana, Mexique

Les rideaux étaient tirés et la chambre plongée dans l'obscurité. Le climatiseur émettait un ronronnement constant, neutre, lorsqu'on frappa un coup unique à la porte. Tony se leva du lit et regarda par l'œil-de-bœuf.

Ray Dobyns se tenait de l'autre côté de la porte branlante, se balançant sur ses talons. Le gros homme arborait un sourire suffisant, qui indiqua à Tony que son informateur avait trouvé quelque chose.

Tony ouvrit la porte, mais Dobyns n'entra pas. Au lieu de cela, il resta sur le pas de la porte, louchant sur Fay par-dessus l'épaule de Tony. L'écran de l'ordinateur diffusait une lumière, éclairant le visage de la jeune femme.

— Dis, mon vieux, je me demandais si je pouvais te causer en privé ?

Pendant qu'il parlait, les yeux de Dobyns s'attardaient sur Fay, qui les ignorait tous les deux, avec application. Tony se glissa dans le couloir, et ferma la porte derrière lui.

— Qu'est-ce qui se passe ? demanda-t-il à voix basse.

— Je pense avoir trouvé la piste de Lesser, répondit Dobyns.

Tout en parlant, il épongeait les gouttes de sueur perlant sur sa lèvre supérieure, à l'aide d'un mouchoir sale.

— Tu as déjà entendu parler d'un bar appelé *Pequeños Pescados* ? C'est au numéro 5 de la rue Albino, juste à l'ouest du Centro.

Tony acquiesça de la tête.

— Ouais. Eh bien, *El Pequeños Pescados* est bien plus qu'un simple bar. Il y a une maison de passe, à l'étage. On y vend de la drogue, et on y fait aussi du recel d'objets volés. On dit que les *SS* dirigent l'endroit.

SS était l'abréviation de *Seises Seises*. Il s'agissait d'un gang mexicain, tenant son nom du numéro de la cellule de prison qui l'avait vu naître. Elle portait le numéro 66. Les *SS* étaient la plus récente des organisations criminelles engendrées par le système pénal corrompu et violent du Mexique. Jusque-là, leurs activités s'étaient cantonnées au nord du Mexique et à la Baja, mais Tony savait que, comme tous les cancers, elles étaient appelées à s'étendre.

— Qu'est-ce que tout ça a à voir avec Lesser ?

Dobyns sembla mal à l'aise, quand il changea de position.

— On raconte que l'Américain est arrivé à *El Pequeños Pescados* il y a une semaine à peu près. Il avait plein de matos informatique avec lui. Depuis, il se planque au troisième étage de ce taudis. Est-ce que ça te convient, Navarro ?

Tony opina du chef.

— La mauvaise nouvelle, c'est que le gars s'apprête à larguer les amarres, poursuivit Dobyns. Il a passé la journée à ranger ses affaires. Il doit déjà avoir fini.

— Conduis-moi là-bas sur-le-champ, ordonna Tony.

Dobyns hocha la tête.

— Je pensais bien que tu réagirais comme ça, mais une embrouille avec les *SS* te coûtera un peu plus cher.

— Je double la mise de départ. Dix mille dollars, c'est la limite.

Tony voyait, dans les yeux de Dobyns, le dilemme qui se passait en lui. Il vit la cupidité l'emporter sur l'instinct de survie.

— Je peux vraiment te faire confiance, Navarro ?

Tony planta ses yeux dans ceux de l'homme.

— Si on trouve Lesser, on s'en tire tous les deux. S'il met les bouts, aucun de nous ne gagne rien.

Dobyns acquiesça de la tête.

— D'accord, mais on part immédiatement, avant de perdre sa trace.

*
**

09:59:11 PDT
Siège de la CAT, Los Angeles

Jack Bauer venait juste de donner le CD-rom à Jamey Farrell. Il l'avait renvoyée à son poste, après lui avoir extorqué la promesse de ne communiquer ses découvertes qu'à lui seul. Il allait se mettre au rapport sur l'opération du matin quand son téléphone sonna.

— Bauer.

— Agent spécial Bauer ? Inspecteur Jerry Adler, de la Police de Los Angeles. Je suis l'équipier de Frank Castalano.

Jack se redressa.

— Que puis-je faire pour vous, inspecteur ?

— Frank voulait que vous sachiez qu'il a capturé un homme suspecté d'avoir commis les meurtres de Beverly Hills.

— Où ? Quand ?

— Dans la Forêt nationale d'Angeles, il y a environ un quart d'heure. Écoutez, cet homme est de nationalité saoudienne et il bénéficie d'un visa d'étudiant. Il a pris une sorte de drogue et parle du djihad à l'encontre des infidèles.

— Ne dites pas un mot de plus sur cette ligne. Où Frank emmène-t-il le suspect ?

— Aux Services centraux, entre les 5e et 6e rues. C'est à côté du dépôt des bus. Il nous est plus facile de contrôler l'accès au prisonnier en le conduisant là, plutôt qu'au tribunal.

— Bien vu.

Jack savait que « contrôler l'accès » était un euphémisme pour dire : « empêcher de voir un avocat le plus longtemps possible ». Jack regarda sa montre.

Chappelle allait monter sur ses grands chevaux s'il

ne voyait pas le rapport sur son bureau dans la demie heure. Cependant, l'instinct de Jack lui disait que cette affaire importait plus que de rédiger un rapport en langue de bois pour bureaucrates.

— Dites à Frank que je suis en chemin.

Heure 6

CES ÉVÉNEMENTS SE DÉROULENT ENTRE 10 H ET 11 H PDT

10:01:01 PDT
Auditorium Terence Alton Chamberlain, Los Angeles

L'équipe de huit hommes appartenant à la section 235 du Syndicat des menuisiers et artisans se rassembla sur l'aire de repos dévolue au syndicat. Pour l'occasion, un véhicule récréatif gris métallisé s'était garé dans la rue, devant le gigantesque Auditorium Chamberlain.

À quelques mètres de la camionnette, on déroulait le tapis rouge, pour la cérémonie des Silver Screen Awards. Dans moins de huit heures, les célébrités se pavaneraient dessus, pour accéder au pavillon. Des groupies et des paparazzi étaient déjà là, revendiquant leur droit aux meilleures places, derrière des barrières bien gardées par des agents de police.

Dans la camionnette climatisée, l'atmosphère était plus détendue. Les ouvriers se prélassaient sur des matelas et sur des sièges. Certains profitaient du four à micro-ondes, et de la cafetière. D'autres regardaient la télévision en fumant, contrevenant ainsi aux lois strictes de la ville de Los Angeles, en la matière.

Ces hommes travaillaient depuis six heures du

matin, à assembler le matériel de scène, pour la remise de prix qui aurait lieu le soir. Tout était en place à présent, à l'exception d'une réplique très élaborée du trophée lui-même, et du large socle en bois qui devait la supporter. Ces éléments devaient être installés au milieu de la scène, et la structure préfabriquée n'était pas encore arrivée. Elle venait de quitter les ateliers de son constructeur, à El Monte. Cette dernière pièce serait livrée dans une heure, et il resterait assez de temps pour l'édifier, avant le lever du rideau, et le début de la retransmission en direct.

Même si les éléments s'étaient déjà trouvés sur place, les règles syndicales imposaient une pause repas après quatre heures de travail. Bien sûr, les équipes devaient échelonner leurs relâches, de sorte qu'un menuisier soit toujours disponible. Néanmoins, Pat Morgenthau – le contremaître attitré de l'équipe –, ne s'était pas présenté sur son lieu de service, et demeurait introuvable, même dans ses tanières habituelles. Les hommes ignoraient souverainement les instructions du contremaître remplaçant que la direction avait dépêché sur le chantier : un gamin de vingt et quelques années nommé Eddie Sabir.

La porte de la camionnette s'ouvrit, alors qu'on était en plein milieu de la diffusion d'un programme sportif par une chaîne du câble.

— Debout là-dedans, les camions sont arrivés, cria l'un des menuisiers.

Des huées et des sifflèrent se firent entendre.

Un homme de type moyen-oriental se tenait dans l'entrée. Il esquissa un salut d'une main, tandis que l'autre tenait une grande boîte de plastique d'un bleu brillant.

Un gros type qui regardait la chaîne sportive depuis une chaise longue, se donna une tape sur le front.

— Merde, Haroun, il fallait vraiment que tu te pointes maintenant ?

L'homme qui se tenait dans l'entrée gratifia les ouvriers d'un large sourire.

— Bonjour, bonjour, dit-il. La mauvaise nouvelle est que les pièces sont dans le camion, et que le camion est arrivé, ce qui signifie qu'on a tous du boulot. Mais il y a aussi une bonne nouvelle : ma femme a encore fait des gâteaux au miel.

Un menuisier bien bâti, portant une queue-de-cheval, se mit à siffler.

— Apporte-les, mec.

Le gros baissa le son de la télévision.

— Allez, viens, Haroun. Assieds-toi. On vient juste de refaire du café.

Haroun posa la boîte en plastique sur la table, en secouant la tête.

— Non, non. Je dois conduire le camion sur la rampe de chargement. Mais servez-vous, je me joindrai à vous dans quelques minutes.

— Tu ferais mieux de te dépêcher, fit le menuisier portant une queue-de-cheval. La dernière fois que tu as apporté des gâteaux au miel, ils avaient été dévorés avant que le contremaître n'en ait pris un seul ! Et Morgenthau a sacrément râlé.

Haroun passa rapidement la porte. L'homme à la queue-de-cheval choisit un des minuscules gâteaux aux amandes, dégoulinant de bon miel. Il passa la boîte aux autres.

— Bon Dieu, ils sont du tonnerre, fit-il, après une bonne première bouchée.

Avant qu'il puisse se resservir, un grognement se fit entendre, émanant de la bouche du plus jeune de la bande, alors étendu sur un matelas. Il s'était affalé là, tout près du gros homme. Dégingandé, il avait vingt-deux ans, les cheveux blonds broussailleux, et un hâle profond de surfer. Il geignit de nouveau, se tenant le ventre des deux mains.

— Mais qu'est-ce qui lui arrive ? demanda le gros, avant de se choisir un gâteau collant.

— Cette tête de nœud est allée dans ce nouveau club de strip-tease, du côté de l'aéroport, répondit celui à la queue-de-cheval. Il s'est saoulé jusqu'à trois heures du matin, et puis il est venu au boulot.

— Il vaudra des clous aujourd'hui, affirma un homme entre deux âges, en opinant du chef. Il était chauve et assez musclé. Il s'adossa sur son fauteuil, et lécha ses doigts poisseux.

Le jeune homme malade n'en pouvait plus de ces goinfreries, de ces bruits de mastication, de toutes ces odeurs. Il bondit et se rua vers les toilettes, dont il ferma la porte. Il se pencha au-dessus de la lunette, attendant.

— Encore un adepte de la déesse porcelaine, railla l'homme à la queue-de-cheval.

Les autres éclatèrent de rire.

Penché au-dessus de l'étroite cuvette, le jeune homme eut quelques hauts le cœur, mais rien ne vint en dépit de la nausée et des crampes qui lui tordaient le ventre. Il n'en fut pas étonné. Cela faisait longtemps, qu'il avait rendu le contenu de son estomac, et il se demandait quand cette torture prendrait fin. Se jurant de ne jamais plus boire à l'excès, il fit couler de l'eau pour se laver la bouche et se rincer le visage. Après s'être essuyé, il se sentit un peu mieux. Aussi, inspira-t-il profondément, avant d'ouvrir la porte.

Il crut d'abord qu'il s'agissait d'une vaste plaisanterie. L'homme à la queue-de-cheval s'était effondré sur la table, la tête pendant d'un côté. Il avait les yeux grands ouverts, et ne battait pas des paupières. Sa langue était bleue. Le gros fanatique de sport dardait des yeux énormes sur l'écran de la télévision, mais il ne voyait plus rien. Un autre homme était affalé à ses côtés sur le matelas, la bouche béante, la langue noire et distendue.

Le grand type chauve gisait sur le sol, mort. Il agrippait la moquette, de ses doigts crispés. Le jeune homme gémit. Plus qu'il ne le vit, il sentit un mouvement dans son dos. Ensuite, quelque chose de dur et de froid s'abattit sur l'arrière de son crâne. Ses genoux se dérobèrent sous lui et il cessa de bouger.

— Tu aurais vraiment dû manger ces gâteaux, dit Haroun. Il tenait un Colt équipé d'un silencieux. La tête du jeune homme explosa comme un melon. Son corps fut pris de soubresauts, et tomba mollement à terre.

Haroun émit un grognement, tandis que du sang lui giclait sur le visage.

— Que la volonté de Hasan soit faite, murmura-t-il.

Le son étouffé du tir s'était à peine évanoui, que huit hommes vêtus de jeans et de T-shirts pénétraient dans le véhicule. Contrairement à Haroun, de type moyen-oriental, tous étaient de type caucasien, avec des cheveux bruns ou châtains. Trois d'entre eux avaient les cheveux blonds, la peau claire et les yeux gris ou verts. Leur physionomie correspondait tout à fait à celle des morts qui les entouraient.

En silence, les nouveaux venus s'emparèrent des ceintures à outils, des pièces d'identité, des portefeuilles, des vestes, des clés et des montres des cadavres. Pendant ce temps, Haroun souleva précautionneusement la boîte de gâteaux et rassembla ceux qui étaient tombés, en faisant attention à ne pas toucher les pâtisseries empoisonnées à mains nues. Il jeta le tout dans un sac-poubelle, y ajoutant le pistolet muni d'un silencieux. Ensuite, il rejoignit les autres.

Au cours des deux dernières semaines, Haroun

– selon les instructions du mystérieux Hasan –, avait travaillé aux côtés des hommes dont les corps gisaient à ses pieds. Il avait sympathisé avec eux. Auparavant, et à trois reprises, Haroun avait apporté des gâteaux au miel, prétendant que son épouse dévouée et obéissante les avait préparés. En réalité, Haroun n'était pas marié et ne comptait pas prendre femme, sauf peut-être au Paradis, où il en aurait des tas. Chaque fois, les gâteaux lui avaient été fournis par un agent de Hasan, et on avait conseillé à Haroun de les partager avec ces hommes.

Pas aujourd'hui. Cette fois-ci, on lui avait dit de ne pas toucher les gâteaux, sinon il mourrait. Comme toujours, il avait suivi à la lettre les instructions de son maître. C'était bien le moins qu'il puisse faire pour celui qui lui montrait le chemin du Paradis, lui offrant une vision aussi floue qu'attirante de l'au-delà.

Il ne savait pas quel poison mortel avait été utilisé pour tuer ces hommes. Il n'en avait cure. Tout ce qui comptait, c'était que le plan soit enfin mis à exécution. Rien ne pouvait empêcher un bain de sang. Les morts éparpillés autour de lui n'étaient que les premiers à tomber, parmi une multitude d'autres. Mais, contrairement à ces pions, tués sans témoin, le massacre à venir serait vu par des millions de personnes à travers le monde.

***

10:12:41 PDT
La Hacienda,
Tijuana, Mexique

La chanson pop qui faisait office de sonnerie tira Fay Hubley de sa transe informatique. Elle sauvegarda son travail, farfouilla dans le sac qui pendait à l'arrière de sa chaise pour trouver son téléphone portable.

— Allô ?

— Fay ? C'est Jamey. J'ai essayé de joindre Tony, mais…

— Il a éteint son téléphone. Il est avec un sale mouchard, en train de suivre une piste, ou quelque chose dans le genre.

— Il aurait dû donner cette information à Nina.

— Tony m'a demandé de le faire, dit Fay. Je m'apprêtais à…

— Comment s'appelle l'indic ?

— Nom de famille : Dobyns. Prénom : Ray.

— Peux-tu épeler son patronyme ?

— Non, mais Tony a dit qu'il le connaissait avant. Tu dois pouvoir trouver ça dans un de ses rapports de fin de mission.

— Et où est allé Tony ? s'enquit Jamey.

Fay émit un soupir de dégoût.

— Dans une maison close. Un lieu nommé *El Pequeños Pescados*, sur la rue Albino.

Jamey consigna l'information dans le registre de mission. Elle tenta encore de tirer les vers du nez à Fay, sans rien obtenir. Elle l'inquiétait. La jeune femme lui semblait confuse.

— Écoute, Fay. J'aimerais t'indiquer quelques pistes de recherche. On a trouvé un *Trojan*. C'est un programme intéressant à télécharger pour les personnes disposant de l'équipement adéquat : il s'agit d'un film qui n'est pas encore sorti. Milo Pressman a comparé le virus enfoui avec les protocoles que tu as isolés, et d'après lui, on retrouve la marque de Lesser partout.

Fay se mordit la lèvre.

— Ce n'est pas bon du tout. Si Lesser a lancé un virus au cours des cinq derniers jours, il l'a fait à partir d'un serveur dont nous ignorons tout. Ça signifie qu'il a une longueur d'avance sur nous.

— Ryan Chappelle envoie Milo Pressman au Mexique, pour t'épauler. Il devrait arriver dans quelques heures. Je te tiens au courant, dès que j'en sais plus.

— Cool, dit Fay. Ça va être sympa. Milo est mignon.

— Écoute-moi bien, ma belle. Tu n'es pas en vacances. Garde l'œil ouvert. Reste prudente. Tony est un ancien Marine, et il a une bonne expérience du terrain. S'il est parti en te laissant des instructions, suis-les. Cette mission commence à chauffer, et les choses peuvent tourner au vinaigre, là-bas.

Fay rit.

— Détends-toi, Jamey. Je ne suis pas en Afghanistan, mais seulement à la frontière mexicaine. Que veux-tu qu'il m'arrive en plein jour ?

10:18:37 PDT
Rue Albino,
Tijuana, Mexique

Tony Almeida et Ray Dobyns prirent un taxi, qui les conduisit dans les rues étouffantes du Centro, mais Tony préféra descendre devant le restaurant Planet Hollywood.

— Pourquoi on change de taxi ? demanda Ray, inquiet. Quelqu'un nous file ou quoi ?

— À partir d'ici, on marche. C'est tout, répondit Tony.

Compte tenu de sa corpulence, Dobyns n'aimait évidemment pas marcher. Tout le long du chemin les menant à la rue Albino, il se plaignit de ses pieds qui le faisaient souffrir, du sol inégal, de la foule, de la chaleur, des gaz étourdissants.

Le voisinage du bar et du bordel nommé *El Pequeños Pescados* s'était dégradé depuis la dernière fois que Tony était venu à Tijuana. Au temps de sa gloire, la rue Albino avait peut-être prétendu à un réel statut de classe moyenne mais ça n'avait manifestement pas duré. Maintenant, il y avait trop de bars nichés entre des devantures d'églises délabrées, trop de diseuses de bonne aventure tenant leur étal dans la rue, des monts de piété, des marchands de boissons alcoolisées et des bureau de paiement des chèques. On y trouvait aussi tous les signes indiscutables de la délinquance : des graffitis de gangs, des prostituées faisant le tapin, des pickpockets reconnaissables pour ceux qui savaient y regarder à deux fois. La carcasse déglinguée d'une voiture dont les vitres avaient été brisées et les sièges démontés gisait près d'un trottoir en miettes.

Ray Dobyns avait décrit le nº 5 de la rue Albino comme étant un entrepôt, mais il semblait évident à Tony que l'immeuble avait servi de glacière dans les années 40 et 50, avant qu'on en fasse un usage industriel. Le hangar consistait en un rectangle de briques rouges défraîchies, avec un toit plat et sans fenêtres. Une auberge à trois étages avait été construite en bardeaux de bois, à même le vieil édifice en briques, au cours des années 50. Au-dessus du porche de bois brut, il n'y avait qu'une affiche fanée vantant la bière *Azteca* et une enseigne lumineuse faisant la promotion des alcools *Cuervo*, pour indiquer que ce lieu n'était pas un immeuble quelconque. Une camionnette *Ford* cabossée était garée devant le bâtiment. On avait pris soin de bien la verrouiller. On ne voyait personne dans l'entrée, ni sur aucun des étroits balcons du premier et du deuxième étage.

— On y va ? demanda Tony.

Dobyns fit non de la tête.

— Écoute, Navarro, j'ai pas envie de planter ce plan. Il me faut vraiment ce pognon. Laisse-moi entrer d'abord, pour inspecter les lieux. Je suis déjà venu ici. Ils me connaissent. Je serai revenu dans cinq minutes, ou moins. Tu peux me chronométrer.

Tony évalua la proposition de l'homme. Certes, il ne faisait pas confiance à Dobyns, mais il savait que cet escroc ne gagnerait rien à le doubler. Dobyns aimait l'argent par-dessus tout, et il semblait en avoir cruellement besoin, en ce moment.

— D'accord, grogna Tony. Je te retrouve ici dans cinq minutes.

Dobyns traversa la rue en se dandinant, poussa la porte grillagée en bois, et entra dans le bar miteux. Tony resta un moment à regarder, puis il se rendit dans une petite échoppe, pour acheter une bouteille bien fraîche de Jarritos. Sirotant la boisson ce soda mexicain trop sucré, il attendit, regardant sa montre de temps en temps.

Dobyns réapparut exactement cinq minutes plus tard. Cependant, au lieu de traverser la rue, il fit un signe à Tony, depuis le perron.

Ce dernier vida la bouteille, le jeta dans une poubelle, et traversa l'artère poussiéreuse.

— Il s'agit bien de Lesser, assura Dobyns. Il est là-haut, au deuxième étage. Il ne se cache même pas. Le patron du bar s'est mis à table, dès que je lui ai tendu un billet de vingt dollars.

— Est-ce qu'il est seul ?

Dobyns acquiesça.

— Viens. Plus vite tu le trouveras, plus vite je toucherai mon pognon.

Tony hésita. Du strict point de vue tactique, cette affaire craignait. Il allait pénétrer dans un lieu inconnu, avec pour toute arme, un couteau d'assaut coincé dans sa botte, un Gerber Mark II cranté. D'un autre côté, Lesser était un petit poisson et ne se doutait pas qu'un agent du gouvernement des États-Unis le traquait. Et puis, ce n'était pas un malfaiteur violent, mais un pauvre informaticien. Pour couronner le tout, Dobyns n'avait rien à gagner, et tout à perdre, si leur marché tombait à l'eau.

— Passe devant moi.

Dobyns sourit, et poussa la porte grillagée. L'intérieur était sombre et presque désert. Derrière le zinc, un barman trapu fit un signe de la tête à Dobyns, et retourna au match de pelote basque, qu'il regardait sur le téléviseur installé au-dessus du bar. Attablés dans un coin, loin de la porte, deux hommes d'âge mûr s'amusaient avec de jeunes prostituées. Ils étaient fins saouls, et les filles les collaient. Deux autres femmes étaient assises dans un coin, où elles papotaient en se vernissant les ongles. Elles levèrent la tête quand la porte s'ouvrit, mais en voyant que Tony accompagnait Dobyns, elles reprirent leur conversation.

— L'escalier est là, derrière.

Dobyns conduisit Tony vers un couloir étroit, de l'autre côté du bar. Après les seules toilettes se trouvant là, une autre porte s'ouvrait sur une cage d'escaliers. Trois poissons argentés, empaillés et laqués, avaient été fixés au-dessus de cette porte. Ils semblaient bondir hors de l'eau. C'était de là que le bar tenait son nom, *El Pequeños Pescados* signifiant : Les petits poissons.

Ouvrant toujours la marche, Dobyns passa péniblement la porte étroite, et monta pesamment l'escalier raide, pour atteindre le premier, puis le deuxième étage. Derrière une autre porte, un autre couloir exigu, dont le papier peint tombait des murs, vers le sol crasseux, en linoléum vert avocat. Quelque part derrière un mur, un gémissement d'homme, suivi d'un rire de femme, se firent entendre.

Ils s'avancèrent vers la porte en bois, située tout au bout du couloir. Dobyns frappa deux fois.

— Entrez, lança une voix étouffée, de l'intérieur.

Dobyns fit un clin d'œil à Tony, et ouvrit la porte. La pièce était sombre. Les rideaux avaient été tirés. Tony vit cependant deux écrans d'ordinateurs qui émettait une lumière bleutée, et une silhouette assise sur une chaise en face. La forme tournait le dos à la porte. Du matériel informatique était éparpillé çà et là, sur les tables, les chaises, et même par terre.

Dobyns ouvrit la bouche pour parler, mais Tony lui demanda de garder le silence, avant de passer le seuil de la porte.

— Richard Lesser ? Je dois vous parler…

Tony n'eut pas l'occasion de voir la matraque qui s'abattit puissamment sur sa nuque. Par chance, il ne sentit pas le coup, non plus. Cette douleur-là et bien d'autres encore, seraient pour plus tard.

*
* *

10:34:09 PDT
Services centraux de la police de Los Angeles, Los Angeles

Jack Bauer observait le suspect à travers une glace sans tain. Le jeune oriental était enfermé dans une salle dévolue aux interrogatoires, au sein des Services centraux de la police de Los Angeles. Les détenus ordinaires étaient conduits dans une des prisons de la ville, où on les retenait. Les détenus célèbres – ou sur le point de le devenir, comme cet homme –, étaient, quant à eux, plus souvent amenés ici. La presse ignorait encore tout de l'existence de cellules et de salles d'interrogatoires dans ce qui n'était rien de plus qu'un garage et un atelier de réparations, à un pâté de maisons du dépôt des bus.

La salle où se déroulait l'interrogatoire était obscure. L'individu se trouvait pris dans un seul faisceau de lumière blanche et brillante. Il était assis, immobile, dans un siège de contention, regardant droit devant lui, les bras et les jambes entravés. Ses vêtements déchirés et maculés de sang, avaient été saisis, comme pièces à conviction. À présent, le meurtrier portait une salopette blanche en coton vierge, et de longues chaussettes blanches. Il n'avait pas de chaussures. On l'avait également nettoyé. On lui avait prélevé des échantillons sanguins. On avait aussi trouvé des morceaux de chair humaine sur sa peau, sous ses ongles, et entre ses dents. Ses cheveux noirs de jais étaient encore humides.

L'inspecteur Frank Castalano se tenait près de l'épaule de Jack. Son coéquipier, Jerry Adler, restait à une distance respectueuse.

— Je t'aurais appelé, Jack, même si ça n'avait pas été personnel, disait Castalano. Cet homme est de nationalité saoudienne. Il n'a cessé de parler du djihad, de louer Allah, en affirmant qu'il exécutait la volonté d'un terroriste nommé Hasan. Quand nous avons contrôlé ses empreintes, son visa d'études l'a trahi. Son nom est apparu sur un mémo de la Sécurité intérieure[1], stipulant qu'il était à surveiller.

Jack prit le dossier des mains de Castalano, et le feuilleta.

— Il s'appelle Ibn Al Farad, poursuivit l'inspecteur.

1. En anglais, Department of Homeland Security, service fédéral sans véritable équivalent français, créé en novembre 2002, à la suite des attentats du 11 septembre 2001. Son objectif est de veiller à la sécurité des États-Unis. Il combine, pour ce faire, 22 agences de tous ordres. *(N.d.T.)*

Fils d'Omar Al Farad, le millionnaire, vice-président de la Banque royale de Riyad, et ministre du gouvernement saoudien. Il a envoyé Ibn pour étudier à l'Université du sud de la Californie, mais le gosse a disparu il y a un an. L'ambassade d'Arabie Saoudite le recherche, et il se pourrait qu'ils aient vent de son arrestation à tout moment…

Jack examina le prévenu.

— Donc, Ibn Al Farad refait maintenant surface sous les traits du principal suspect d'un massacre ayant fait plusieurs victimes…, dit Jack Bauer, en secouant la tête. Cela n'a aucun sens. A-t-il fait une quelconque déclaration ?

Castalano fronça les sourcils.

— Quand nous l'avons appréhendé, il divaguait. Dans l'hélicoptère, il a débité des histoires et bavassé tout le long du chemin qui l'a conduit à cette salle d'interrogatoires. Dès qu'on a commencé à lui poser des questions sérieuses, à dactylographier ses réponses, le suspect a cessé de parler.

— Tu as dit qu'il avait parlé d'un autre homme, un certain Hasan, dit Jack, se souvenant que ce nom était apparu au cours des dernières vingt-quatre heures, dans le cadre de l'enquête sur Richard Lesser.

— Il n'a cessé de faire référence à ce Hasan comme au *vieil homme sur la montagne*, prétendant que s'il roulait comme un fou à travers les monts San Gabriel, c'est parce qu'il s'était lancé à la recherche du vieil homme.

Jack fronça les sourcils. L'allusion au *vieil homme sur une montagne* fit écho dans sa tête, mais il ne parvenait pas à isoler ce souvenir. Il abandonna.

— Tu as dit qu'il était sous l'emprise d'une drogue ?

Castalano montra à Jack la fiole qu'il avait sortie de la Jaguar endommagée.

— J'ai pensé que c'était de la méta-amphétamine colorée en bleu, pour la rendre plus attractive dans les rues, ou pour y apposer la marque d'un gang. Mais il ne s'agit pas de méta, ce qui peut expliquer cette couleur.

Jack tint le flacon dans la lumière, et le froncement de ses sourcils s'accentua.

— C'est une nouvelle drogue, le Karma, dit-il d'une voix rauque. Cette merde ferait passer la méta pour de la vulgaire caféine.

Il rendit la fiole à Castalano.

— Avait-il autre chose sur lui ? Une arme ayant servi à tuer ? Un exemplaire du Coran ?

— On a retrouvé une note écrite de sa propre main. Nous l'avons comparée avec ses dossiers universitaires. Elle ne semble pas avoir de sens. On dirait simplement des élucubrations griffonnées sous l'effet du narcotique.

Castalano ouvrit un autre dossier pour montrer le document manuscrit à Jack. Le papier était maintenant dans un sachet de polyester scellé. L'écriture passait de minuscules caractères très serrés à d'autres plus larges, faisant alterner l'anglais et l'arabe.

— C'est complètement dingue, murmura l'inspecteur.

Après avoir examiné ces écrits, Jack comprit que ça n'avait rien de dingue du tout. En tout cas, pas pour un jeune fanatique récemment converti à l'islam, qui disait avoir eu une vision puissante de l'au-delà, comme le prétendait Ibn Al Farad, sur ce papier. Le jeune homme souhaitait également purger le monde musulman de l'influence envahissante et diabolique de la culture américaine.

Était-ce pour cette raison que Hugh Vetri et sa famille avaient été assassinés ? Parce qu'il produisait des films ?

Une part importante du document était illisible, et Jack cessa de tenter de le déchiffrer. Peut-être la division Langues et Analyses documentaires de la CAT pourrait-elle en tirer davantage. Jack Bauer tourna le dos au prisonnier, pour faire face à l'inspecteur Castalano.

— Frank, je dois transférer Ibn Al Farad au siège de la CAT, pour un interrogatoire approfondi. En tant que suspect d'un homicide, il y a des limites aux moyens dont dispose la police pour le faire craquer. Mais s'il est considéré comme l'auteur d'un acte de terrorisme barbare, que l'on peut imputer à Hugh Vetri – citoyen américain influent et de premier plan –, la CAT pourra mener cet interrogatoire jusqu'au bout. Nous utiliserons des méthodes que j'aime mieux ne pas te dévoiler.

Jack pouvait lire l'hésitation, dans le regard de Castalano.

— Crois-moi, Frank, poursuivit-il, je peux briser ce type. Mais pas ici. Les méthodes de la police sont inappropriées face à son fanatisme.

Les traits de Frank Castalano s'assombrirent.

— Il y a seulement deux ans, cette violation des droits civiques à laquelle tu fais allusion m'aurait sacrément effrayé… Mais c'était avant que je ne voie les horreurs perpétrées dans la maison de Hugh Vetri, ce matin.

L'inspecteur s'arrêta un moment. Il pensa au car plein de petits innocents. Il pensa à ses propres enfants, et déglutit douloureusement.

— Si le chef de la police autorise ce transfert, tu pourras t'occuper de ce salopard… Je viens avec toi, Jack. Je vais assister à l'interrogatoire de ce personnage et traquer le moindre complice qu'il nommera, où qu'il se trouve.

*
* *

10:49:12 PDT
La Hacienda,
Tijuana, Mexique

Fay Hubley entendit du bruit dans le couloir, de l'autre côté de la porte de sa chambre d'hôtel. Des pas pesants, puis des chuchotements. Elle sauvegarda calmement ses travaux, mit l'ordinateur en veille et se laissa glisser de sa chaise. En silence, elle rampa à travers la chambre. Songeant aux instructions de Tony, elle appliqua l'oreille contre la porte, plutôt que de lever le vasistas : ce geste n'aurait fait qu'indiquer à ceux tapis dehors que la chambre était occupée.

Fay retint son souffle, écouta un long moment. Elle n'entendit rien. Soulagée, elle fit un pas vers la salle de bains. Le verrou de la porte explosa. On aurait dit que le tonnerre retentissait, dans cette minuscule chambre. Le vacarme la fit sursauter.

Que dois-je faire ? Que dois-je faire ?

Tony lui avait dit que si d'aventure on frappait à la porte, il ne fallait surtout pas qu'on pense la chambre occupée. Si la chaîne était en place, même avec une clé, il serait difficile à quiconque d'entrer sans bruit, ce qui attirerait l'attention.

Fay étouffa un halètement en s'apercevant qu'elle avait négligé de mettre la chaîne du verrou, après que Tony soit parti en compagnie de Dobyns. On frappa à nouveau. Plus fort et avec plus d'insistance, cette fois-ci.

Fay se souvint du pistolet que Tony lui avait donné, lui recommandant de l'avoir en main, si on tentait de forcer la porte. Il y avait deux Glock cachés dans leur camionnette. Tony en avait monté un dans la chambre, et lui avait montré comment s'en servir. Pendant sa démonstration, elle s'était dit qu'elle ne voulait pas s'en servir, qu'elle n'en avait pas l'intention, qu'elle n'aurait pas à le faire. Elle l'avait donc fourré sous un oreiller, sur son lit.

Maintenant, il lui fallait choisir : courir pour prendre le revolver, ou verrouiller la chaîne.

La chaîne. Ça suffira, pensa-t-elle.

Bondissant presque jusqu'à la porte, elle s'emmêla les doigts dans les liens métalliques, parvint à peine à les mettre en place, avant que la porte ne se mette à trembler à cause d'un coup puissant, qui la projeta en arrière. Le chambranle se brisa, le verrou et la chaîne cédèrent, et la porte s'ouvrit dans une bourrasque.

Fay ouvrit la bouche pour crier, mais le premier des trois hommes fut plus rapide. Sa main couvrit les lèvres de la jeune femme, comme il la tirait vers le lit. Les deux autres le suivirent dans la chambre, et claquèrent derrière eux la porte cassée.

Elle se débattit en vain, ses cris étouffés se faisant hystériques, quand les mains rugueuses de l'homme s'insinuèrent sous son corsage et agrippèrent sa peau douce.

10:57:59 PDT
Siège de la CAT, Los Angeles

Jamey Farrell avait fini de mettre à jour le dossier Lesser avec des données sélectionnées parmi les informations tirées de sa conversation avec Fay Hubley. Elle était désormais prête à examiner le CD-rom que Jack lui avait donné. Lorsqu'elle se détourna de l'ordinateur pour récupérer le disque, elle trouva Ryan Chappelle penché en silence au-dessus de son épaule.

— Je peux faire quelque chose pour vous ? demanda-t-elle.

— Je cherchais Jack Bauer, déclara Chappelle. Vous l'avez vu ?

— Il était dans son bureau il y a une demi-heure. Depuis, j'ai eu à faire.

— Ça veut dire que vous avez une analyse du virus à me donner ? s'enquit Chappelle, l'air revêche.

Jamey ouvrit de grands yeux.

— Pardon ?

— Une étude du virus troyen de Lesser. J'ai promis au siège de la cyberdivision, à Washington, que j'aurai quelque chose à lui fournir aujourd'hui.

— Si c'était ce que vous vouliez, vous n'auriez probablement pas dû envoyer Milo, notre expert en cryptage, perdre son temps au Mexique.

La mine de Chappelle se fit encore plus sombre.

— Donc, vous me dites que vous n'êtes pas capable de le faire ?

— Je vous dis que je suis la programmeuse en chef. Les logiciels malveillants ne sont pas ma spécialité.

— Dans ce cas, appelez la division, et trouvez quelqu'un illico. Nous devons savoir quels systèmes et quels programmes sont la cible du *Trojan*, et quels dégâts il cause.

— Mais…

— Immédiatement, Jamey.

Ryan Chappelle tourna les talons. Elle murmura un juron. Qu'était-elle censée faire ? Faire sortir un spécialiste de son chapeau ? Elle allait passer ce qu'elle savait être un appel inutile à la cyberdivision de Washington quand elle se rappela le nom d'une personne potentiellement disponible pour effectuer ce travail, dans un court délai. Jamey ouvrit son carnet d'adresses et le feuilleta. Elle y trouva aussitôt le nom et le numéro de téléphone qu'elle cherchait.

Décrochant le combiné, Jamey composa le numéro d'une ligne externe, pour appeler Doris Soo Min.

Heure 7

CES ÉVÉNEMENTS SE DÉROULENT ENTRE 11 H ET 12 H, PDT

11:03:17 PDT
Services centraux de la police de Los Angeles, Los Angeles

Jack Bauer ouvrit son téléphone portable, appuya son pouce sur la touche d'appel rapide. Nina Myers répondit, dès la première sonnerie.

— Jack ? Ryan sort de mon bureau à l'instant…

— Écoute-moi, Nina. J'ai peu de temps. Je viens de t'envoyer des données depuis l'ordinateur des Services centraux de la police. La mémoire cache porte le numéro : 32452.

Il entendit Nina taper sur son clavier.

— Je l'ai, dit-elle.

— Ce dossier contient tout ce que nous savons d'un immigré saoudien du nom d'Ibn Al Farad, qui a commis plusieurs meurtres la nuit dernière…

La respiration de Nina s'arrêta, et Jack comprit qu'elle avait ouvert le dossier relatif à la scène de crime.

— Écoute, Nina. Ibn Al Farad se dit le disciple de

Hasan. Il a peut-être même des contacts directs avec ce leader terroriste.

— Si c'est vrai, cet homme devient notre première vraie piste…

— Il y a plus que ça. Le suspect était sous l'emprise du Karma, lors de son arrestation. La police a trouvé une fiole contenant cette substance dans la voiture qu'il a bousillée.

— Alors, les Stups avaient raison, affirma Nina. Cette drogue est dans nos rues.

— Peut-être. Je n'en suis pas certain. Je crois qu'il se trame autre chose.

Jack se massa les tempes avec le pouce et l'index. Ses migraines recommençaient.

— J'amène le suspect pour l'interroger. Je devrais être là dans une demi-heure.

— D'ici là, j'aurai tout mis en place.

— Encore une chose. Jack s'arrêta pour avaler deux comprimés de Tylenol. L'inspecteur Castalano m'a appris qu'après avoir été arrêté, Farad a prononcé des paroles étranges, à plusieurs reprises : *le vieil homme sur la montagne*, ou peut-être *le vieil homme dans la montagne*. Essaie de savoir si ça veut dire quelque chose. Consulte nos bases de données récentes, celles d'Interpol et du MI-5 également. Regarde même dans les archives.

— Je le ferai moi-même, répondit Nina. Tu veux que l'équipe tactique de Chet Blackburn t'escorte jusqu'au siège ?

— On n'a pas le temps, dit Jack. L'ambassade d'Arabie Saoudite sait peut-être déjà que la police retient Ibn Al Farad. Son père est un homme riche et puissant. Je veux garder une longueur d'avance sur ses avocats. On sera sortis d'ici dans deux minutes.

— Très bien.

*
* *

11:14:27 PDT
La Glacière,
Tijuana, Mexique

Tony avait un goût de métal dans la bouche. Autour de lui, ça sentait le pipi de chat. Un vrombissement persistant lui cassait les tympans, cependant qu'un souffle d'air puissant volait au-dessus de lui. On aurait dit qu'il était enfermé dans un tunnel fait de vent.

Il ouvrit les yeux et vit un plafond sale, une vieille peinture industrielle verte qui s'écaillait. L'unique lueur provenait d'un trait lumineux perçant à travers une petite fente sur le toit. On y avait posé des barreaux. Il bougea la tête et sentit la douleur s'enfoncer comme un glaive au bas de son cou. Tony voulut masser cette partie de son corps, et découvrit qu'il avait les mains menottées dans le dos. Il changea de position. Ce mouvement provoqua une lente agonie, cependant que le sang refluait dans ses bras engourdis, dans ses poignets et dans ses mains. Au moins, ses pieds n'étaient-ils pas entravés, mais il n'avait plus ses bottes. Son couteau de combat lui avait également été ôté, et le fourreau vide était encore attaché à sa cheville.

Se servant de ses jambes et de ses épaules, Tony se redressa. Cela fit jaillir des faisceaux douloureux à l'arrière de ses yeux. Il avait été jeté sur un plancher de bois inégal, et venait maintenant de se propulser contre un empilement de cageots. Dans un coin, une vieille boîte à ressorts adossée au mur de briques sales dévoilait ses entrailles métalliques. Le métal rouillé portait des marques de brûlures noires d'un côté, et blanches de l'autre. Tony comprit à quoi elle servait, et frissonna.

Il prit une profonde inspiration, et s'aperçut que la puanteur s'intensifiait quand on était assis. Un souffle d'air chaud qui faisait onduler ses longs cheveux, à moitié déliés de sa queue-de-cheval, charriait une odeur chimique et nauséabonde. Une odeur acide comme celle d'un dissolvant pour vernis à ongles lui brûla les narines. Elle se mêlait à celle de l'ammoniaque qui lui piquait les yeux. Tony voulait se couvrir la bouche, mais c'était impossible. Non seulement il était attaché, mais ses doigts étaient enflés comme des saucisses. Quand il put enfin les bouger, quelques instants plus tard, il découvrit qu'il avait été entravé par des menottes de type ancien. Elles étaient trop petites et trop serrées, destinées à des jeux pervers. On les avait certainement rapportées du bordel où on l'avait enlevé.

Il entendit des voix parler espagnol, et pencha sa tête sur le côté. En regardant entre des cageots, il vit trois hommes qui travaillaient près d'une rangée de fours à micro-ondes de couleur blanche, tous identiques. À l'intérieur, des liquides bouillaient dans une douzaine de vases à bec. Des vapeurs s'en élevaient, emplissant des tubes de plastique transparent d'un dépôt noirâtre. Ces tubes et ces vases étaient reliés entre eux par du ruban adhésif et par des fils de fer.

Avec angoisse, Tony se rendit compte qu'il se trouvait dans un laboratoire fabriquant clandestinement de la méta-amphétamine. Il n'en avait encore jamais vu d'aussi grands. La plupart des laboratoires de ce type tenaient dans une grande valise et ne coûtaient que quelques dollars à payer d'avance, pour s'en procurer les éléments. Celui-ci produisait la substance à l'échelle industrielle.

Deux des trois hommes avaient revêtu des costumes en plastique bleu et des gants de latex. Ils avaient aussi enfilé du caoutchouc par-dessus leurs chaussures, en lieu et place de bottes à l'épreuve des matières chimiques. Ils portaient des masques à gaz sur le nez et sur la bouche. Des lunettes protectrices comme en avaient les menuisiers leur recouvraient les yeux. Le troisième homme, un type d'une extrême maigreur, était enveloppé de la tête aux pieds de sacs-poubelle noirs. Il avait sur la tête, quelque chose qui ressemblait à un chapeau d'apiculteur. Derrière le voile de gaze apparaissait un vieux masque à gaz datant de la Seconde Guerre mondiale.

De puissants ventilateurs industriels, posés sur des supports métalliques, faisaient de leur mieux pour débarrasser l'air des miasmes corrosifs dus à la cuisson de produits chimiques. Cependant, Tony savait que la moindre inspiration en ces lieux était mortelle. Les ateliers où se fabriquait la méta-amphétamine comptaient parmi les espaces les plus toxiques au monde. Le procédé visait à faire cuire des cachets de pseudo-éphédrine – un médicament en vente libre, fait pour être ingéré froid –, pour en tirer une drogue au fort pouvoir d'accoutumance, connu dans les rues des États-Unis sous les noms de : crank, cristal, zip ou héroïne des montagnes. Cette opération produisait des déchets mortels. Pour cinq cents grammes de produit manufacturé, il y avait trois kilos de déchets toxiques. Tony vit des drains sur le sol. Autour d'eux, le béton avait blanchi. Il devina que ces hommes déversaient simplement les restes de poisons tels que du benzène, de l'acide hydrochlorhydrique et du cyanure de sodium dans les égouts.

Examinant les environs, il s'aperçut qu'il se trouvait dans la bâtisse en briques située derrière le bordel. Il se demandait pourquoi on l'avait enlevé. Son « vieux copain » Dobyns l'avait-il doublé ? Cet escroc était-il, lui, enfermé quelque part ? Tony était-il simplement un Américain kidnappé à des fins d'extorsion par un gang mexicain ? Sa capture était-elle liée à l'enquête de la CAT sur Richard Lesser ?

Par-dessus tout, Tony se demandait si Fay, qu'il avait laissée à l'hôtel, se portait bien.

*
* *

11:32:11 PDT
Angle de South Bradbury Boulevard
et de Clark Street,
Los Angeles

Il y avait eu un accident sur l'autoroute. Poussé en travers de la voie, un camion s'étalait à présent le long de trois files. Tous les véhicules allant dans la même direction, y compris celui de la police de Los Angeles et ceux qui l'escortaient, étaient à l'arrêt.

Par chance, Jack Bauer, installé dans la voiture de tête, recevait des rapports réguliers de la part du pilote de l'hélicoptère de la police, chargé de la surveillance aérienne. Il dirigea le convoi hors de l'autoroute, sur la rampe suivante, avant qu'ils soient pris dans un bouchon. Ils n'étaient plus qu'à quelques dizaines de kilomètres du siège de la CAT. Plutôt que de se risquer dans les artères principales qu'il savait congestionnées, Jack conduisit la caravane de trois voitures à travers une zone industrielle peu fréquentée. La circulation y consistait essentiellement en camions et en camionnettes de livraison.

Les rues bordant la rampe d'accès à l'autoroute

étaient bouchées, mais dès que le convoi atteignit Clark Street, ils rattrapèrent le temps perdu.

Regardant sa montre, Jack pesta contre le retard. Lorsqu'ils étaient encore dans les Services Centraux, l'inspecteur Castalano avait insisté pour que Jack voyage dans la voiture de tête, en compagnie d'un chauffeur en uniforme, membre de l'unité tactique de la police, entièrement équipé. Son raisonnement était sensé. Il faudrait que Jack fasse passer le portail sécurisé de la CAT à la caravane. Ce serait plus facile s'il se trouvait en tête du convoi. Néanmoins, Jack avait le sentiment de perdre un temps précieux. S'il avait voyagé dans la même voiture que le prisonnier, il aurait pu commencer l'interrogatoire.

Au moins, la police de Los Angeles leur avait-elle fourni assez d'hommes pour qu'ils arrivent en sécurité à la CAT, même si les ressources humaines manquaient à cause de la cérémonie des Silver Screen Awards, prévue ce soir-là. Une autre camionnette blindée suivait celle dans laquelle se trouvait Jack. À son bord, se tenaient deux membres de l'unité tactique de la police, qui fermaient la marche. Ils appartenaient tous deux à la Section D et à la Division Metro. Entre les deux véhicules, il y avait un camion de la police de Los Angeles, servant au transport des prisonniers. S'y trouvaient l'inspecteur Castalano, son équipier Jerry Adler, deux officiers de police en uniforme, et le prisonnier, Ibn Al Farad. Au-dessus d'eux, un hélicoptère de la police surveillait leurs mouvements et leur signalait les obstacles.

Pourtant, Jack n'était toujours pas pleinement satisfait des décisions prises en matière de sécurité. Avant de quitter les Services centraux, il avait insisté pour faire porter un mouchard au prisonnier, par mesure de précaution. Pendant que Castalano et Adler dénichaient un bracelet électronique à passer au poignet du terroriste, Jack retira une des tiges de sa montre. Sans être vu, il posa la main sur le suspect, épinglant le minuscule transmetteur sur le col de la combinaison blanche d'Ibn Al Farad. Il l'équipa ainsi d'un mouchard supplémentaire.

À ce moment-là, Jack s'était trouvé trop précautionneux, voire paranoïaque. Cependant, l'embouteillage inopiné qui s'était produit sur l'autoroute avait fait resurgir ses doutes. Jusqu'ici, ils étaient sans fondement. Comme ils dépassaient le croisement de South Bradbury Boulevard et de Clark Street, le convoi quitta une zone de parkings pour camions comportant des barrières faites de chaînes métalliques pour pénétrer dans un canyon à deux voies. De longues rangées d'immeubles industriels plats et à deux étages se tenaient de part et d'autre. Prenant note de l'endroit où ils se trouvaient, Jack ouvrit son téléphone portable avec l'intention d'appeler Nina. Il comptait lui demander où en étaient ses recherches concernant *le vieil homme sur la montagne*. Au lieu de cela, Jack Bauer fut projeté contre son harnais d'épaule quand le chauffeur appuya sur les freins. Un long camion à remorque était sorti d'un garage, pour aboutir directement sur le chemin de la caravane. Les pneus crissèrent, mais il n'y eut pas de collision.

— Ce fils de pute aurait pu nous tuer ! cria le policier qui tenait le volant. Pendant que Jack récupérait son téléphone tombé à terre, le chauffeur baissa la vitre pour engueuler le camionneur.

— Quand on a été agent de la circulation, on le reste, grogna l'officier de l'unité tactique, depuis le siège arrière.

Toujours penché à la recherche de son téléphone,

Jack entendit la voix du pilote de l'hélicoptère dans son casque.

— Code Rouge. Code rouge, il y a des hommes sur le toit. Je répète…

Mais Jack n'écoutait pas. Il avait vu la vitre baissée du chauffeur, et criait.

— Non ! cette vitre est blindée. N'exposez pas…

Presque en même temps, Jack entendit une balle fendre l'air et claquer, atteignant le conducteur à la gorge. Du sang chaud aspergea la vitre, la recouvrant. Deux tirs supplémentaires ricochèrent en pénétrant dans le véhicule. Avec un grognement, l'officier de l'unité tactique s'affaissa en avant sur son siège, l'œil gauche sortant de sa cavité. Le véhicule fut criblé d'autres balles. Elles éraflèrent le pare-brise blindé, sans le trouer. Jack resta près du plancher, réalisant que seule la recherche de son téléphone lui avait sauvé la vie.

— Officiers à terre, hurla-t-il dans son casque. Nous sommes attaqués. Officiers à terre. Je répète : officiers à terre.

Toujours sur le sol de la cabine, Jack étendit le bras, et remonta la vitre, côté passager. De nouveaux tirs rebondirent sur la vitre blindée. Jack rangea son téléphone portable dans sa poche et prit une profonde inspiration. Il bondit ensuite sur la banquette arrière. Des tirs frappèrent encore la vitre, et firent éclater le pare-brise au niveau de sa base.

Jack atterrit près de l'officier de l'unité tactique. Comme le chauffeur, l'homme était mort, sa mitraillette Heckler & Koch MPS toujours dans les mains. Jack Bauer tira l'arme pour la libérer de l'emprise du cadavre. Il prit deux grenades invalidantes XM84 sur sa veste, et se servit en munitions ensanglantées dans son ceinturon. Sur le réseau radiophonique de la police, des voix prises de panique hurlaient dans les oreilles de Jack. Levant la tête par-dessus le siège, il observa les véhicules se trouvant derrière lui.

Les portières arrière de la camionnette pendaient. En dépit de la protection que leur offrait leur véhicule blindée, les officiers de l'équipe tactique avaient tenté de riposter. Ils gisaient maintenant tous les deux sur la chaussée, des rivières de sang coulant autour d'eux sur l'asphalte brûlant. Jusque-là, le véhicule transportant le prisonnier ne semblait pas avoir été forcé, même si son conducteur était penché, immobile, au-dessus du volant.

Jack Bauer roula sur le dos. Étendu sur la banquette arrière, il examina les toits. Il y vit des silhouettes armées, masquées, vêtues de noir, postées sur le bord des immeubles. Elles se trouvaient des deux côtés de la rue. Il y en avait quatre sur chaque tour, ce qui faisait huit en tout. Une neuvième se montra à découvert. L'homme portait un tube gris terne sur l'épaule. Il pointa l'arme vers le véhicule de transport.

— Frank ! cria Jack dans son casque. Si tu m'entends, sors de là tout de suite…

Le missile antitank heurta le véhicule transportant le prisonnier, laissant dans son sillage une langue de feu et de la fumée noire. Impuissant, Jack regarda le bout du projectile creuser un trou sur le côté de la camionnette, l'emplissant d'un jet furieux de plasma en fusion. Une lumière stroboscopique éclaira l'intérieur de la cabine. Les vitres et les portières volèrent en éclats. Le cadavre du chauffeur fut projeté contre le volant, puis sur la chaussée, comme une poupée de chiffon.

L'écho de l'explosion ne s'était pas encore dissipé, quand une demi-douzaine d'hommes jaillit hors du camion à remorque qui s'était mis en travers de la route du convoi. Jack entendit des pas marteler le sol, cependant que les hommes couraient, dépassant la camionnette où il se trouvait pour atteindre le véhicule de transport démoli. Jack Bauer savait qu'ils cherchaient le prisonnier. Soit pour le sauver, soit pour le faire taire à jamais. Dans l'un ou l'autre cas, il devait les arrêter.

Il mit la mitraillette en position de tir soutenu, inspira profondément, et déverrouilla la portière. Dès qu'elle s'ouvrit, Jack se laissa choir sur la chaussée, et roula sous la camionnette. Il pointa le MP5 vers les trois hommes assemblés autour de la portière du véhicule de transport, et appuya sur la détente. La mitraillette vomit des balles tant que la détente resta appuyée.

Deux silhouettes chancelèrent, cependant que les coques de métal les déchiraient. Jack vit leurs armes tomber sur la chaussée. C'étaient un fusil d'assaut M-16A2 et un revolver Remington M870.

Rampant sur le trottoir chaud et couvert d'huile, Jack passa de l'autre côté de la camionnette. Il roula dessous, pour envoyer une grenade invalidante, mais non mortelle, dans un deuxième groupe d'hommes. L'impact les fit reculer. Une silhouette se tourna, et pointa un pistolet. Le MP5 se cabra entre les mains de Jack Bauer. Il aligna une série de points sanglants sur le torse de l'homme.

Trois hommes sortirent de la cabine fumante du véhicule de transport endommagé. Il s'agissait de deux des attaquants. Ils traînaient un Ibn Al Farad assommé entre eux. Jack visa, mais avant qu'il puisse presser la détente, une botte au bout métallique s'écrasa sur sa tête, le poussant de côté. Jack rebondit contre la camionnette avec un bruit creux et sourd. L'arme lui échappa des mains.

Étourdi, Jack n'ouvrit les yeux que pour trouver le

museau d'un pistolet Remington, à quelques centimètres de son visage. Il regarda au-delà de l'arme, plongeant son regard dans les yeux d'un homme masqué. Il y vit sa mort.

Jerry Adler tituba hors de la carcasse du véhicule, faisant feu avec son revolver. Le corps de l'homme penché au-dessus de Jack se tordit une fois, puis une deuxième, et il s'affala sur lui. Son arme claqua sur le trottoir. Jack se débattit sous le poids du mort. Impuissant, il vit les assaillants pousser Ibn Al Farad dans un autre véhicule.

D'autres tirs fusèrent, et Jerry Adler fut propulsé en arrière. Son sang jaillit comme une fontaine. Des moteurs vrombirent, des pneus crissèrent sur l'asphalte brûlant, et les assassins s'enfuirent. En quelques secondes, le silence se fit sur le champ de bataille où le chaos avait régné. Jack repoussa le cadavre sur le côté, et tituba pour se remettre sur ses jambes. En vacillant, Jack Bauer recula vers le véhicule de transport.

L'inspecteur Castalano se trouvait là, près du fourgon fumant. Du sang suintait de son nez et de sa bouche. Il prit son coéquipier dans ses bras. Adler était en vie lui aussi, et alerte. Sa veste était ouverte, sur une chemise blanche déchirée. Une vilaine plaie expulsait des bulles de sang artériel noir.

— Frank ! Tu vas bien ?

L'homme ne répondit pas. Jack lui toucha alors le bras. Frank Castalano se retourna vers lui, pointant son revolver sur son visage.

— J'ai appelé des renforts, lui dit Jack. Les secours arrivent.

Frank baissa son arme. Il secoua la tête.

— Je ne t'entends pas, Jack…

Jack Bauer comprit que le souffle de l'explosion qui avait forcé le véhicule avait également rendu Jerry

Adler sourd. Jack s'aperçut d'autre chose. Le bracelet électronique comportant un mouchard enfoui gisait au fond du fourgon. Il avait été arraché par un des hommes qui s'étaient emparés de leur prisonnier.

Jack entendit des sirènes au loin. Il fit un tour sur lui-même. Examinant les alentours des yeux, il constata que la camionnette située en queue du convoi était encore en état de marche. Le conducteur et le passager gisaient morts sur le trottoir, mais le moteur ronflait toujours. Jack attrapa le bras de Frank, et le pressa jusqu'à ce que l'homme lève à nouveau les yeux.

— Je vais les suivre, dit-il lentement, dans l'espoir que Frank lise sur ses lèvres. J'aurai ceux qui ont fait ça. Tu me comprends, Frank ?

Castalano acquiesça d'un hochement de tête. La douleur s'était inscrite dans les yeux de son coéquipier, étendu à ses côtés. La respiration d'Adler était une quinte de toux étouffante.

— Je les aurai, Frank. Je te le promets.

Jerry Adler fut pris de convulsions. Frank s'empara de sa main.

— Accroche-toi, Jerry. Ça va aller.

Son partenaire se calma, une pâleur mortelle sur le visage. Quand Castalano leva une fois encore les yeux, Jack Bauer était parti.

11:46:32 PDT
Siège de la CAT, Los Angeles

Les premières recherches de Nina Myers dans les bases de données des services secrets américains donnèrent peu d'éléments valables. Après plusieurs fausses pistes et de nombreuses impasses, elle mit enfin la main sur les dossiers du FBI se rapportant à une enquête secrète commanditée par le gouverneur du New Hampshire.

Le FBI avait été sollicité pour savoir si un monument célèbre appelé *Le vieil homme de la montagne* avait été saccagé par des vandales ou par des terroristes en 2003. Il s'agissait d'une structure de pierre représentée sur le sceau de l'État et sur la pièce de vingt-cinq cents utilisée dans le New Hampshire, frappée par l'Hôtel de la Monnaie des États-Unis. Avec le concours de géologues, le FBI avait finalement conclu que l'érosion due au vent et à l'eau, l'alternance de l'hiver et de l'été apportant gel puis dégel, étaient les seuls responsables. On avait discrètement classé l'affaire.

En quinze minutes, Nina avait fait le tour des bases de données récentes et revenait bredouille. Elle se souvint alors que Jack avait demandé une consultation des archives de la CAT. Elle trouvait cette consigne étrange, compte tenu de la quantité négligeable d'informations utiles qu'on obtenait généralement avec cette base de données. Pourtant, en travaillant avec Jack au cours des dernières années, Nina s'était aperçue que les intuitions de l'agent spécial Bauer tombaient souvent juste. C'était une des raisons qui en faisaient un adversaire aussi dangereux qu'imprévisible.

Suivant donc ses recommandations, Nina ouvrit le moteur de recherche des archives et tapa les mots clés : *vieil homme sur/dans montagne*. À sa surprise, elle eut tout de suite une piste. La phrase : *vieil homme sur la montagne* apparut dans une publication universitaire rédigée en 1998 par le Dr A.A. Dhabegeah. Ce monsieur enseignait les Civilisations orientales à l'université Brown de la ville de Providence, dans le Rhode

Island. Le titre du document frappa Nina : *Hasan Bin Sabah, et la montée du terrorisme moderne*.

Hasan ! Ce nom avait souvent été prononcé, au cours des mois écoulés, dans des conversations entre terroristes. Il désignait un personnage obscur que la CAT traquait sans succès.

Nina ouvrit l'article présenté sous le format PDF, et en étudia les pages. À chaque clic de la souris, les pièces éparses du puzzle commençaient à s'assembler. Jack avait eu raison. Les clés du mystère d'aujourd'hui étaient nichées dans le passé.

Quelques minutes plus tard, les trois notes d'une sonnerie coupèrent court à la concentration de Nina. Elle empoigna le combiné.

— Myers.

— Nina ! dit une voix essoufflée et nerveuse.

— Jack ? Que se passe-t-il ?

— Le convoi est tombé dans une embuscade. Il a été réduit en miettes. Les assaillants se sont emparés d'Ibn Al Farad.

— C'étaient des terroristes ?

— Je ne le pense pas, répondit Jack. Ils se servaient d'armes réglementaires de l'OTAN. Du petit matériel. Leurs techniques sortaient droit d'un manuel d'entraînement destiné aux Forces spéciales.

— Où es-tu ?

— Je conduis une camionnette banalisée de la police de Los Angeles, pour rattraper leur véhicule. Avant que nous quittions les Services centraux, j'ai posé un mouchard sur Farad. Je suis en train de suivre son signal grâce au système GPS de ma montre. La voiture dans laquelle se trouve Farad est à environ trois pâtés de maisons devant moi. Je donne assez de marge à ses kidnappeurs pour qu'ils croient s'en être tirés sans problème.

Jack donna à Nina son signalement, sa vitesse et la direction qu'il avait prise.

— S'il y a des difficultés, je veux que l'équipe tactique se tienne prête à partir à tout moment.

— Je m'en occupe, répliqua Nina, avertissant immédiatement Chet Blackburn, par le biais de l'ordinateur. — Écoute, Jack. J'ai trouvé une référence au *Vieil homme sur la montagne* dans les archives, comme tu l'avais prévu.

Nina entendit des pneus crisser, pendant que Jack poussait un juron.

— Fais-moi un résumé des faits. Je suis très occupé, là.

— Le vieil homme sur la montagne était un religieux musulman du XIe siècle. Il s'appelait Hasan Bin Sabah.

— *Hasan !* Il ne peut s'agir d'une coïncidence.

— Ce Hasan était une sorte d'hérétique. Il est parti en guerre contre le vieux monde musulman, mais il n'avait qu'un groupe restreint de disciples. Il ne pouvait donc remporter de batailles contre les armées perse, syrienne ou turque. Il lui fallait de quoi augmenter ses forces, et il s'est tourné vers le terrorisme. En fait, Hasan a été le tout premier terroriste du monde.

— *Si ton adversaire a plus d'hommes que toi, instille la terreur en eux et ils battront en retraite*, grogna Jack.

— Mes connaissances sur Sun Tzu ne sont pas à jour, dit Nina. Ou est-ce Machiavel ?

— Ni l'un ni l'autre, répondit Jack. Je citais un certain Victor Drazen.

— Il y a plus que ça, poursuivit Nina. Le Hasan dont nous parle l'Histoire lavait le cerveau de ses adeptes en les droguant au haschisch, avant de les conduire dans un jardin rempli de plantes, de parfums, de vin et de jolies femmes qui satisfaisaient tous leurs désirs. Après des heures de plaisir sans retenue, ils étaient à nouveau drogués et s'éveillaient en présence de Hasan. Il leur disait qu'ils avaient eu un aperçu du Paradis, et que s'ils mouraient pour sa cause, ils y passeraient l'éternité. Comme le haschisch était utilisé pour le lavage de cerveau qu'ils subissaient, les disciples de Hasan furent appelés *haschischins*, qui nous donne le mot *assassins*. À la tête de ces fanatiques suicidaires, Hasan Bin Sabah a mené une vague d'attentats politiques, depuis la Syrie jusqu'au Caire, en passant par Bagdad.

— Ça explique le Karma, dit Jack. Hasan doit se servir de cette drogue, pour faire un lavage de cerveau à ses troupes. Ibn Al Farad a été pris avec des fioles de ce produit. Ça pourrait vouloir dire que Hasan se trouve quelque part en ville au moment où nous parlons et qu'il recrute sous notre nez.

— Ça paraît… Eh bien, ça paraît complètement fou, dit Nina, un doute dans la voix.

— Non, rétorqua Jack. Au contraire, c'est tout à fait sensé.

*
* *

11:56:43 PDT
La Hacienda,
Tijuana, Mexique

Milo Pressman traversa le vestibule désert et appuya sur la sonnette posée au-dessus du comptoir en Formica vert. Il attendit un instant, mais personne ne se montra. Il sonna une deuxième fois. L'auberge était silencieuse. On entendait seulement le bruissement du ventilateur fixé au plafond.

— Je suppose qu'ils sont tous partis déjeuner ou faire la sieste, murmura Milo.

Il se dit que prendre une chambre pouvait attendre. Il valait mieux entrer immédiatement en contact avec Tony Almeida et Fay Hubley. Milo se dirigea vers l'escalier, monta les marches deux par deux. Il s'attendait à être arrêté par le gérant de l'hôtel à tout moment, mais il atteignit le premier étage sans croiser âme qui vive. La chambre 6 se trouvait au bout du couloir miteux. Il frappa une fois, et la porte s'ouvrit presque d'elle-même. Il était bientôt midi et les rues à l'extérieur étaient baignées de soleil, mais la chambre était plongée dans l'obscurité, les rideaux tirés. Milo avança doucement la tête dans le noir.

— Salut… Tony ? Fay ? Il y a quelqu'un ?

Il passa le seuil, tâtonna pour trouver l'interrupteur. Il le trouva, appuya, mais rien ne se passa. Il fit prudemment un pas de plus, ses yeux s'habituant peu à peu à l'obscurité. Des bouts de verre craquèrent sous sa chaussure et Milo réalisa qu'il venait de marcher sur une ampoule cassée.

— Allô ?

Milo vit la fenêtre. Il tira les rideaux. À l'extérieur, un mur haut de quelques mètres empêchait en partie la lumière d'entrer, mais il y en avait assez pour que Milo voie que le réseau informatique de Fay avait été installé. Il fonctionnait encore, même si l'écran avait été mis en veille.

Finalement, il vit un rai de lumière filtrer du côté de la porte de la salle de bains. Il tendit l'oreille par-dessus le bourdonnement régulier du faible climatiseur, pour entendre si l'eau coulait. Il avança vers la porte, et y colla l'oreille.

— Tony ? Fay ? appela-t-il.

Milo toucha la poignée en laiton. Il la tourna. La

porte de la salle de bains s'ouvrit. La pièce minuscule ne disposait pas de fenêtre, mais elle était éclairée par des lumières fluorescentes, de part et d'autre du miroir brisé. Il n'y avait pas non plus de baignoire, mais le rideau de la douche était tiré.

Il s'apprêtait à quitter la salle de bains, quand il remarqua des taches brunes sur les carreaux blancs du sol… Plein de taches brunes. Les plus grosses n'étaient pas vraiment marrons, mais plutôt d'un rouge noirâtre. La traînée menait à la douche. Avec inquiétude, Milo tira le rideau de plastique.

Fay Hubley gisait dans un coin de la douche. Milo savait qu'elle était morte. Aucune chance pour qu'elle ait survécu. Pas après ce qu'on lui avait fait.

La bouche ouverte, haletant, Milo se retourna. Il sortit de la pièce en trébuchant, pour tomber dans les bras puissants d'un géant musculeux, vêtu d'un T-shirt et d'un blouson de cuir noir. L'homme avait de longs cheveux blonds coiffés en queue-de-cheval, une barbe broussailleuse et des épaules aussi larges qu'un camion. Milo se débattit. L'homme raffermit son emprise. Le jeune garçon poussa un juron, mais le bout d'une carabine à canon scié posé sur sa tête le fit taire. Quand l'intrus parla, son haleine puait la bière rance.

— Fais pas un bruit, gamin, ou je t'éclate la tête.

Heure 8

CES ÉVÉNEMENTS SE DÉROULENT ENTRE 12 ET 13 H PDT

12:00:01 PDT
Demeure d'Abigail Heyer,
Beverly Hills

Le célèbre vivier de riches qu'était Beverly Hills était bordé par Robertson Boulevard à l'est, Olympic Boulevard au sud, et les communes de Westwood et de Century City à l'ouest. Des rues plantées de palmiers et des palaces dominaient le paysage. Cependant, rien ne brillait ni n'attirait le regard dans ce voisinage privilégié.

Un contingent de gardiens de maison et de domestiques faisait également partie de cette communauté. Ils en constituaient la masse invisible chargée de faire la cuisine et les lits, de laver le linge, de nettoyer les piscines, de conduire les limousines, de tondre les pelouses, et de prendre soin des enfants de cette élite que le show business bichonnait.

Pour l'heure, Lonnie Nobunaga appréciait la relative opacité entourant l'embauche du personnel au royaume des puissants. Cela – associé à un manque de vigilance de la part d'un des membres du service de sécurité d'Abigail Heyer – avait permis au photographe du journal à scandales de grimper en haut d'un poteau électrique surplombant la cour principale. Il y voyait aussi l'allée de l'immense maison de l'actrice. Abandonnant sa voiture à quelques pâtés de maisons de là, Lon, vêtu d'une salopette de la compagnie d'électricité et muni de la carte correspondante, avait suspendu à son épaule une mallette métallique contenant son matériel de photo. Il s'était ensuite dirigé vers le portail d'entrée de la demeure de Mlle Heyer.

— Je viens contrôler le système électrique, avait-il dit au garde.

Sans vérifier la fausse carte professionnelle de Lon – qu'il avait par-devers lui au cas où –, et sans fouiller la boîte à outils qu'il tenait à la main, l'agent de sécurité avait simplement hoché la tête et ouvert les grilles. Ça avait été si facile que Lonnie avait presque eu un petit rire. Il savait qu'une deuxième et une troisième barrière de sécurité protégeaient l'habitation à deux étages, ses patios et la piscine située à l'arrière. Cependant, Lonnie n'avait pas à s'approcher de la résidence pour prendre la photo qu'il désirait. Pas quand il avait une vue globale de l'allée menant à l'entrée, du haut de son poteau électrique. Et puis il avait emporté son bon vieux Nikon D2X, et ses quatorze objectifs différents pour prendre des clichés.

Comme la plupart des photographes professionnels, Lonnie était un nouvel adepte de la foi numérique. Il s'était heurté aux limites des premiers appareils analogiques. Depuis, il s'était cantonné à ceux qui, ayant fait leurs preuves, lui semblaient fiables. Mais la technologie s'était peu à peu améliorée, jusqu'à ce que Lonnie ne trouve plus aucun défaut aux nouveaux modèles. Désormais, il prenait ses photos, sélectionnait les meilleures, les scannait, avant de les envoyer par courrier électronique au journal. Ses chèques étaient déposés directement sur son compte où ils étaient encaissés en moins de vingt-quatre heures. Rapide, efficace. Le plus gros avantage était le fait qu'il ne soit pas obligé de voir son employeur, Jake Gollob, plus de deux ou trois fois par mois.

Pendant les quinze dernières minutes, Lon avait feint de travailler sur la boîte contenant les circuits électriques, au-dessus du poteau. Pendant ce temps, il avait écouté toutes les stations radio d'information. Elles diffusaient toutes les vingt minutes à peu près des bulletins concernant la préparation des Silver Screen Awards. Il avait ainsi appris que l'avion d'Abigail Heyer s'était posé à l'aéroport international de Los Angeles, il y avait bientôt une heure. Le journaliste avait mentionné le travail inlassable qu'effectuait Mlle Heyer pour les enfants des régions instables comme la Bosnie, la Croatie, la Tchétchénie. Il avait ajouté que son travail auprès des Nations unies attirait l'attention de l'opinion mondiale sur les souffrances des orphelins. Il n'avait pas mentionné sa grossesse, ce qui signifiait que ni les photographes, ni les chaînes de télévision ne s'étaient approchés d'Abigail Heyer, à l'aéroport.

Si les rumeurs concernant son accouchement imminent étaient fondées – et Jake Gollob, son patron, ne se trompait presque jamais –, la photo que prendrait Lon de la vedette enceinte ferait la une. Elle serait certainement réclamée par les agences de presse aussi. Ça voulait dire plus d'argent sur le compte bancaire de Lon, et un rédacteur en chef du magazine *Confidences* heureux.

Lon mit un terme à ses rêves de richesse quand il remarqua un débordement d'activité près du portail principal. Le garde était au téléphone. Il hochait la tête. Un autre agent de sécurité se rua vers l'entrée.

Une Rolls Royce aux vitres teintées roula à travers le portail, suivie d'une Mercedes Sedan de couleur noire, pleine de gardes du corps.

Lonnie arracha son casque, et fouilla dans sa besace, à la recherche de son Nikon. S'accroupissant très bas derrière la boîte à circuits électriques, il pointa l'objectif vers la Rolls, qui s'arrêtait près de la porte d'entrée de la maison. Il prit des photos aussitôt que le chauffeur en descendit pour ouvrir la portière arrière. Bien que l'intérieur du véhicule soit sombre, il espérait que l'appareil percerait les ténèbres, pour obtenir un cliché acceptable. Cependant, la vue fut presque immédiatement bouchée par un garde du corps, un grand blond aux cheveux courts, qui ressemblait à un de ces agents du KGB qu'on voyait dans les films des années 80. Lon s'arrêta de photographier quand il s'aperçut qu'il ne prenait plus que le large dos de l'homme.

En fin de compte, et après un longs moment, Abigail Heyer se leva de la banquette arrière avec l'aide du chauffeur et du garde qui prit ses mains tendues. Elle était bel et bien enceinte, aussi grosse que dans le film *Bangor, Maine*. La vedette y interprétait une jeune ouvrière élevant seule son enfant, qui se battait pour syndiquer ses collègues mal payées. Lon expira. Il ne s'était pas rendu compte qu'il retenait son souffle. Puis il se remit à mitrailler la scène, faisant près de vingt clichés qu'il jugea utilisables, avant que la comédienne passe la porte d'entrée et disparaisse hors de sa vue.

Lonnie referma l'appareil photo, le fourra dans la mallette supposée contenir des outils d'électricien et descendit le poteau. Il attendit que l'agitation se dissipe, avant de se diriger vers le portail.

— Tout fonctionne bien, déclara-t-il.

Le garde posté près des grilles ne répondit pas. Il

appuya simplement sur un bouton pour laisser passer Lonnie, sans prendre la peine d'ouvrir lui-même le portail.

Comme il se hâtait de regagner sa voiture, Lon s'étonna de constater à quel point Abigail Heyer, effectivement enceinte, ressemblerait au personnage de *Bangor, Maine*, qui simulait sa grossesse. Plusieurs critiques avaient remarqué que les tenues qu'elle portait dans le film veillaient à préserver sa beauté.

C'est épatant qu'elle soit aussi belle que dans le film... Peut-être même plus, songea Lonnie. *Je suppose que certaines personnes sont naturellement photogéniques, ce qui explique que l'on considère Abigail Heyer comme une vedette de cinéma, parce que son jeu, c'est de la daube.*

*
**

12:06:33 PDT
La Hacienda,
Tijuana, Mexique

Milo cessa de se débattre lorsqu'il sentit le bout de la carabine à canon scié appuyé sur sa tempe. Il leva les yeux pour plonger dans le regard gris et froid de l'aspirant Hell's Angel.

— D'accord, vous avez gagné, dit Milo en levant les mains.

L'analyste de la CAT ne pouvait dissimuler sa peur. On l'entendait dans sa voix. Il était persuadé que cet homme avait assassiné Fay Hubley.

— Recule contre le mur, ordonna le grand type en poussant Milo avec la carabine.

Milo recula jusqu'à ce que son dos touche le papier peint qui se décollait.

— Maintenant, tourne-toi.

Quand les joues de Milo se furent aplaties contre le mur, l'homme marcha près de lui et s'approcha de la douche ouverte. L'arme toujours brandie en direction de Milo, il regarda dans la douche.

— Merde !

Il recula, regarda l'informaticien.

— C'est pas toi qui as fait ça, hein ?

— Ce n'est pas vous ? demanda Milo.

Il tentait de faire face à l'inconnu, mais l'homme l'écrasa contre le mur d'une puissante poussée de son avant-bras tatoué.

— J'ai dit : ne bouge pas. Ça voulait dire : ne bouge pas.

— D'accord, d'accord, fit Milo, dont les mains s'élevèrent plus haut. Je me contentais de répondre à votre question.

— Et il fallait que tu bouges pour ça ?

Le motard abaissa son arme et flanqua un grand coup dans le ventre de Milo. L'air déserta ses poumons et il se plia en deux. L'homme traversa la chambre et ouvrit la porte. Les yeux embués de douleur, Milo entendit quelqu'un d'autre passer le seuil. La porte se ferma derrière le nouvel arrivant. L'homme à la carabine essaya d'allumer la lumière. Sans succès. Il s'approcha d'une lampe de chevet et appuya sur l'interrupteur, ce qui chassa l'obscurité. Milo se redressa, cligna des yeux à cause de l'éclat.

— Eh bien, eh bien, dit celui qui venait d'entrer. Ne serait-ce pas mon vieux pote, Milo De Pressman ?

En dépit de la présence de l'homme déguenillé qui braquait toujours son arme sur lui, Milo se hérissa à l'énoncé du surnom qu'on lui donnait à l'université, et qu'il détestait.

— Va te faire foutre, Lesser.

Richard Lesser eut un sourire narquois.

— Cette boucle d'oreille en jette pas mal. Mais De Pressman, pourquoi diable cette mouche sous la lèvre ?

D'une tête plus grand que Milo, Richard Lesser avait le corps osseux, des cheveux bruns bouclés formant une sorte de diadème au-dessus de son front, le teint cireux, des yeux d'un marron sale, et, du point de vue de Milo, un menton plus fuyant que jamais.

— Écoute, Lesser…

Milo tenta de s'écarter du mur, mais le grand gaillard le repoussa violemment.

— Tout doux, mon garçon. Au pied, Cole, dit Lesser.

L'homme armé recula un peu, et abaissa son arme.

— Voici mon garde du corps, Cole Keegan. Cole, je te présente mon bon vieux camarade de classe, Milo De Pressman.

Lesser tourna le dos aux deux hommes, examinant la configuration du réseau installé par Fay.

— Je suppose que tes collègues ou toi-même étiez en train de surveiller mes activités sur l'Internet à partir d'ici. J'ai raison ? Belle installation. Je n'ai jamais vu de tels appareils auparavant. Cependant, il vous faut un puissant processeur central quelque part pour alimenter tout ça.

Lesser fit un geste méprisant en direction des ordinateurs reliés au minuscule serveur qui se trouvait dans la chambre.

— Ce réseau de petite souris ne vous suffira tout simplement pas. Tu travailles pour une entreprise ? Pour Boscom, peut-être ?

Du bout du doigt, Lesser poussa la souris sans fil et

l'ordinateur quitta l'état de veille. Il cligna des yeux en voyant ses propres comptes électroniques et ses relevés bancaires sur l'écran.

— J'aimerais rencontrer la personne qui a créé ce programme de recherche.

— Elle est dans la douche, fit Milo avec dégoût. Pourquoi ne pas y aller pour te présenter ?

Cole Keegan secoua sa tête ébouriffée en signe de dénégation.

— Ne va pas là-dedans, patron. C'est dégueulasse.

— Écoute, Richard, dit Milo d'un ton raisonnable. On m'a envoyé ici pour te ramener.

— Envoyé ? Qui donc ? et où dois-tu me ramener ? En prison ?

— Je travaille pour l'Agence anti-terroriste de la CIA.

— Tu bosses pour la CAT ? C'est la meilleure, dit Lesser en riant. Je vois que la vieille maxime *Assez bon pour servir l'État* s'applique toujours puisqu'ils t'ont embauché, toi.

— Et je vois que tu es resté le connard arrogant que tu as toujours été, Ricky.

— Fais gaffe, Milo. J'ai un garde du corps, et il tient une carabine.

Cole Keegan toucha le bras de Lesser.

— Rappelle-toi pourquoi on est venus.

— Oui, bien sûr. Tu as raison, fit Lesser dans un soupir.

— Pourquoi t'es venu, Lesser ? demanda Milo. Pour jubiler après le meurtre de Fay ?

— Je n'ai assassiné personne, répondit Lesser. Je suis venu faire un marché parce qu'un dénommé Hasan fait tout ce qu'il peut pour me buter.

— Seigneur, je ne vois vraiment pas pourquoi, dit Milo en le fixant des yeux.

*
* *

12:11:21 PDT
Palm Drive,
Beverly Hills

Jack Bauer suivit Ibn Al Farad et ceux qui l'avaient enlevé jusqu'à Beverly Hills. Comme il l'espérait, ils s'imaginaient s'être enfuis sans problème. Plus ils s'éloignaient de la scène du crime, plus leur attention se relâchait. Lorsqu'ils atteignirent l'ouest de Hollywood, Jack était à moins d'un pâté de maisons d'eux.

Le véhicule tourna finalement pour pénétrer dans une demeure de Palm Drive. Elle se trouvait juste quelques propriétés plus bas que celle de Jean Harlow et de l'endroit qu'avaient habité Joe Di Maggio et Marilyn Monroe durant leur union malheureuse. Jack dépassa la maison à deux étages, de style espagnol, pour descendre la rue.

Quand il eut atteint un tournant et qu'il fut hors de vue, Jack s'arrêta sous un groupe de palmiers. Ici, dans les collines, il n'était qu'à quelques kilomètres de l'océan. Pourtant, pas même une petite brise ne venait rafraîchir l'enclos à riches. Les pelouses étaient peut-être plus vertes à Beverly Hills et la climatisation plus coûteuse, mais les nantis étaient contraints de sortir. Rien ne pouvait alors les protéger de la chaleur courroucée qui brûlait tout Los Angeles.

La tête douloureuse, Jack appela Jamey Farrell. Il lui fit connaître sa position et demanda des informations sur les propriétaires de l'habitation de Palm Drive. En moins de trois minutes, Jamey put lui fournir une réponse.

— La maison appartient à Nareesa Al Bustani. Elle

est la veuve d'un milliardaire saoudien, un certain Mohammed Al Bustani.

— Que sait-on de lui ?

— Il a disparu récemment, dans une purge visant des dissidents politiques.

Jack rumina un moment cette information. Au cours des derniers mois, les Services secrets saoudiens avaient commencé à enquêter sur des citoyens soupçonnés de financer le terrorisme. Durant leurs investigations, la police secrète avait raflé des douzaines d'hommes d'affaires, de ministres, d'imams, et de citoyens influents. On ne les revit jamais, pour la plupart. Il n'y eut pas de procès publics. Rien que des disparitions. Ces hommes avaient été torturés à mort, abattus, ou jetés dans le désert pour y attendre la fin. Mohammed Al Bustani avait été l'un d'eux.

— Le dossier contient-il un renseignement sur le motif de l'arrestation de Al Bustani ?

— Rien.

— Et concernant sa femme ?

— Nareesa vivait déjà dans sa maison de Beverly Hills, au moment où son mari a disparu en Arabie Saoudite. D'après les informations de la CIA, le couple est brouillé depuis des années.

— Si c'est vrai, pourquoi vient-elle maintenant en aide à un terroriste notoire ? Nareesa Al Bustani pourrait-elle avoir des liens avec Hasan ? Ou serait-elle liée à Ibn Al Farad sans que nous le sachions ? C'est peut-être un membre de sa famille…

Jamey interrompit ces conjectures orales.

— Nina est ici. Elle veut savoir ce que tu prévois de faire ensuite.

— Dis-lui de dépêcher l'équipe de Chet Blackburn sur Olympic Boulevard, mais pas plus loin. Comme ça, je les aurai sous la main. Je les appellerai si j'ai besoin d'eux.

— Jack ? Que vas-tu faire ?

Cette fois, c'était la voix de Nina.

— Il y a un garde armé à l'entrée de la maison Bustani. Autrement, le service de sécurité ne semble pas très impressionnant. Je vais m'introduire à l'intérieur.

— Mais les kidnappeurs sont toujours là, rappela Nina. Ils sont armés et bien entraînés.

— Ils croient s'en être tirés. Je suis certain qu'ils ont baissé leur garde...

— Mais...

— Je ne peux pas attendre, Nina. Quelque chose me dit qu'on n'a plus le temps.

*
**

12:19:07 PDT
La Hacienda,
Tijuana, Mexique

— Au début, le boulot semblait bien. Dérober les fichiers originaux d'un film à gros budget sur le point de sortir, à partir du serveur sécurisé d'un studio de San Francisco spécialisé dans les effets spéciaux... C'était du gâteau, du fric pour moi et pour Cole.

Lesser s'adossa sur le fauteuil, un sourire satisfait illuminant son maigre visage.

— Tu parles d'un serveur sécurisé ! La bonne blague. Le système informatique du studio était aussi facile à pirater que ce code de sécurité que tu avais placé sur ta bécane, quand on était à la fac.

Les deux hommes parlaient dans la chambre d'hôtel sombre de Tony et Fay. Milo était assis sur le bord d'un des petits lits et Lesser occupait le fauteuil rembourré.

Cole Keegan se tenait près de l'unique porte, carabine au poing, l'oreille collée contre la porte.

Les yeux de Milo se rétrécirent.

— Oublions le bon vieux temps de la fac, Ricky. Tu ne m'as toujours rien dit du virus que tu as créé, ni pourquoi tu l'as installé sur un film téléchargé.

— Ne sois donc pas si impatient. Tu n'as aucun sens du tragique.

Milo croisa les bras, et attendit.

— Bien. Comme je le disais, poursuivit Lesser, j'avais une copie du film, quand on a frappé à ma porte. Il se trouve que c'était Guido, mon ancien associé…

— Guido ?

— Guido Nardini, répondit Lesser. Certains le qualifieraient de truand. Je préfère quant à moi parler de M. Nardini, comme d'une sorte d'incarnation de héros populaire à la Robin des Bois…

— Abrège, coupa Milo.

— Donc, Guido a dit à certaines personnes, que j'avais *Les Portes du Paradis* en ma possession. Peu de temps après ça, j'ai eu la visite du représentant d'une organisation ethnique, implantée ici même à Tijuana.

— Le gang des *Seises Seises* ?

Lesser acquiesça.

— Les *Double 6* avaient une proposition à me faire, et comme un acte d'inculpation venait d'être lancé contre moi, avec un mandat d'arrestation, j'ai décidé d'accepter leur gentille offre : l'asile de ce côté-ci de la frontière, en échange du piratage de films à gros budgets.

— Dans ce cas, pourquoi les Mexicains se sont-ils retournés contre toi ?

— Qui dit qu'ils se sont retournés contre moi ? Je n'avais aucun problème avec ces *banditos*. Il suffisait de leur donner quelques films téléchargés, qu'ils pouvaient écouler sous forme de DVD à prix cassés, de leur apprendre de petites astuces informatiques, et ils étaient aussi heureux que des palourdes dans une paella. Les ennuis ont commencé quand les Tchétchènes sont arrivés.

— Tchétchènes ? Comme dans Tchétchénie ? demanda Milo, en clignant des yeux.

— Da, camarade, affirma Lesser. Ces gars-là démarrent au quart de tour, pas comme les Mexicains qui sont plus détendus. Très vite, les *cholos* ont commencé à recevoir des ordres de la part des Tchétchènes et de leur chef, un certain Hasan.

— As-tu rencontré ce Hasan ?

— Non, mais j'ai pris son argent. Et j'en ai pris plein. Hasan m'a demandé de concevoir un virus Trojan pouvant attaquer une cible précise. Il s'agissait du programme de vérification des comptes d'un studio de Hollywood.

— Tu sais pourquoi ?

Lesser haussa les épaules.

— Je me suis dit qu'ils voulaient arnaquer les studios en faisant de faux transferts de fonds, quelque chose dans ce goût-là. Le *Trojan* que Hasan m'a fait créer ressemble plutôt à un programme servant à briser toutes sortes de codes de sécurité. Il comporte un tas de protocoles pour verrouiller ou déverrouiller les portes, mettre les alarmes hors d'état de nuire… On aurait dit qu'il allait faire exploser la chambre forte d'une banque, au lieu de voler facilement de l'argent en utilisant l'électronique.

— Si tu as bien conçu le programme qu'il voulait, pourquoi Hasan s'est-il lancé à tes trousses ?

Le visage de Lesser s'assombrit.

— Il y a deux jours, le représentant de Hasan, un Tchétchène nommé Ordog…

— *Ordog ?*

— C'est comme ça qu'il se fait appeler. Ça veut dire démon, ou un truc dans le genre. Donc, Ordog vient me voir avec un disque dur de 4 gigas. Il dit qu'il contient un virus que je dois lancer aujourd'hui, à minuit, heure mexicaine.

— Mais c'est bien là-dedans que tu bosses, non ? Dans l'agression et l'anarchie ?

— Écoute, Pressman, c'est une chose de voler des films. Je n'ai rien contre le fait d'arnaquer les grosses multinationales du secteur de la communication non plus. Mais détruire l'Internet tout entier, c'est là que je m'arrête. L'Internet constitue mon gagne-pain. Pourquoi je cracherais dans la soupe ?

— Que veux-tu dire ?

— J'ai examiné le virus de Hasan, pendant que les *Double 6* faisaient des jeux vidéo. Ce virus est un monstre. Le plus irresponsable des pirates informatiques au monde ne libérerait jamais ce *Trojan*... Sauf s'il ne voulait plus jamais rien avoir à pirater de toute sa vie.

— Que fait ce virus ?

— Tu te souviens du jeu Robot Rocks ?

— Ce jouet pour les petits ?

— Deux robots se battent, jusqu'à ce que l'un d'eux soit détruit. C'est ce que ferait le virus de Hasan. Il monterait chaque ordinateur infecté vers tout autre ordinateur. Chaque serveur infecté combattrait tous les autres serveurs. Ce serait une bagarre générale sur le réseau, de processeur à processeur.

— À quelle vitesse le virus se reproduit-il ? interrogea Milo.

— Il se propage aussi vite que ces pousses de soja subventionnées par le gouvernement. Les réseaux infectés attaquent d'abord ceux qui ne le sont pas, avant de se battre entre eux à coups de demandes surabondantes, de boucles de données confuses, de protocoles de mise en route et de mise à l'arrêt, de codes suicides… Le seul remède serait alors de fermer le système entier pour le purger, ou d'en reconstruire un autre en partant de zéro. Je crois qu'on ne pourrait pas récupérer plus de 80 % des données mondiales.

— Putain de Dieu, Lesser. Il faudrait des années, pour s'en remettre…

— Des générations, Pressman. Entre-temps, tout le commerce lié à l'Internet, les courriers électroniques ou les transactions appartiendraient au passé. On reviendrait au papier comme dans les années 60.

— Et ce virus sera envoyé à minuit ?

Lesser secoua la tête, tirant sur le collier de chanvre enroulé autour de son cou malingre. Un objet en plastique noir, de forme ovale, pendait au bout.

— J'ai le disque dur ici. D'après Ordog, voici l'unique copie du *Trojan*. C'est pour ça que Hasan et ses troupes sont à ma recherche. Il leur faut ce disque dur, et ils ont besoin de mes compétences pour lancer leur cyberattaque.

— Pourquoi es-tu venu dans cet hôtel et dans cette chambre ?

— Cole a entendu une conversation entre les camarades *Seises Seises*, à propos d'un Américain nommé Navarro et sa poule, qui vivaient dans cet hôtel, et qui gueulaient qu'ils voulaient me voir.

— Comment ont-ils obtenu cette information ?

Cole Keegan prit la parole, l'oreille toujours collée contre la porte.

— Ils l'ont appris d'un voyou, un certain Dobyns. Ray Dobyns les a donnés et a entraîné Tony Navarro dans un piège. Les Mexicains l'ont embarqué pour que les Tchétchènes puissent l'interroger. Ils retiennent

Navarro à El Pequeños Pescados. C'est le bordel où je me suis caché pendant les deux dernières semaines.

— Si tu avais l'intention de te barrer, pourquoi ne pas l'avoir fait plus tôt, avant que Fay… La voix de Milo se fit traînante, et il déglutit avec peine. … avant que Tony ne soit capturé ?

— Je suis venu ici pour prévenir ce Navarro…

— Il s'appelle Almeida. Tony Almeida, dit Milo, au mépris des règles de sécurité.

— Eh bien, je me suis échappé pour avertir l'Agent Almeida qu'ils allaient venir le chercher, mais on dirait que je suis arrivé trop tard.

Milo jeta un regard à la porte de la salle de bains.

— C'est sûr que tu es arrivé trop tard, Lesser, fit Milo, avec amertume. Trop tard pour Fay.

Il se retourna. Ses yeux rencontrèrent ceux de Lesser.

— Mais nous pouvons encore sortir Tony de là.

Lesser secoua catégoriquement a tête.

— Tu es fou ? Je viens d'échapper à ces malades de Tchétchènes. Pas question de retourner…

— J'irai avec toi, Pressman, dit Cole Keegan. Je vais t'aider à sortir ton copain de là.

— Certainement pas, Keegan, protesta Lesser en se redressant sur ses jambes. N'oublie pas que tu travailles pour moi.

Keegan haussa les épaules.

— Oui, je travaille pour toi, et je tâche de servir au mieux tes intérêts. Je vais être franc avec toi : il va nous falloir de l'aide si tu veux quitter Tijuana et passer la frontière vivant. Et quand nous l'aurons passée, il nous faudra de quoi marchander. Sinon, nous allons finir dans un pénitencier fédéral. En rendant son agent à la CAT, nous montrons nos bonnes intentions et notre volonté de coopérer… Tu ne crois pas ?

Le corps anguleux de Lesser s'affaissa au fond du fauteuil rembourré. Au lieu de répondre à la question de Cole, il se tourna vers Milo.

— Maintenant, tu comprends pourquoi je donne un million de dollars par an à ce type. Il me protège vraiment.

*
* *

09:47:53 EDT[1]
L'observatoire naval,
Maison de l'Amiral,
Washington, D.C.

— En raison d'une impasse législative au Congrès, le vice-président est dans l'impossibilité d'assister…

— Regrette de ne pouvoir assister.

Megan Gleason leva ses yeux verts mouchetés d'or de l'écran de son ordinateur et se mit à les faire rouler, excédée. Habitante de l'État natal du vice-président, elle était la très jolie fille d'un très riche et très généreux donateur. Son père avait de solides relations au sein de la section locale du parti.

— J'oublie toujours cette partie sur les regrets, dit Megan, tandis que son délicat visage pâle rougissait.

Penché au-dessus d'elle, Adam Carlisle souriait patiemment.

— C'est pour ça que tu es la stagiaire, et moi, *le stagiaire-en-passe-de-faire-partie-de-l'équipe.*

— En passe d'intégrer l'équipe, parce que tu as obtenu ton diplôme en juin, et que tu peux prendre tes

1. East Daylight Time : heure diurne de l'est des États-Unis. *(N.d.T.)*

fonctions à l'automne. Moi, je ne pourrai me lancer que dans deux ans.

— Mais tu peux apprécier les avantages de ta place ici.

Megan fronça les sourcils, et glissa une mèche de ses cheveux bruns derrière son oreille.

— Des avantages ? Quels avantages ? Mon salaire est pour ainsi dire inexistant. J'habite un trois pièces de Georgetown, avec trois colocataires, et je travaille douze heures par jour.

— Ah, ces êtres humains, dit Adam.

Il ôta son blazer bleu de son corps athlétique et l'accrocha au dossier de la chaise placée près de Megan. Il s'assit ensuite et pointa du doigt le document affiché à l'écran.

— Et nous n'emploierons pas le terme « impasse ». Il a une connotation négative.

— Mais le Président et le vice-président n'ont-ils pas du mal à faire passer leur projet de loi ?

— Si, mais il ne faut jamais, au grand jamais, reconnaître une telle chose, répondit Adam.

— Pourquoi ?

— Si jeune, si naïve..., fit le jeune homme, en secouant la tête.

— Je n'ai que deux ans de moins que toi, Adam.

— En ce qui concerne la marche du monde, tu n'es qu'un bébé.

Il pointa l'écran du doigt.

— Nous dirons : « En raison de consultations législatives ». C'est beaucoup mieux que « impasse », plus diplomatique. Tu peux tout adoucir avec un mot comme « consultations », même une impasse dans les débats au Congrès.

— C'est fou de voir toutes les discussions que

peut engendrer un simple communiqué de presse, dit Megan, en retapant la ligne.

— Bienvenue à Washington, dit Adam. Rien n'est simple dans l'enceinte de cette ville. Tu ne peux tout simplement pas dire que le vice-président est coincé ici et qu'il ne pourra pas assister aux Silver Screen Awards, cérémonie à laquelle son épouse se rendra seule. Tu ne peux pas le dire, même si c'est exactement ce qui se passe.

— Pourquoi pas ? Je voudrais vraiment comprendre.

— Il y a tant de raisons… Adam tendit les doigts, pour les énumérer.

— La première : en n'y allant pas, le vice-président pourrait donner l'impression de snober la femme du président russe, même si son époux et elle-même participeront à un dîner officiel à la Maison-Blanche dans deux jours. C'est pourquoi nous allons faire une petite plaisanterie sur le fait que la femme de notre vice-président et celle du président russe vont passer un peu de temps entre filles, sans leurs époux. Nous ne nous permettrons qu'une toute petite plaisanterie à ce sujet, pour ne pas vexer les féministes.

— Pourquoi ne dirions-nous pas que les deux dames vont aller voir les Chippendales ?

Adam leva un sourcil.

— Je sais que tu dis ça pour te moquer, mais cette blague a déjà fonctionné dans le cadre du dîner annuel des correspondants de presse. Elle est tout de même un peu trop crue pour un communiqué de presse présidentiel. Si tu en as d'autres dans ce goût-là, n'hésite pas à me le dire. Je demanderai à quelqu'un de la passer aux rédacteurs du *Tonight Show*.

— Tu me fais marcher ! N'est-ce pas ?

Adam la fixa du regard.

— D'accord, d'accord, donne-moi une autre raison pour tes pirouettes rhétoriques, demanda Megan.

— Seconde raison : nous ne voulons pas que la communauté de Hollywood, qui s'est montrée extrêmement généreuse au cours de la campagne présidentielle, pense qu'une loi agricole bloquée est plus importante que la présence du vice-président à la cérémonie annuelle des Silver Screen Awards…

— Mais c'est pourtant vrai !

Adam fit un autre signe de dénégation.

— Tu ne peux en aucun cas dire à des personnes riches qu'elles ne sont pas importantes. En particulier quand il s'agit de riches vedettes de cinéma. Ça ne passerait tout simplement pas.

Megan frotta ses yeux fatigués. Adam regarda sa montre.

— Remettons-nous au travail. Nous devons avoir fini dans l'heure qui vient.

— Pourquoi cette urgence ? s'enquit Megan.

— Nous prenons Air Force 2 dans quatre-vingt-dix minutes.

— Ha, ha. Très drôle !

— C'est vrai. Nous prenons l'avion en compagnie de la femme du vice-président, et nous avons des invitations pour la cérémonie des Awards qui se tient ce soir. Nous serons assis juste derrière la délégation russe.

Megan était bouche bée, littéralement sans voix.

— Je t'ai dit que ce travail avait ses avantages, fit Adam, avec un clin d'œil aguicheur.

Heure 9

CES ÉVÉNEMENTS SE DÉROULENT
ENTRE 13 H ET 14 H PDT

13:01:03 PDT
Palm Drive,
Beverly Hills

Jack Bauer avait patiemment effectué une reconnaissance des alentours impeccables de la demeure de Nareesa Al Bustani. Il en avait étudié les pelouses parfaitement tondues et le haut mur de pierre qui encerclait totalement la propriété, avant de pénétrer dans l'enceinte. Il ne trouva ni caméra, ni détecteurs de son ou de mouvement. Cependant, il savait que beaucoup de ces habitations cossues disposaient d'équipements de détection enterrés dans le sol, ou de caméras de sécurité de la taille d'une prune, nichées dans les branches des arbres. Il faudrait un spécialiste et tout un tas de matériel technique pour forcer un tel système de sécurité sans se faire repérer. Et Jack n'avait pas le temps de recourir à ces moyens.

Après avoir examiné la zone avec attention, à la recherche de fils de détente, il escalada la clôture, près d'une partie du jardin plantée d'arbustes touffus. Il tomba au milieu d'un épais enchevêtrement de palmiers et d'herbes épineuses. La sécheresse prolongée avait brûlé la végétation, et elle bruissait comme du papier journal froissé, à chacun de ses pas. Jack espérait simplement que la brise atténuerait le bruit de ses pas.

Il sortit des broussailles pour aboutir derrière la cabine de la piscine, où un climatiseur ronronnait. Il ne voulait pas prendre le risque de traverser l'immense patio de pierre. Il contourna donc le mur en pisé, jusqu'à atteindre les portes vitrées coulissantes de la maison.

Il s'aperçut en observant le mur que l'une d'entre elles était entrouverte. Derrière le panneau, des rideaux de coton blanc ondulaient dans le vent chaud. L'instinct de Jack se mit en alerte. Il était entré trop facilement. La porte ouverte constituait soit une invite, soit un piège. En tout cas, il savait ne pas avoir le choix. Si on l'avait déjà découvert, on l'arrêterait bientôt. Il serait plus sage pour lui de subir l'affrontement dès maintenant.

Jack Bauer fit glisser le *USP Tactique* de l'étui qu'il portait à l'épaule. Bien que plus lourd que le modèle de calibre 9 mm dont se servaient la plupart des agents de la CAT, Jack avait récemment pu apprécier le pouvoir d'arrêt du calibre 45. À présent, pourtant, il retirait peu de confort de l'arme froide serrée dans son poing, comme il marchait sans bruit dans le patio de pierre baigné par le soleil, avant de passer la porte.

L'intérieur était spartiate. Des chaises longues disposées autour d'une table ronde en verre, une glace murale avec un bar encastré, rempli de sculptures de verre au lieu de bouteilles d'alcool. À côté d'une lampe au long pied, Jack trouva une autre porte, menant plus avant dans la maison. Il en avait à peine dépassé le seuil que quelqu'un bougea dans son dos, lui enfonçant le canon d'un pistolet dans les reins.

— Rangez votre arme, je vous prie, ou mes hommes se verront dans l'obligation de vous la retirer.

Des hommes apparurent à découvert, des fusils M16 bien haut sur l'épaule, et pointés vers Jack Bauer. Leurs costumes d'assaut noirs étaient brûlés et déchirés. Un pansement ensanglanté entourait l'avant-bras de l'un d'eux. Ils avaient ôté leurs masques pour montrer des cheveux coupés à ras et des yeux aussi froids que du métal.

Jack fourra son revolver dans sa veste et leva les mains. L'arme enfoncée dans ses flancs fut retirée, et l'homme qui la tenait avança pour lui faire face. Il était aussi grand que Jack, avec des yeux marron comme l'écorce d'un arbre et des cheveux aussi noirs que la robe d'un imam. Une profonde cicatrice fendait la chair proche de son œil droit, depuis la base des cheveux jusqu'à la pommette.

— Vous pouvez déposer les armes, agent spécial Bauer. Nous ne vous voulons aucun mal. Il y a eu assez de morts, aujourd'hui.

— Non, non ! Espèce d'idiot. Que faites-vous ?

La voix outragée venait d'une autre pièce. Les hommes qui entouraient Jack baissèrent leurs armes et se tinrent au garde à vous, quand un petit homme d'âge moyen apparut dans la pièce, le poing levé.

— Je vous ai ordonné de tuer l'intrus, major Salah, pas de le capturer. J'ai dit : tuer, tuer !

Le nouveau venu était plus petit d'une tête que tous ceux qui se trouvaient là. Sa peau avait la couleur du cuir brut. Il portait les cheveux coupés court, au-dessus d'un front ridé. Ses yeux sombres lançaient des éclairs de colère. Cependant, celui qu'il avait appelé major

Salah affronta résolument la fureur de l'homme, refusant de s'y soumettre.

— J'ai suivi vos instructions jusqu'ici, monsieur le ministre adjoint. Tuer l'agent spécial responsable de la cellule antiterroriste de Los Angeles aurait des répercussions que même un homme aussi riche et puissant que vous ne saurait ignorer.

Le major Salah fit une courte pause.

— Par ailleurs, je ne tuerai pas un agent des services secrets d'un pays allié. Ce serait déshonorant, et il y a eu suffisamment de morts aujourd'hui.

Comprenant maintenant qu'il n'avait pas affaire à des terroristes, mais à la brigade des Forces spéciales saoudiennes, Jack se sentit un peu soulagé. À cause de la manière inhabituelle dont les Forces armées saoudiennes étaient structurées, chaque ministre du gouvernement contrôlait une partie des Forces spéciales. Cela garantissait le fait qu'aucun individu, ni aucune branche du gouvernement saoudien ait plus de pouvoir que d'autres. Ce système byzantin protégeait la famille royale des éventuelles trahisons et mutineries, mais il contraignait également des soldats de métier, comme le major Salah, à recevoir leurs ordres de la part d'hommes mieux formés pour la finance ou la gestion.

Sentant la tension monter, Jack se glissa entre le soldat et le diplomate.

— Je vous remercie d'épargner ma vie, major Jafar Al Salah. Je sais que vous devez obéir aux ordres de monsieur le ministre…

— Omar Al Farad n'est que ministre adjoint…

— Et le père d'Ibn Al Farad, ajouta Jack, se tournant pour faire face à Omar. Et en tant que père, monsieur le ministre adjoint, vous êtes bien entendu soucieux de la santé de votre fils.

Le regard du diplomate quitta Jack pour se fixer

sur la porte d'entrée. Une femme majestueuse, d'âge moyen, s'y tenait. Ses cheveux bruns striés de gris balayaient à peine le col de son corsage de soie ivoire. Un pantalon assorti habillait ses longues jambes. La femme était impressionnante. Elle avait d'immenses yeux noirs, des pommettes hautes et brunes, baignées de larmes. Pour Jack, la ressemblance ne faisait aucun doute. D'une manière ou d'une autre, cette femme était liée à Omar Al Farad.

— Qu'y a-t-il, Nareesa ? demanda Omar.

Nareesa Al Bustani, songea Jack. La propriétaire de cette demeure. Il la regarda glisser à travers la pièce, ne semblant pas remarquer les rangées d'hommes en armes qui se chamaillaient près d'elle. D'une main délicate, elle toucha le bras d'Omar.

— Ibn est réveillé maintenant, mon frère. Viens, dit-elle dans un anglais parfait.

Comme Omar se tournait pour suivre sa sœur, Jack lui prit le bras, ce qui suscita un mouvement de défense chez les hommes armés, et un regard courroucé chez le major Salah.

— Vous devez me laisser parler à votre fils, pressa Jack.

— Non, répondit Omar Al Farad, retirant son bras de l'emprise de Jack. Votre pays et votre culture démoniaque l'ont suffisamment détruit. Dès que mon fils se sentira assez bien pour voyager, il quittera le domicile de sa tante pour rentrer chez nous.

— Écoutez-moi, car je vous dis la vérité, insista Jack. Votre fils n'atteindra jamais l'Arabie Saoudite en vie. En réalité, il ne quittera même pas cette ville.

Le ministre adjoint le fixa des yeux.

— Est-ce une menace ?

— Non, rétorqua Jack. Quand vos hommes s'en sont pris au convoi, nous étions en train de transférer votre fils d'un service de la police vers le siège de la CAT, pour sa sécurité. Ibn était en détention provisoire, parce que nous craignions que ceux avec lesquels il a conspiré ne veuillent le faire taire à jamais.

— Mon fils n'a participé à aucun complot. Ce n'est pas un terroriste, affirma Omar Al Farad, en secouant la tête.

— Je ne l'ai jamais accusé de terrorisme, mais votre fils a commis de nombreux meurtres. Il doit affronter la justice…

— Vous voyez ! Vous parlez de justice pour des crimes dont Ibn n'était pas responsable.

— C'est tout à fait vrai, répondit Jack d'une voix égale. Je pense qu'il n'était pas entièrement fautif. Je crois qu'un nommé Hasan l'a drogué et lui a fait subir un lavage de cerveau. C'est Hasan que je recherche. Si votre fils peut me mener à lui, cela contribuera beaucoup à prouver son innocence.

Une fois encore, la fureur de l'homme se dissipa aussi vite qu'elle était venue. Elle laissa place au doute et à la confusion. Sous son costume immaculé et d'une coupe anglaise parfaite, Omar Al Farad était bouleversé, sur le point de s'effondrer.

— Faites-moi confiance, monsieur le ministre adjoint, continua Jack. Dites-moi ce qui est arrivé à votre fils, et comment il est entré en contact avec ce Hasan.

Omar Al Farad regarda sa sœur. Elle ferma les yeux et hocha la tête.

— Très bien, dit Omar. Mais pas ici.

Nareesa conduisit les deux hommes vers une petite bibliothèque pleine de livres en anglais et en arabe. Ils s'assirent l'un en face de l'autre, une petite table les séparant. Une domestique apparut. Elle leur servit du thé et des gâteaux au miel. Lorsque Jack leva de nouveau la tête, Omar et lui étaient seuls.

— Ma première erreur fut d'épouser une Américaine, commença Omar. Elle aimait trop notre fils, et elle l'a gâté jusqu'à ses sept ans…

— Qu'est-ce qui a changé ensuite ?

— Elle est morte, monsieur Bauer, dans notre maison de Riyad. D'un cancer du cerveau. Au début, elle était seulement un peu confuse, mais sa folie est devenue violente. Elle a finalement succombé à la maladie. Il n'y avait rien qu'on puisse faire. Après une période de deuil convenable, je me suis remarié. Avec quelqu'un de plus approprié, cette fois, une femme de la famille royale.

— Je vois.

— Ma deuxième femme n'approuvait ni mon premier mariage, ni le produit de ce mariage. Quand Ibn a eu onze ans, je l'ai envoyé à Andover, un internat dans lequel j'étais moi-même allé. J'ai essayé de lui donner une bonne éducation, de l'éclairer… Mais quand il a eu l'âge d'entrer à l'université, il a voulu s'inscrire à celle de Californie du Sud. Il voulait devenir réalisateur de films.

L'homme soupira lourdement.

— Il a été pollué par ces saletés.

— Ces saletés ?

— La musique rap, les films pleins de catins dévergondées et d'hommes vénaux. Tout ce péché, toute cette décadence. Évidemment, je désapprouvais ses choix, mais je ne pouvais pas faire grand-chose pour le dissuader. À ma grande honte, je me suis laissé fléchir.

Le visage de Omar s'assombrit, et sa main se serra autour de la tasse.

— Pendant sa première année d'études, il a rencontré une fille. Une Américaine. Mon fils n'était pas très au fait des choses du monde, et il était faible. Parce qu'il avait été trop tôt privé de l'amour de sa mère, il avait une grande soif d'attentions féminines. Cette… pute… Elle a profité de lui…

— Elle lui a fait du mal ?

— Elle s'est servie de lui, monsieur Bauer. Comme un succube, un vampire acharné. Mon fils n'était plus lui-même après son passage. Il a cessé d'aller à la mosquée. Il a quitté l'université, s'est mis à prendre de la drogue et même à boire de l'alcool. Puis, il y a six mois, il a disparu. Mes avocats ne le trouvaient nulle part. Il n'a pas touché à son compte bancaire, que nous surveillions. J'ai craint sa mort jusqu'à aujourd'hui, où le major Salah m'a dit que votre police avait arrêté Ibn, et qu'on l'accusait de crimes monstrueux.

Plus que tout, Jack avait envie d'étrangler le major Jafar Al Salah, de demander à cet officier prétentieux pourquoi il s'imaginait avoir le droit de mettre en place une opération secrète aux États-Unis en toute impunité. Cependant, les circonstances le contraignaient à tenir sa langue. Intérieurement, Jack Bauer rêvait de traduire le major Salah, ses hommes et même le ministre adjoint Al Farad, devant la justice. Il voulait faire cela au nom de tous les policiers qu'ils avaient blessés et assassinés… Mais il ne le ferait qu'après avoir obtenu ce qu'il lui fallait. Pour le moment, la priorité était d'interroger le fugitif. Les comptes seraient réglés plus tard.

— Votre sœur a dit qu'Ibn Al Farad était réveillé. Laissez-moi lui parler, dit Jack.

— Pourquoi ? Qu'y gagnerait-on ?

— Al Farad a été en contact avec Hasan. Quand je trouverai celui-ci, je lui ferai avouer ses crimes et tout ce qu'il a fait à votre fils. Plus vite je lui mets la main dessus, plus vite votre fils sera blanchi.

Les yeux d'Omar traduisaient une terreur immense. En fin de compte, il hocha la tête.

— Très bien, monsieur Bauer, mais mon fils ne quittera pas cette maison.

***

13:13:37 PDT
Agence de mannequins Valerie Dodge,
Rodeo Drive,
Beverly Hills

— À sa place, j'en serais morte ! Mais pas Madonna. Non. La *Material Girl* est vraiment une force de la nature.

Valerie Dodge, PD-G et fondatrice de l'agence de mannequins qui portait son nom, se prélassait dans le grand fauteuil en cuir de son bureau. Elle tenait le téléphone argenté à l'oreille, tapotait la surface parfaitement lustrée du bureau de ses longs ongles laqués de rose. Depuis un miroir brillant, son propre reflet la contemplait. Elle avait quarante ans. De longs cheveux raides que le soleil avait déteints encadraient son visage ovale. L'émail blanc de ses dents parfaitement polies scintillait, contrastant avec son profond bronzage. Des rides d'expression s'étiraient autour de ses yeux bleu clair et aux commissures de ses lèvres généreuses. C'était loin d'être le même visage que celui qu'on avait vu à la une des magazines de mode du monde entier, dans les années 80.

Mais ce n'est pas si mal, non plus, pensa-t-elle. *Un peu trop vieille, un peu trop bronzée, avec des cheveux trop décolorés... Exactement ce qu'il faut, pour une reconversion de top model. Et pour conquérir la ville la plus dangereuse des États-Unis.*

— Oui, chérie. Ce soir, c'est la soirée de l'année. Mes filles sont prêtes, et le lieu du rendez-vous également. Ma Katya s'est occupée de tout. C'est une merveille. Je serais tout simplement morte, sans elle. Après le travail qu'elle a abattu ces dernières semaines, Katya va certainement vouloir une augmentation. Quelle ingrate !

Un coup frappé à la porte interrompit son rire.

— C'est Katya. Je te verrai ce soir, à la cérémonie de clôture. N'oublie pas : au Club 100, à minuit. À moins que ces satanés Silver Screen Awards ne s'éternisent.

La porte du bureau s'ouvrit. La femme qui entra devait avoir dans les trente ans. Elle portait une simple robe noire, des bottes de cuir assorties qui frôlaient la courbe du genou. Elle avait remonté ses cheveux blonds comme les blés en un chignon serré. Pour tout bijou, elle ne portait qu'un collier ras du cou qui soulignait sa nuque fine et gracieuse. Au creux des bras, elle tenait une boîte carrée, frappée du sceau d'une boutique célèbre de Rodeo Drive.

— Entre, ma chérie, invita Valerie Dodge. Où étais-tu passée toute la matinée ?

— Je suis allée au Chamberlain pour m'assurer que tout était en ordre, et qu'on avait bien installé nos mannequins.

— Chère petite. L'année dernière, tous ceux qui travaillaient en coulisse reluquaient mes filles. Elles n'avaient que des cabines en toile et des écrans de papier japonais pour s'habiller.

— Je me suis occupée de ça, madame Dodge. Cette année, on a mis à leur disposition de véritables loges en coulisse, dit Katya avec un sourire.

Valerie lui rendit son sourire. Ses yeux passèrent ensuite sur le bureau de Katya, situé dans la pièce attenante. Un épais dossier rouge rempli de contrats semblait ne pas avoir été touché. Valerie Dodge bondit presque de son siège.

— Mon Dieu, Katya. Les contrats des mannequins ! Ils sont toujours sur ton bureau, où je les ai laissés. Les filles ne pourront pas se présenter ce soir, si ces contrats ne sont pas signés par la chaîne de télévision et par les producteurs de l'émission.

— Détendez-vous, madame Dodge, dit Katya, en plongeant la main dans la boîte nichée au creux de son bras. Les bons documents ont été remis aux bons destinataires. Je m'en suis assurée.

Valerie se détendit, et sourit.

— Dieu merci. Pendant une minute… (Elle chercha une cigarette son gros briquet en or.) Écoute, je savais que tout serait prêt grâce à toi. Crois-moi, Katya, sans toi…

La femme en noir laissa tomber la boîte, et appuya sur la détente. Le Walther PBK muni d'un silencieux se cabra une fois, puis deux, puis trois. Valerie Dodge se tordit à chaque tir qui l'atteignit. Elle s'affala sur la moquette, dans un ultime gémissement.

Katya baissa son arme, ignorant les spasmes qui secouaient le corps.

— Je sais, madame Dodge. Sans moi, vous seriez morte.

Elle posa le revolver sur le bureau de verre. Puis, elle empoigna la morte par la cheville et la traîna vers le coin de la pièce, laissant une longue trace rouge sur la moquette d'un blanc immaculé.

Katya lâcha la jambe, et contourna le cadavre. Assise sur le fauteuil, elle mit en marche l'ordinateur de Valerie Dodge, et introduisit une clé dans un port USB. Il ne fallut qu'une minute pour charger les plans, les schémas et les codes. Ensuite, Katya tapa son nom de guerre : VengeanceTchétchène066. Elle envoya des courriers électroniques cryptés pour alerter ses collègues de la côte ouest des États-Unis.

*
* *

13:19:16 PDT
Auditorium Terence Alton Chamberlain,
Los Angeles

C'était le service de sécurité habituel de l'Auditorium Chamberlain qui gardait la rampe de chargement. Cependant, l'agent Craig Auburn supervisait le tout. Cela faisait vingt ans qu'il travaillait au sein de l'Agence de surveillance des fraudes monétaires. Il avait néanmoins été temporairement – et malencontreusement – évincé d'une enquête sur un cartel pakistanais qui refourguait de la fausse monnaie. On l'avait envoyé à Los Angeles, pour la visite imminente du vice-président et de son épouse.

Après son arrivée, on lui avait annoncé que le Nº 2 – le vice-président – ne ferait pas le voyage. Bon nombre de ses tâches furent donc balayées, et Auburn échoua à la place de superviseur des entrées. En fait, il n'était qu'un portier avec un titre ronflant, mais il ne s'en plaignait pas. L'agent spécial Auburn prenait son travail au sérieux. Il avait l'intention de partir en retraite dans cinq ans, avec une pension confortable, et pas une rature sur son dossier exemplaire.

Tout avait été calme jusqu'à l'arrivée d'un homme de type moyen-oriental. Il se tenait en tête d'une file de menuisiers et d'une demi-douzaine de chariots mécaniques, sur lesquels de grosses pièces d'acier étaient partiellement ou totalement enveloppées, enfouies dans des caisses de bois brut.

— Qu'est-ce que c'est ? demanda Auburn, se plaçant devant la colonne.

— Du matériel scénique, répondit l'homme au type moyen-oriental, en brandissant un document.

Auburn se saisit du papier, et l'examina en gardant un œil sur celui qui le lui avait tendu.

— Qui êtes-vous ? demanda-t-il, en rendant la feuille à l'homme.

— Je m'appelle Haroun, et c'est mon camion qui a apporté ces sculptures, depuis l'atelier du fabricant.

— Montrez-moi vos papiers.

En souriant, Haroun lui tendit son permis de conduire, sa carte syndicale, et son passe de sécurité. Tout semblait en ordre, mais quelque chose chez cet homme, dans l'allure de ces caisses, alertait les radars internes d'Auburn. Ses collègues disaient qu'il repérait toujours ce qui clochait, et quelque chose ne collait pas avec ce Haroun. Il faisait passer au rouge tous les signaux d'alarme d'Auburn.

Ce dernier poussa Haroun et descendit la file de chariots, les contournant l'un après l'autre. Les caisses étaient gigantesques. La plus petite avait la taille d'un homme et la plus grande d'une voiture. Un klaxon se fit entendre depuis un des chariots mécaniques placés en bout de file.

— Pourquoi on n'avance pas ? demanda l'homme qui le manœuvrait.

— On s'en fiche, répondit un autre. On est payés à l'heure.

Juste à ce moment-là, le chef d'équipe de l'auditorium fit son apparition. Il leva les mains au ciel en voyant les caisses.

— Ah ! Vous voilà enfin ! Faites monter ces chariots ici. J'ai une scène vide, là-haut.

— J'arrive, répondit Haroun. Dès que cet homme me laissera passer.

Le chef d'équipe secoua la tête, s'approchant de l'agent spécial Auburn.

— S'il vous plaît, ne me dites pas que vous harcelez Haroun simplement parce qu'il est moyen-oriental. Il travaille ici depuis deux ans. Pas vrai, Haroun ?

— En effet.

— Au fait, comment va ta femme ? demanda le chef d'équipe.

Haroun fit un large sourire.

— Elle a fait des gâteaux au miel. Je crains qu'ils aient tous été mangés. J'aurais aimé vous en garder un.

— Peut-être la prochaine fois, dit le chef d'équipe, en se tournant vers Auburn. Allez, mon vieux, on est à la bourre. Gardez vos façons à la James Bond pour les vrais méchants. À moins qu'il ne s'agisse d'un cas de contrôle au faciès.

Auburn s'écarta.

— Avancez, dit-il, en faisant un geste de la main aux hommes.

Les chariots se mirent à rouler un par un. Sous le regard attentif de l'agent spécial Auburn, les Tchétchènes manœuvrèrent précautionneusement les chariots le long de l'étroite rampe de chargement, jusqu'à la scène. Ils faisaient très attention à ne pas heurter les caisses, à ne pas les faire tomber sur le côté. Les hommes qui les installaient savaient que ceux qui s'y cachaient étaient des martyrs. Ils étaient armés et bien entraînés. Une armée de croyants, prêts à mourir pour l'indépendance de la Tchétchénie et pour le djihad.

C'est avant tout pour cette raison que les faux ouvriers mirent les éléments en position d'attaque, avec respect et déférence. Ils ne voulaient pas déranger ces héros plus qu'il ne le fallait au cours de leur dernier jour sur terre.

13:34:07 PDT
La Glacière,
Tijuana, Mexique

En dépit de la puanteur chimique et des menottes qui entravaient la circulation du sang vers ses mains enflées, Tony Almeida avait sombré dans un sommeil agité. Quelqu'un avait placé un écran en plastique de séparation vers le coin de la pièce où il avait été jeté. De l'autre côté, des hommes continuaient à faire cuire des pilules, séparant le narcotique causant l'accoutumance des autres composants.

Tony ne savait pas combien de temps il avait pu dormir, quand deux hommes s'approchèrent de lui et le firent tenir debout. C'étaient des géants au teint pâle, avec des cheveux clairs, coupés à ras. Chacun portait un masque de chirurgien.

— Hé, hurla Tony aussitôt qu'ils le touchèrent. Qu'est-ce que vous me voulez !

Les hommes lui répondirent par un silence glacial. Ils libérèrent ses bras et déchirèrent sa chemise. Ensuite, ils l'écrasèrent contre la boîte dont les fils métalliques pendaient, le long du mur. Lorsqu'il comprit ce qui lui arrivait, Tony se débattit avec frénésie. Ses mains totalement engourdies manquaient de force, et ses coudes remplaçaient piètrement ses poings. Les hommes n'eurent aucun mal à l'attacher au métal froid.

Quand ils reculèrent enfin, un autre homme s'avança. Il portait une salopette maculée de sueur. D'épais bourrelets de graisse débordaient du col serré. Ses yeux étaient petits et rapprochés, par-dessus un nez plat et des lèvres roses humides. Tandis que les autres faisaient rouler le générateur dans la pièce et branchaient ses électrodes aux ressorts du lit, le gros homme regardait, les bras croisés, attendant qu'ils aient fini. Il approcha ensuite son visage à quelques centimètres de celui de Tony.

— M. Dobyns m'a dit que vous vous faisiez passer pour un voleur de cartes de crédit, un petit escroc. Cependant, il pense que vous êtes plus que cela, et moi aussi.

— Qui êtes-vous, et que me voulez-vous ?

Tony était atterré d'entendre la panique dans sa propre voix, mais il ne pouvait pas la contrôler, ni maîtriser la peur qui croissait au fond de lui.

— Je m'appelle Ordog. Ce que j'attends de vous, ce sont des réponses. Si vous me les donnez, vous vous épargnerez une bonne dose de souffrance. Si vous ne le faites pas, vous souffrirez atrocement avant de mourir.

— Je ne sais rien de Lesser, ni de ses activités. Simplement, il me doit de l'argent, et…

D'une main épaisse, Ordog empoigna la manivelle du vieux générateur et se mit à la faire tourner. Après quelques tours, des étincelles crépitèrent autour des ressorts, et une fureur électrique brûla le corps entier de Tony. Il fut prit de convulsions puissantes, cependant que des centaines de volts le traversaient. Le gros homme cessa de tourner.

— Ne vous faites pas d'illusions, M. Navarro, ou qui que vous soyez en réalité. Vous allez mourir dans cette pièce. Il vous appartient de décider si ce sera après une longue agonie ou plus vite.

***

13:39:54 PDT
La Hacienda,
Tijuana, Mexique

Milo avait connecté son téléphone portable au serveur sécurisé et crypté de l'ordinateur de Fay Hubley pour appeler Nina Myers au siège de la CAT à Los Angeles. Il lui apprit le décès de Fay et la capture de Tony par des Tchétchènes alliés des *Seises Seises*. Il lui dit aussi qu'il avait trouvé Richard Lesser – qui dormait maintenant à poings fermés sur un des lits de la chambre d'hôtel –, et l'informa de l'offensive électronique prévue à minuit. Il ne savait si la défection de Lesser avait ou non contrecarré la menace.

— Tu es sûr que Lesser a l'unique copie du virus ? demanda Nina.

— Je n'en suis pas certain, répondit Milo. Cependant, il détient un disque dur avec le virus dessus. En travaillant avec un échantillon de ce *Trojan*, nous pouvons y trouver un remède, ou concevoir une protection qui prémunirait les serveurs de ses effets.

— On peut lui faire confiance ?

— Lesser est un enfoiré à bien des titres, affirma Milo. Pourtant, je le crois maintenant. Il a peur des Tchétchènes, de ce qu'ils sont capables de faire. Il préfère affronter la justice américaine plutôt que de laisser cette attaque se produire.

Nina réfléchit.

— Dans ces conditions, il est impératif que tu fasses passer la frontière à Lesser et aux données contenues dans le disque dur. J'aurai une équipe pour vous accueillir à la frontière, et un hélicoptère vous attendra à l'aéroport municipal de Brown Field pour vous ramener à Los Angeles.

Milo se tut un instant. Les ordres de Nina étaient sensés, rationnels, et il avait très envie de lui obéir.

— Non, finit-il par dire. Je dois d'abord sauver Tony.

— Tu n'es pas un agent de terrain, et tu n'es même pas armé.

— Non, mais quelqu'un ici est prêt à m'aider. Cole Keegan, le garde du corps de Richard Lesser.

— Tu ne peux pas faire ça, Milo. Il est important que nous récupérions Lesser. Tony savait dans quoi il s'engageait…

— Tony peut-être, mais pas Fay. Je ne peux plus aider Fay, mais je refuse d'abandonner Tony alors qu'il est encore en vie…

— Écoute, Milo…

— Cole Keegan et moi avons conçu un plan que nous pensons efficace, déclara Milo. Notre idée est bonne et si ça marche, je n'aurai même pas besoin d'une arme. En revanche, il me faudra deux heures. Je récupère Tony et nous ramenons Lesser ensemble. Nous passerons la frontière, et serons à l'aéroport pour 16 heures.

Il y eut un blanc. Cole Keegan gardait toujours la porte, feignant d'ignorer une conversation dont pas un mot ne lui échappait.

— D'accord, approuva Nina. Deux heures. Pas plus.

Milo remercia sa supérieure, et raccrocha. Il se tourna ensuite vers Keegan.

— Vous avez un plan ? Parce que moi, je n'en ai aucun.

À la surprise de Milo, Cole hocha la tête.

— Quelqu'un peut nous aider. Une des filles de *El Pequeños Pescados*. Elle sait tout ce qui se passe dans le bordel et dans la vieille bâtisse située derrière.

Cole Keegan darda un regard étonnamment endormi sur Milo.

— Elle s'appelle Brandy. C'est du moins comme ça qu'elle se fait appeler. Je lui ai en quelque sorte promis de la tirer de là quand Lesser et moi nous sommes enfuis, mais tout s'est passé si vite que j'ai dû la laisser derrière moi.

— Et vous croyez qu'elle voudra encore vous aider ?

— Brandy est pragmatique. Elle a les pieds sur terre. Si tu lui donnes ce qu'elle veut, elle acceptera de coopérer.

— Et comment je trouve cette Brandy ? demanda Milo, sceptique.

— Ce n'est pas difficile de rencontrer une pute à Tijuana. Il suffit d'aller au bordel et de demander à la voir.

— Je... Je ne peux pas faire ça, bafouilla Milo. Pourquoi n'y allez-vous pas ? Brandy vous connaît.

— Tout le monde m'a déjà vu, là-bas. Mais pas toi, répliqua Cole. Si je mets les pieds dans ce bordel, les Tchétchènes vont me poser tout un tas de questions auxquelles je ne pourrai pas répondre.

— Mais je ne ressemble pas au genre de gars qui va dans les maisons de passe ! Si ?

— Et ce serait quel genre de mec ? demanda Cole.

Milo y pensa un moment.

— Vous marquez un point, dit-il.

— Écoute, dit Cole Keegan. *El Pequeños Pescados* est toujours bondé à l'heure du déjeuner. Il y a des routiers américains, la plupart traversent la frontière pour un chargement de marchandises et pour tirer un coup rapide. Tu fermes ta gueule et tu ouvres bien grand les oreilles. Ils se diront que tu fais simplement la route.

— Allons-y...

— Quand tu trouveras Brandy, dis-lui que tu viens de ma part, que tu es là pour l'aider à quitter le Mexique. Je te promets qu'elle te filera un coup de main pour retrouver l'agent enlevé… S'il est encore en vie.

*
* *

13:47:14 PDT
Palm Drive,
Beverly Hills

Les hommes du major Salah se hérissèrent. Ils n'arrivaient pas à croire qu'un agent de la CAT ait reçu l'autorisation de s'entretenir avec Ibn Al Farad, et de son propre père ! Ces hommes, qui composaient l'élite de la brigade des Forces spéciales saoudiennes, venaient de se battre – deux d'entre eux étaient morts – pour empêcher les autorités américaines de capturer le citoyen saoudien. À présent, Jack Bauer interrogeait Ibn Al Farad, soumettant le jeune homme à des tortures inconnues, dans une pièce de la maison de sa tante.

Sentant l'agitation de ses hommes, et pour prévenir une éventuelle mutinerie, le major Salah les sépara. Il en posta quelques-uns derrière la propriété pour garder la maison, et en envoya deux autres au portail d'entrée, chargés de guetter le moindre signe des autorités américaines. Après cela, il constitua d'autres groupes, envoyant les blessés se reposer et plaçant deux hommes armés devant le bureau qu'occupait Bauer. Une fois ses troupes dispersées à travers toute la propriété, le major se dirigea vers l'extérieur pour contrôler les sentinelles qu'il avait laissées en faction près d'un belvédère, de l'autre côté de Palm Drive. Il ne fut pas étonné de les trouver en plein débat.

— On ne peut pas se fier aux autorités américaines,

disait le caporal Hourani. Leurs crimes sont bien connus.

— Connus de qui ? interrogeait le sergent Raschid.

— J'ai tout appris de la traîtrise américaine quand j'étais petit, dans les madrasas. Et aussi, en regardant les films de Hollywood, qui décrivent vraiment la méchanceté de ces gens, leur racisme. Tu n'as jamais vu *Mississippi Burning* ?

Le sergent Raschid secoua la tête.

— Je ne regarde que les James Bond et les films de Jackie Chan.

— Je suggère que vous gardiez tous les deux les yeux sur la route, dit le major Salah, les interrompant. Un véhicule s'approche du portail.

Comme le major Salah approchait, les hommes se mirent au garde à vous.

— Vous êtes censés faire un travail de surveillance, les houspilla-t-il, pas discuter des films de Hollywood.

— Veuillez me pardonner, major, pria le sergent Raschid, le regard fixant le lointain.

— C'est bon, répondit le major, esquissant presque un sourire. Je voulais seulement vous prévenir qu'un véhicule approchait, au cas où vous ne l'auriez pas vu.

Le sergent Raschid souleva son M16, comme les grilles électroniques s'ouvraient. Une Dodge de couleur blanche tourna pour entrer dans l'allée.

— C'est certainement une livraison habituelle, dit le major Salah. Voyez quand même ce qu'ils veulent.

Le sergent Raschid et le caporal Hourani tournèrent le dos à leur commandant, pendant que la camionnette approchait du belvédère. Les yeux rivés sur le véhicule, les soldats ne virent pas le major Salah tirer deux longs stylets noirs de leurs fourreaux dissimulés dans sa tenue. Leur mort fut si rapide, qu'ils sentirent à peine les lames d'acier dur et froid plonger au fond de leurs cerveaux.

La camionnette s'arrêta face au belvédère, un instant plus tard. La portière s'ouvrit, côté passager. Le major Salah enjamba les cadavres des deux hommes, et grimpa dans la cabine, près d'un chauffeur blond aux yeux bleus. Derrière eux, six hommes armés et masqués étaient accroupis dans le compartiment à marchandises du véhicule.

— J'ai observé l'agent secret américain et compris que la CAT ne savait rien. Une fois Ibn mort, leur unique lien avec Hasan sera tranché.

— Alors on frappe ?

Salah hocha la tête.

— La voie est libre. Nous tuerons le ministre, son fils et sa sœur. Je me chargerai personnellement de Jack Bauer.

Heure 10

CES ÉVÉNEMENTS SE DÉROULENT ENTRE 14 H ET 15 H PDT

14:00:56 PDT
Agence du Libre-Échange,
Alliance du Commerce extérieur pour la Russie et l'Europe de l'Est,
Los Angeles

Se faufilant parmi les tout premiers journalistes à pénétrer dans l'Agence du Libre-Échange depuis son ouverture un mois auparavant, Christina Hong, reporter de vingt-huit ans chargée des spectacles pour la chaîne KHTV de Seattle, ne pouvait faire autrement que d'être impressionnée. L'agence avait été conçue par l'architecte américain d'origine saoudienne Nawaf Sanjore. Elle comportait une voûte de verre et trois immenses ziggourats de hauteur différente, faites d'acier et de verre. La plus haute des trois atteignait bien les dix-huit étages, dans le ciel de Los Angeles.

Ayant fait des recherches fouillées, Christina savait que l'Agence n'était qu'une annexe des services de l'Alliance du Commerce extérieur pour la Russie et l'Europe de l'Est, situés sur Wilshire Boulevard. Un immeuble de douze étages abritait l'organisation internationale.

L'Alliance avait été créée pour promouvoir des relations économiques bénéfiques et une association politique entre les pays de l'ancienne Union soviétique. Les gouvernements de ces nouvelles républiques étaient souvent en conflit les uns avec les autres. Néanmoins, l'Alliance avait servi d'instrument pour mettre en place des accords commerciaux qui avaient fait revivre, modernisé et transformé des industries obsolètes en nouvelles entreprises rentables.

Le secteur qui intéressait le plus Christina Hong – elle adorait couvrir les sujets relatifs à l'aspect marchand de l'industrie du spectacle, et caressait le rêve d'avoir sa propre émission sur une chaîne d'information du câble –, c'était la résurrection extraordinaire de l'industrie cinématographique de l'Europe de l'Est, au cours des cinq dernières années. Les fonds injectés par l'Alliance permettaient non seulement à l'industrie cinématographique de vivre, mais elle se développait dans des endroits tels que Prague, Budapest et Belgrade.

Cependant, cette évolution était passée inaperçue de la plupart des médias. Christina Hong elle-même ne s'en serait pas aperçue si le directeur de sa chaîne ne l'avait pas envoyée faire un reportage sur les acteurs américains ayant quitté la Californie, New York ou Montréal pour trouver de meilleures propositions d'emploi. Cela remontait à deux mois. Au lieu de trouver des comédiens heureux et épanouis, elle ne s'était entretenue qu'avec des gens qui faisaient la queue pour travailler. Pourquoi ? Parce que beaucoup de films produits à Hollywood étaient maintenant tournés en Europe de l'Est.

Le mot *délocalisations* était tout suite venu à l'esprit de Christina, et elle se rendit compte que son patron l'avait chargée de couvrir le mauvais sujet. Grâce à de longues nuits passées à faire des recherches sur l'Internet ou avec le moteur de recherche LexisNexis, Mlle Hong avait découvert que l'Alliance était le catalyseur de cette transformation. Elle avait aussi appris que l'organisation elle-même avait été pensée par un seul homme, un visionnaire. Il s'agissait du financier Nikolaï Manos, un personnage controversé qui s'était bâti une fortune colossale et avait acquis un immense pouvoir grâce à des investissements judicieux sur les places boursières du monde.

Une foule surgit soudain autour d'elle, tirant Christina de ses pensées. Elle vit des gens s'approcher d'une scène érigée à l'autre bout de la salle et fit signe à Ben, son cadreur, de se trouver une place de choix avant le début de la conférence de presse.

— Préviens-moi si tu aperçois Nikolaï Manos dans cette marée humaine, dit-elle. J'aimerais bien le prendre à part pour lui poser quelques questions, si je le peux.

Ben balaya une touffe de mèches brunes de son visage.

— Pourquoi ce mec te fascine tellement ? J'aimerais mieux être au Chamberlain en train de filmer des vedettes marchant sur le tapis rouge, plutôt qu'ici à regarder un paquet de types en costards se taper dans le dos.

— Manos est un milliardaire, gloussa Christina. Toutes les filles s'intéressent aux milliardaires.

— Tu en sais sûrement plus sur ce gars-là que sur toi-même.

— Vas-y ! ordonna Christina.

Dans son for intérieur, elle savait que Ben avait raison. Elle avait appris un tas de choses sur Manos. Il était né à Prague, d'une mère russe et médecin et d'un père grec, entrepreneur en transports. Il avait perdu ses parents très tôt et avait hérité de la modeste fortune de son père, qu'il avait su faire fructifier. Et puis, il y avait de cela cinq ans, à l'âge de cinquante-cinq ans, Nikolaï Manos avait changé de vie, pour devenir un philanthrope. Il avait mis l'Alliance en place, avec une part significative de sa fortune personnelle, dans une volonté apparemment altruiste d'en faire bénéficier l'intégralité de l'économie de l'Europe de l'Est. Le but avoué de Manos, au travers de la création de l'Alliance, consistait à rétablir la paix par la prospérité. Il faisait donc ce qu'il pouvait pour permettre, dans une certaine mesure, la compréhension d'une des plus complexe situations politiques de la région : la mésentente entre les Tchétchènes et les Russes, ces maîtres qu'ils haïssaient.

Tout cela, Christina le savait, on pouvait le trouver dans le communiqué de presse de l'Alliance. En creusant davantage, bien plus profond, elle avait découvert que Nikolaï Manos avait la réputation d'être impitoyable. Dans un entretien avec un ancien cadre supérieur de l'entreprise chargé de gérer les transactions boursières de Manos, on apprenait que l'homme d'affaires avait sciemment transgressé la loi, pour s'enrichir.

Certaines de ses activités frôlaient la fraude. C'était du moins l'avis de certains gouvernements. Il était recherché par Singapour à cause d'un projet qu'il avait conçu, pensait-on, pour dévaluer la monnaie du pays. Au cours d'une conversation privée avec un officiel du gouvernement, Mlle Hong avait également appris que Manos faisait l'objet d'une enquête, lancée par la Commission des Opérations boursières, aux États-Unis.

Mais aujourd'hui, en regardant tous ces visages joyeux, toutes ces vedettes attirantes et leurs producteurs, les magnats de la presse et les grands capitaines d'industrie qui étaient venus pour l'occasion, Christina voyait bien que les ennemis acharnés de Manos, ceux du passé comme du présent, n'inquiétaient pas le moins du monde l'élite de Los Angeles. La célébrité qu'ils étaient venus voir, c'était Marina Katerine Novartov, la très jolie et très populaire épouse du Président russe, Vladimir Novartov. La Première Dame de Russie se trouvait en Amérique pour assister aux Silver Screen Awards. Elle devait également rencontrer le Président des États-Unis et sa femme à Washington, plus tard dans la semaine.

En ce moment, Mme Novartov, jadis danseuse étoile au Bolchoï, se tenait au centre d'une petite scène, vêtue d'un fourreau de chez Diane von Fürstenberg. Elle adressait un grand sourire aux caméras. Alors que la brève conférence de presse commençait, la femme se mit à répondre de manière hésitante aux questions. Quelquefois, un traducteur l'y aidait.

Près d'elle, sur la scène, se tenait l'homme qui avait obsédé Christina Hong au cours du mois précédent, sinon plus : Nikolaï Manos. Plus petit que Marina d'une bonne tête, il préférait rester à l'écart, sur le côté, jetant la Première Dame tant courtisée en pâture aux médias affamés. Christina examina l'homme, allant jusqu'à prendre quelques clichés de lui avec son propre appareil analogique, malgré la présence de son opérateur.

Manos portait un costume blanc immaculé et une chemise en soie d'un noir charbonneux. À cinquante-cinq ans, il en paraissait dix de moins. Il avait une barbe d'un gris métallique. Ses cheveux coupés très court étaient plus bruns que blancs, et l'âge avait à peine marqué son visage carré, de type slave. Son sourire modeste dévoilait des dents blanches et bien alignées. Ses yeux gris très rapprochés brillaient intensément pendant qu'il regardait la foule. À côté du milliardaire, des hommes blonds aux yeux bleus faisaient office de gardes du corps. On disait qu'ils étaient d'anciens membres de divers services secrets d'Europe de l'Est.

Comme la Première Dame de Russie parlait lentement un anglais incertain, Christina saisit l'opportunité de changer de sujet en passant par le maître de céans. Elle lui lança une question.

— Monsieur Manos ! Monsieur Manos ! Je suis Christina Hong, de KHTV, Seattle. Est-il vrai que vous avez rendu visite à Abigail Heyer, sur le plateau de son dernier film en Roumanie ?

Manos paraissait réticent à répondre, tandis qu'il s'avançait vers le micro sur pied. Anxieuse, Christina attendait sa réponse. Elle savait déjà ce qu'il dirait, bien sûr. Seulement, elle se demandait comment il le formulerait.

— Je me trouvais en Roumanie, mademoiselle Hong, pour visiter un ensemble de studios que mon organisation a contribué à faire construire. J'ai en effet rencontré Mme Heyer, que j'admire beaucoup, et c'était une immense joie…

Le philanthrope s'exprimait d'une voix basse, au point que certains des journalistes placés au fond devaient tendre l'oreille pour capter ses mots, en dépit du micro. Il semblait mal à l'aise devant les caméras et s'apprêtait à se dérober en reculant quand Christina hurla son autre question.

— Monsieur Manos, êtes-vous l'homme mystérieux avec qui Abigail Heyer passait son temps libre pendant le tournage ?

À cette question, Nikolaï Manos cligna des yeux. Ensuite, il les fixa sur Christina Hong, l'air quelque peu embarrassé, mais il esquissa de son mieux un sourire poli et dédaigneux.

— Vous me flattez, mademoiselle Hong. J'aurais tellement aimé…

La foule partit d'un grand rire et Nikolaï Manos profita de cette interruption pour se mettre en retrait, sur la scène. Derrière l'estrade, alors que Christina Hong et le reste de la presse nationale le voyaient parfaitement, Manos s'approcha de son chef de la sécurité. Il eut avec lui une conversation à voix basse. Christina Hong, qui avait étudié cet homme durant de si longues semaines, brûlait d'entendre ses paroles. Elle se tordait le cou pour tenter de lire sur ses lèvres.

— Des nouvelles ? demanda Nikolaï Manos, un œil toujours fixé sur la journaliste déterminée de Seattle.

Le garde du corps hocha la tête.

— Le major Salah dit que la CAT est dans le flou. Ils ne savent rien. Quoi qu'il en soit, notre équipe de choc a infiltré les lieux. Nos hommes vont passer à l'attaque sous peu.

— Assurez-vous qu'il n'y ait aucun survivant, et tuez l'agent de la CAT. Je me fiche de ce qu'en pense le major Salah. La CAT se rapproche trop près et trop vite.

***

14:02:11 PDT
Palm Drive,
Beverly Hills

Après quarante minutes d'interrogatoire, Jack Bauer n'avait obtenu aucune information utile. Au début de la séance, il avait installé Ibn Al Farad sur une chaise haute, au centre du petit bureau. Le jeune homme tournait le dos à la glace murale et le soleil filtrait à travers des rideaux blancs comme des linceuls. Alors que

Jack commençait son interrogatoire en douceur, Omar Al Farad et sa sœur s'étaient écartés vers le fond de la pièce. Omar était accablé, Nareesa en larmes.

Il devint bientôt évident que les questions de Bauer resteraient sans réponse. En partie parce que ses méthodes pour aller au fond des choses étaient très limitées. Il n'avait pas le temps d'administrer des sérums de vérité, d'utiliser les techniques de privation de sommeil, ou d'imposer au suspect de se tenir longuement dans une position particulièrement inconfortable. Par ailleurs, avec son père et sa tante qui regardaient, toute intimidation physique plus radicale était impossible. Jack n'était de tout façon pas certain que cela aurait marché. Le jeune homme était encore sous l'emprise du Karma, et il fournissait peu de réponses rationnelles à des questions compliquées.

L'agent ne savait pas combien de temps dureraient les effets de la drogue, ni même quelle quantité Al Farad avait absorbée avant d'être appréhendé. Jusqu'ici, le suspect avait tour à tour psalmodié des prières musulmanes et craché un venin corrosif sur son père. Les propos sensés ne survenaient qu'entre des crises de larmes, d'hallucinations, ou des épisodes de transe confuse. Jack commença à se demander si une forme de thérapie de choc marcherait. Il pensait aux chocs électriques ou à un bain de glace, peut-être même à un choc psychologique quelconque, du genre qui ramènerait le jeune homme à la réalité. Malheureusement, Jack ne le connaissait pas assez bien pour savoir quelles étaient ses peurs ou ses faiblesses. Il se trouvait sans véritables options.

Alors que Al Farad s'abîmait dans une de ses transes silencieuses, on frappa à la porte. De manière étrange, d'après Jack. Il y eut trois coups, suivis de deux, et de quatre autres. Le ministre adjoint ne réagit pas à ce curieux appel, bien que perturbé par l'interruption. En revanche, son fils leva la tête. Il sourit en entendant ce staccato, une réaction qui alarma Jack.

— Qu'est-ce que c'est ? demanda Omar Al Farad, traversant le bureau pour gagner la porte fermée. J'ai demandé qu'on ne nous dérange pas.

— C'est le major Salah, M. le ministre adjoint, répondit Salah, de l'autre côté de la porte. Vous avez un appel téléphonique urgent.

— Hasan arrive, murmura Ibn.

Son air abasourdi faisait place à une franche jubilation.

Jack entendit les mots du jeune homme et hurla :

— N'ouvrez pas la porte !

Mais Omar Al Farad avait déjà défait le verrou. La porte s'ouvrit violemment, écrasant le petit homme contre le mur. Nareesa Al Bustani bondit.

— Que signifie…

De son M16, Salah atteignit la dame élégante dans la bouche, faisant gicler du sang et de la cervelle sur les murs et le mobilier. Derrière l'officier saoudien, Jack vit les cadavres de deux de ses hommes. Ils avaient manifestement été assassinés avec une arme munie d'un silencieux. Jack sortit son revolver tactique, mais il n'eut pas le temps d'en défaire le cran de sûreté : le major Salah pointait le canon de son M16 vers son cœur. Au moment où l'homme pressait sur la détente, Omar Al Farad se jeta sur le dos de l'officier saoudien. Le M16 déchargea une salve de balles, réduisant en miettes la glace murale qui se trouvait derrière Jack et l'arrosant d'une pluie de tessons pointus et tranchants, qui lui déchirèrent la peau en plusieurs endroits. Pendant que le ministre adjoint se battait avec le major, Jack délivra son fils, dans l'intention de le tirer hors de la maison. Mais il saignait abondamment. Il avait reçue une balle perdue du M16.

Avec un cri de sorcière, le major Salah fit passer le ministre saoudien, impuissant, par-dessus son épaule. Omar atterrit à plat, sur le dos, aux pieds de son fils qui ouvrit les yeux à temps pour voir le major Salah réduire le visage de son père en une matière sanglante et visqueuse, d'une longue rafale de son arme automatique. Quand Omar fut mort, l'officier pointa de nouveau son fusil sur Jack. Quand il appuya sur la détente, cependant, aucune détonation ne se fit entendre. Il avait tiré sur le ministre, utilisant son arme en continu sur le mode automatique, vidant ainsi le chargeur.

Jack Bauer brandit alors sa propre arme et tira deux fois. Les deux coups expulsèrent la cervelle de l'officier, par l'arrière de sa tête. Provenant d'une autre partie de la propriété, Jack entendit l'explosion de grenades à gaz et des tirs supplémentaires. Il sut que Chet Blackburn et l'unité tactique de la CAT étaient arrivés en renfort.

D'un coup de pied, Jack dégagea le M16 de l'emprise de l'officier mort. Il se pencha ensuite sur Al Farad pour vérifier son état de santé. Les lèvres du jeune homme étaient blanches et une souffrance atroce lui tirait les traits. Un tir de calibre 22 lui avait arraché un bout de muscle à l'épaule, un autre avait pénétré son poumon gauche, avant de ressortir par le dos. Jack savait qu'il ne restait pas beaucoup de temps au garçon. Écrasé de douleur Al Farad, choqué, fixait des yeux la mare de sang qui recouvrait le visage de son père.

— C'est Hasan qui vous a fait ça, siffla Jack à l'oreille du jeune mourant. Hasan a tué les vôtres. Il vous a trahis. Qui est-il ? Comment l'avez-vous rencontré ? Dites-le-moi.

De ses lèvres pâles et tremblantes, Ibn Al Farad

murmura un nom. Un instant plus tard, Chet Blackburn entra en trombe dans la pièce, à la tête de son équipe d'assaut, l'arme au poing. Il trouva Jack Bauer qui saignait, dans une pièce pleine de verre brisé et de cadavres. Jack leva les yeux.

— Je dois immédiatement retourner à la CAT.

***

14:11:34 PDT
El Pequeños Pescados,
Tijuana, Mexique

— Carlos dit que vous me cherchez.

Milo leva les yeux de sa bière. Une femme était penchée vers lui, le dos tourné au bar bondé, ses longs ongles d'un rouge profond tapotant la table ébréchée. Elle souriait, mais ce qui se dessinait sur ses lèvres pulpeuses, peintes du même rouge sombre, n'atteignait pas son regard. Elle avait un teint de café légèrement mêlé de crème. Ses cheveux longs, d'un noir bleuté, dansaient autour de ses épaules dénudées. Son corsage dos nus qui lui découvrait le ventre, dévoilant un anneau au nombril, et sa très courte jupe en faux satin, ne laissaient aucune place à l'imagination.

— Êtes-vous Brandy ? demanda timidement Milo.

La femme déplaça ses ongles longs, du dessus de la table vers l'arrière du cou de Milo. Elle lui caressa doucement la peau.

— Tes amis américains ont dû te parler de moi. Les nouvelles chaudes vont vite, hein, cow-boy ?

— En fait, c'est Cole Keegan qui m'envoie.

L'attitude de la femme changea immédiatement. Prudemment, elle regarda autour d'elle et se glissa sur la chaise en face de lui.

— Où est ce fils de pute ?! chuchota la femme.

— Je suis ici pour tenir la promesse qu'il vous a faite de vous sortir d'ici pour passer la frontière, répondit Milo. Mais avant cela, j'ai besoin de votre aide.

Brandy décocha un long regard en biais à Milo.

— C'est à propos de l'Américain que les Tchétchènes sont en train de torturer dans le labo, n'est-ce pas ?

— Ils sont en train de le torturer ? demanda Milo, en écarquillant les yeux.

— Ils ont vidé le laboratoire il y a environ une heure. Je savais qu'ils y avaient emmené quelqu'un, plus tôt. Et quand j'ai vu Ordog, j'ai compris…

— Je dois le faire sortir.

— C'est moi que vous devez faire sortir, rétorqua Brandy. J'ai laissé tomber la drogue et je suis prête à me barrer. Seulement, je dois tellement de fric à mon mac qu'il ne me laissera jamais m'en aller. C'est pour ça que j'ai fait ce marché avec Cole. Il m'a promis de me faire traverser la barrière pour regagner les États-Unis, où je serai en sécurité.

— Il faut que je vous fasse sortir, vous et mon ami américain. Sinon, personne ne s'en va.

Brandy lança un regard noir à Milo, le toisant. Il affronta résolument ce regard qui le défiait. Pendant un long moment, aucun des deux ne se laissa fléchir. Finalement, la femme tapa la table du plat de la main.

— Allez sur le toit du bâtiment en brique, derrière le bar. Cole sait comment monter là-haut. Vous trouverez une fenêtre à barreaux du côté de la rue Albino. Préparez-vous à sortir par cette fenêtre à trois heures précises.

— Qu'est-ce que vous allez faire ? Interrogea Milo.

— Faire du boucan, et vider les lieux.

— Comment ?

Brandy se leva et toucha le bras de Milo. Cette fois-ci, son sourire était réel.

— Je vais brûler cette putain de baraque, du sol au plafond. Voilà ce que je vais faire.

***

14:42:52 PDT
Siège de la CAT,
Los Angeles

Nina Myers pensa qu'il était temps de mettre Ryan Chappelle au courant d'un certain nombre de développements. Mais elle ne se sentait pas prête à affronter seule le courroux du directeur régional. Sur ses instructions, Jamey Farrell quitta son poste de travail pour participer à une réunion dans la salle de conférences. Même Doris Soo Min – une jeune femme génie de la programmation dont la CAT de Los Angeles avait exploité les compétences impressionnantes – interrompit son travail sur le *Trojan* de Lesser pour assister à l'entrevue.

Dès le début, l'atmosphère de la salle de conférences fut tendue.

— Où est Jack ? s'enquit Chappelle.

On pouvait sentir la colère couver dans sa voix, quand il entra dans la pièce et s'aperçut que l'agent responsable était absent.

— Je viens de lui parler. Il est en chemin, dit Nina.

— Et d'où vient-il ?

Chappelle s'assit, ajusta le nœud très serré de sa cravate. Nina inspira profondément et baissa les yeux.

— De Beverly Hills.

— Je suppose qu'il ne s'y est pas rendu pour voir les maisons des vedettes ?

— Un peu plus tôt dans la journée, Jack Bauer a

suivi une piste prometteuse dans le cadre de l'enquête sur Hasan. Il avait reçu un tuyau de la part d'un ancien collègue de la police de Los Angeles. Jack est allé interroger une personne qui a peut-être vraiment rencontré le leader terroriste.

— Pourquoi est-ce que j'apprends cela maintenant et pas il y trois heures ? demanda Chappelle, les sourcils froncés.

— Jack se disait que la piste pouvait être fausse, qu'il faisait peut-être tout ça pour rien. Il ne voulait pas vous déranger. Ensuite, quand les choses ont commencé à bouger, les événements se sont trop accélérés pour que vous soyez informé à temps. Jack a fait une avancée majeure quand il a rencontré Omar Al Farad…

— L'adjoint du ministre des Finances saoudien ?

— Le fils du ministre adjoint, Ibn Al Farad, a rencontré Hasan. Il est devenu l'un de ses disciples, peut-être même un membre de sa cellule terroriste. Jack espérait qu'il serait en mesure de décrire Hasan. Ibn Al Farad lui a donné une information des plus intéressantes, avant d'être assassiné…

— Assassiné ? Le fils du ministre adjoint a été tué ?

— Le ministre adjoint et sa sœur, Nareesa Al Bustani, aussi.

Ryan Chappelle posa les mains sur la table. Elles tremblaient.

— S'il vous plaît, dites-moi que Jack n'a rien à voir avec ces morts, qu'il se trouvait ailleurs.

— Jack était dans la maison des Al Bustani quand elle a été attaquée par un groupe d'assassins professionnels, répondit calmement Nina. L'équipe tactique de la CAT est arrivée trop tard pour les sauver. Les criminels ont malheureusement été tués pendant l'assaut. Nous n'avons donc aucune information sur leur identité, ni sur les raisons pour lesquelles ils voulaient la mort de cette famille saoudienne.

— Qui a donné l'ordre à l'unité tactique de se mobiliser ?

— C'est Jack, affirma Nina. Il pensait avoir besoin de renforts, en cas de problème. Il avait raison. La CAT surveillait la propriété de Mme Al Bustani à partir des caméras de sécurité placées dans la demeure. Quand l'équipe de Chet Blackburn a vu la camionnette pénétrer dans la propriété et entendu le bruit des tirs, elle s'est immédiatement lancée. En trois minutes, nos hommes étaient dans la maison, mais trop tard pour sauver le ministre et sa sœur.

Ryan Chappelle ferma les yeux un instant, tentant de combattre sa fureur. Quand il finit par recouvrer son calme, il déplaça son attention sur Jamey Farrell.

— Je vois que vous avez appelé Doris Soo Min pour vous aider. A-t-elle toujours le passe d'accès sécurisé de niveau 3 que nous lui avions donné pour l'Opération Hell Gate ?

Jamey avait d'abord tressailli quand il s'était adressé à elle. Elle hocha timidement la tête et les yeux de Chappelle passèrent à la plus jeune des deux.

— Bon retour, Doris.

— Euh… Merci, monsieur Chappelle.

— J'espère que vous avez fait des progrès, pour isoler le virus de Lesser.

Jamey et Doris échangèrent des regards nerveux.

— Eh bien…, dit Jamey.

— En fait…, ajouta Doris.

— Contentez-vous des faits, que je puisse m'y confronter, dit Chappelle, perdant de nouveau le contrôle.

— Eh bien, ce *Trojan* est un sacré morceau, déclara Doris. Il est pratiquement impossible de le séparer du programme dans lequel il a été enfoui… vous savez, ce film téléchargé. En tout cas, Frankie…

— Qui est Frankie ?

— Frankenstein. Un programme de déconstruction que j'ai créé, expliqua Doris. Frankie est sur le coup, et il finira par résoudre le problème, mais ça va prendre des heures. Peut-être des jours…

— Nous n'avons pas des jours, dit Nina. Le temps presse.

— Que se passe-t-il maintenant ? demanda Chappelle.

— Milo Pressman est entré en contact avec Richard Lesser, qui lui a dit qu'une attaque serait lancée sur le réseau informatique mondial à minuit. En l'absence de Jack, il me faut votre permission pour mettre en place le compte à rebours de notre temps d'action.

— J'ai besoin d'en savoir plus, dit Chappelle.

— Richard Lesser a accepté de collaborer avec la CAT. En échange, il demande à être protégé de Hasan, qui est le maître d'œuvre de cette attaque. Lesser nous fournit une copie du virus qui sera lancé…

— Enfin une bonne nouvelle. Où se trouve Lesser à présent ?

— Milo a refusé de quitter Tijuana sans tenter de sauver Tony Almeida, qui a été capturé par un gang mexicain, les *Seises Seises*.

— Mais Milo n'est pas un agent de terrain ! hurla Chappelle, qui perdait complètement la tête. Et il n'est même pas armé !

— Milo est aidé par un citoyen américain nommé Cole Keegan, dit Nina, prenant un dossier au-dessus de la pile posée sur la table. J'ai passé le nom de Keegan dans la base de données du Pentagone. Cole Randall Keegan était sergent pendant la première guerre du Golfe. Il n'a occupé aucun emploi, ni payé d'impôts, depuis qu'il a quitté l'armée avec les honneurs en 1992.

Ses derniers associés connus sont les *Seigneurs de l'enfer*, un gang de motards d'Oakland, en Californie.

— Donc Milo et un motard expatrié vont secourir un agent de terrain expérimenté et l'arracher à ceux qui l'ont berné et capturé ? (Ryan Chappelle fit une pause.) Mes amis, je n'ai guère d'espoir. Appelez Milo sur son portable sur-le-champ. S'il veut jouer les héros, il aura tout loisir de le faire. Avant cela, il devra envoyer Lesser et une copie de ce virus avec Fay Hubley…

Nina se racla la gorge.

— Milo m'a demandé deux heures, et je les lui ai accordées. Il a le sentiment que la vie de Tony est en danger. Fay Hubley a été assassinée par ceux qui ont enlevé Tony. C'est Milo qui a constaté son décès.

Jamey apprenait que Fay avait été tuée. Elle resta calme en apparence, mais ses lèvres se mirent à trembler et ses yeux s'embrumèrent quand elle apprit la nouvelle.

— Le virus enfoui dans le film téléchargé a-t-il un rapport avec celui qui sera lancé à minuit ? demanda Chappelle.

— Nous l'ignorons, répondit Nina. Dans tous les cas, nous aurons besoin de l'expertise de Lesser pour contrer cette attaque imminente.

— Et il est toujours là-bas, au Mexique…

— Il sera ici dans deux heures, Ryan. Il a promis de réussir son coup, et je lui fais confiance, affirma Nina.

Chappelle hocha la tête.

— D'accord. Mettez le compte à rebours en route. Heure zéro : minuit.

Il concentra son attention sur Doris.

— Que vous faut-il pour isoler ce virus ? De quoi avez-vous besoin pour faire accélérer le processus ?

— C'est simple, répliqua Doris. Il me faut une copie du virus, détachée du film téléchargé. Le fichier de départ. Mais…

— Je sais, grogna Ryan. Il est encore au Mexique, avec Milo Pressman.

*
* *

14:54:34 PDT
El Pequeños Pescados,
Tijuana, Mexique

La chambre n'était pas beaucoup plus grande qu'un placard. Il n'y avait qu'un lit, une table de chevet, une chaise et une coiffeuse surplombée d'un miroir couvert de mouches. Dans un coin, un lavabo en émail ébréché et maculé de rouille laissait couler de l'eau froide. Cela faisait longtemps que le robinet était cassé. Aucune fenêtre dans cet espace étouffant. Le ventilateur placé au-dessus de la porte ne brassait que l'air chaud du couloir pour l'entraîner dans la chambre exiguë. Une unique lampe brillait dans un autre coin, diffusant sa lueur avec constance, jour et nuit.

Un homme grand et tatoué, qui avait dit être un routier marié de Portland, était assis au bord du lit. Il gribouillait dans un petit carnet.

— J'imagine que les agents de la CAT vont essayer de traverser la frontière dans les deux prochaines heures, dit Brandy. Juste après avoir récupéré leur ami.

— Tu es absolument certaine qu'ils ne te soupçonnent pas ?

Brandy hocha la tête, pour acquiescer.

— Tout à fait. Cole Keegan a cru mon histoire et l'a racontée aux autres. Avec un peu de chance, ils vont me transporter de l'autre côté de la frontière, jusqu'au quartier général de la CAT.

L'homme se leva, mit le carnet dans sa veste en jean effilochée, et se dirigea d'un pas nonchalant vers la porte.

— Je transmettrai ton rapport. Prends bien soin de toi.

— Comme toujours, dit Brandy, en souriant.

Quand l'homme fut parti, elle arpenta le plancher de bois jusqu'à la penderie. Elle déboucha une bouteille de *Soberano* et versa un peu de liqueur dans un verre taché de rouge à lèvres. Elle l'avala cul sec. L'alcool était aussi chaud que le jour et lui brûla la gorge. Elle regarda la montre à son poignet. Il serait bientôt temps.

La femme traversa la chambre, la bouteille d'alcool toujours en main. Elle enleva ensuite les draps du lit, et les empila sur le matelas. Au-dessus de la pile, elle déchira une boîte de mouchoirs en papier. Ensuite, elle fit couler la liqueur sur l'ensemble. Dans la pièce surchauffée, la puissance des émanations se fit extrême. Tout ce qu'il fallait pour garantir un incendie.

Pour finir, Brandy glissa la main sous son oreiller, où elle avait planqué le briquet en plastique de son dernier micheton. Elle eut un grand sourire avant d'allumer le briquet. Elle réalisait que ce cow-boy dont l'haleine puait la bière et qui tentait de cacher son alliance était en effet son dernier client. Pour toujours.

Elle alluma le briquet, et enflamma les mouchoirs. La masse s'embrasa immédiatement, les flammes atteignant le plafond plus vite qu'elle ne l'avait envisagé. Brandy chaussa une paire de sandales et traversa la chambre. En courant dans le couloir, elle laissa la porte grande ouverte, derrière elle. À une vitesse étonnante, la fumée emplit le premier étage du bordel. Brandy entendit des voix apeurées venant d'une autre chambre. C'était le moment de se mettre à crier. Elle prit une profonde inspiration et ouvrit la bouche.

— *¡Vaya! ¡Funcione! ¡El edificio se arde!*

Heure 11

CES ÉVÉNEMENTS SE DÉROULENT ENTRE 15 H ET 14 H, PDT

15:01:07 PDT
La Glacière,
Tijuana, Mexique

Cole décida qu'ils monteraient sur le toit de la vieille bâtisse en brique, par une échelle verticale servant de sortie de secours, en cas d'incendie. Elle était « cachée » dans une ruelle, du côté de la rue Albino. Pendant ce temps, Richard Lesser attendait à quelques pâtés de maisons de là, dans la voiture de Milo. Au début, Milo avait refusé ce plan. Il soupçonnait Lesser de vouloir leur fausser compagnie pendant qu'ils porteraient secours à Tony. Cole avait finalement pris Milo à part et arrondi les angles.

— Lesser a les chocottes, avait-il dit, alors que le génie du piratage informatique ne les entendait pas. Ça fait un an que je travaille avec lui et il n'a jamais été aussi nerveux. Il a besoin d'être protégé de ce Hasan, et il sait que je n'y arriverai pas seul. Tant que la CAT le défendra contre les *Seises Seises*, contre les Tchétchènes et Hasan, tu peux lui faire confiance. Il fera ce qu'il faut.

Cole avait réussi à convaincre Milo d'accorder sa confiance à Lesser. Milo regardait autour de lui avec angoisse, alors que Cole le guidait dans la ruelle. Il sentait des regards curieux qui les suivaient tandis qu'ils marchaient sur le trottoir étroit. Cela le mettait extrêmement mal à l'aise. Le motard américain ressemblait à une enseigne publicitaire pour une marque de bière. Avec sa barbe blond sale et sa queue-de-cheval, sa veste en cuir et ses tatouages, il dépassait d'au moins une tête tous ceux qui l'entouraient. Pour couronner le tout, il portait un long manteau brun, pour cacher la carabine à canon scié, collée en travers de son immense dos avec du ruban adhésif. Un tour plutôt cousu de fil blanc pour dissimuler une arme, en particulier par une chaleur proche des 40 °C. Aux yeux de Milo, tenter de s'introduire dans la tanière d'un gang de truands mexicains et de leurs comparses tchétchènes était de la pure folie.

Pourtant, Cole Keegan s'avança effrontément vers l'échelle en fer forgé. Sans un regard derrière lui, il commença à monter. Venus de la rue Albino, un groupe d'enfants qui rentraient de l'école se rassemblèrent pour les regarder et les montrer du doigt.

— Mon Dieu, Cole. On est en plein jour. Tout le monde nous voit.

Cole, qui avait déjà gravi quatre barreaux de l'échelle, jeta un œil par-dessus sa gigantesque épaule pour répondre.

— Je sais, ducon. C'est pour ça qu'il faut qu'on fasse comme si on était du coin. Pigé ? Maintenant, dépêche-toi de grimper.

Milo agrippa l'échelle rouillée et posa le pied sur le premier barreau. Sous le poids de leurs deux corps, l'échelle métallique grinçait à chacun de leurs pas.

— J'espère que ce truc va tenir, rouspéta Milo.

— Ne t'en fais pas. Faut juste qu'on arrive en haut. On ne descend pas par là.

Cole atteignit le toit, deux étages au-dessus de la rue. Il se hissa sur le mur bas, se retourna et tendit la main à Milo, pour l'aider à monter. Le toit était une étendue plate et poussiéreuse, recouverte d'une feuille de goudron noir, qui s'écaillait çà et là. Il n'y avait qu'une cheminée et Milo apercevait la petite lucarne que Brandy lui avait dit de trouver. Un peu plus loin que le bord de l'immeuble, il pouvait voir le toit rachitique du bordel construit en bois, qui jouxtait le bâtiment en briques situé sur la rue Albino.

Près de la cheminée, on sentait une odeur chimique nauséabonde. Cette puanteur faisait penser à du dissolvant pour vernis à ongles, mêlé d'ammoniaque.

— Seigneur, glapit Milo, se couvrant la bouche.

— Ces vapeurs émanent du laboratoire situé en dessous de nous, l'informa Cole. Quelqu'un a fait cuire des pilules.

— Rien que pour ce qu'ils font à l'environnement, ces types devraient aller en prison.

— Nous sommes en mission de sauvetage, pas en croisade contre le mal.

Cole ôta son manteau, tira sur la carabine collée sur son dos. Il sortit deux Colts qu'il avait coincés dans son ceinturon, et en tendit un à Milo.

— Tu sais tirer ?

— J'ai reçu un entraînement, mais je n'ai pas pratiqué le tir depuis longtemps.

— C'est pas un jouet à la James Bond. Ce truc-là envoie vraiment la sauce, prévint Cole.

Milo souleva le revolver d'acier gris. Il le coinça dans son ceinturon, entre les deux bouteilles d'eau qu'il avait apportées. Il consulta sa montre.

— Allons-y.

Il fit un pas en direction de la fenêtre à barreaux. Cole le tira en arrière en l'attrapant par la peau du cou.

— Fais attention quand tu marches. Éloigne-toi du soleil. Tu projettes une ombre qui va tomber en plein sur cette grille.

— Et alors ? demanda Milo, se hérissant un peu.

— Tu t'es déjà trouvé dans une pièce sombre alors que quelqu'un passait à côté de l'unique source de lumière ?

Les épaules de Milo s'affaissèrent. Il avait tant à apprendre sur ces astuces d'agents de terrain.

— Très bien. Fais-le, toi.

Milo attendit près de l'échelle pendant que Cole Keegan contournait la fenêtre à barreaux, avant de se mettre à plat ventre pour ramper vers le bord de la lucarne et regarder à l'intérieur. Il recula un instant plus tard, et rejoignit Milo.

— Tout ce que je vois, c'est un mec attaché à une plaque à ressorts et un générateur. Il est de type hispanique, avec de longs cheveux bruns, un bouc…

— Il doit s'agir de Tony. Il s'est laissé pousser les cheveux et le bouc pour les missions de terrain…

— Il est vivant, mais pas en très bonne forme. Et puis, il n'est pas tout seul là-dedans. J'ai entendu des voix.

Milo agrippa le bras de Cole.

— Regarde !

De minces volutes de fumée commençaient à s'élever de quelque part dans la maison de passe. Quelques nuages blancs un peu poussifs suivirent, faisant rapidement place à des tourbillons de fumée noire. Ils entendirent des voix. D'abord les cris hystériques d'une femme, puis des appels de voix paniquées. La fumée roula le long de l'étendue goudronnée, faisant suffoquer Milo et lui brûlant les yeux. Sans hésitation, Cole attira Milo vers la fenêtre. Il donna un coup de pied aux barreaux, puis un autre. La grille ne bougea pas.

— Tu me donnes un coup de main ? demanda-t-il à Milo.

Se couvrant la bouche, Milo avança et frappa la grille métallique de toutes ses forces avec sa botte. À sa grande surprise, les barreaux cédèrent aussitôt sous son poids. Milo fut happé, à travers le trou, dans l'intérieur sombre et enfumé de la bâtisse en flammes.

*
* *

15:07:23 PDT
Siège de la CAT, Los Angeles

La réunion convoquée à la hâte avait déjà pris fin, mais Jack Bauer trouva Nina Myers et Ryan Chappelle dans la salle de conférences. Ils discutaient encore de la meilleure marche à suivre. Le compte à rebours avait déjà commencé et Jamey Farrell avait reçu l'ordre de rétablir le contact avec Milo Pressman. La consigne émanait de Chappelle lui-même qui avait pris les commandes de l'opération.

— Désolé pour le retard, dit Jack. J'ai dû attendre l'arrivée de l'équipe scientifique de la CAT. Ils transportent les corps ici pour les autopsier.

— Asseyez-vous, Jack. Vous avez une mine de déterré, dit Ryan Chappelle.

Il mit le réseau de communication interne en marche.

— Nous avons besoin d'un médecin dans la salle de conférences.

— Je vais bien, Ryan, protesta Jack.

— Vous avez une vilaine tête, répondit Chappelle, et le médecin va vous examiner.

Jack se laissa choir sur une chaise et tenta de rassembler ses pensées. Il raconta aux deux autres ce qui s'était passé dans la maison de Nareesa Al Bustani, à Beverly Hills. Il parla de la trahison du major Salah, de la mort du ministre adjoint Omar Al Farad, du meurtre de Hugh Vetri et des membres de sa famille. La seule chose qu'il laissa de côté fut le CD-rom trouvé dans l'ordinateur de Vetri, avec son dossier personnel de la CAT gravé dessus. Jamey travaillait encore à l'analyse de ce disque, et Jack ne voulait pas évoquer cette piste avant d'en connaître la source.

Le Dr Darryl Brandeis arriva, accompagné d'une infirmière afro-américaine. La jeune femme fit une grimace inquiète en voyant Jack Bauer.

Ancien membre des Forces spéciales, le Dr Brandeis était un homme chauve de quarante-cinq ans. Il avait en permanence besoin de se raser. Il observa l'état de Jack et secoua la tête. Brandeis observa les pupilles de l'agent, pendant que l'infirmière travaillait sur les entailles laissées sur son bras par les éclats de verre.

Bauer s'adressa à Nina.

— Dis à Ryan ce que tu as découvert sur le premier Hasan.

Nina ouvrit le dossier posé devant elle.

— Hasan Bin Sabah était un religieux musulman du XIe siècle. Profitant du schisme qui se produisit à cette époque, Hasan fonda une secte appelée Nizari. Il convertit très vite les serviteurs d'un prince à cette forme violente de l'islam. En se levant un matin, le prince se trouva dépossédé, ses gens servant un autre maître. Hasan rebaptisa la forteresse, lui donnant le nom de *Nid de l'aigle*…

— *Le nid de l'aigle*, l'interrompit Chappelle, comme la retraite cachée que possédait Hitler dans les montagnes ?

Nina hocha la tête.

— Après ça, Hasan a régné en despote sur la région. En 1075, dans le but d'accroître son pouvoir politique, Hasan a imaginé une stratégie brillante pour frapper ses ennemis de terreur. En utilisant du haschisch, une variété de cannabis, il faisait subir un lavage de cerveau à ses disciples, les persuadant qu'ils avaient vu le Paradis.

— Et comment s'y prenait-il ?

— Il avait fait construire un jardin secret dans le château, l'avait rempli de filles dociles qui satisfaisaient le moindre désir du sujet drogué. Quand l'effet des narcotiques se dissipait, Hasan racontait à ceux qu'il avait dupés que s'ils mouraient à son service, ils retourneraient au Paradis pour l'éternité.

— Et ça marchait ?

— C'était même très efficace. Les soldats suicidaires de Hasan furent les premiers terroristes au monde. Au cours des deux siècles suivants, ils instillèrent la peur chez les dirigeants du monde musulman. Aucun roi, aucun prince n'était plus en sécurité. Il n'y avait rien pour se protéger de tueurs qui se fichaient bien de mourir, et qui étaient prêts à échanger leur vie contre la mort des autres pour gagner leur place au Ciel.

— Très bien. Que s'est-il passé à la mort de Hasan ? Le terrorisme a-t-il cessé ?

— Non. La violente secte Nizari a continué à prospérer. Son succès le plus notoire, fut l'assassinat du croisé Conrad de Montferrat, en 1192. Les chercheurs pensent que la secte a continué à pratiquer le lavage de cerveau sur ses adeptes jusqu'à sa disparition plusieurs siècles plus tard.

Nina referma le dossier. Ryan Chappelle croisa les bras.

— Vous croyez donc que ce nouvel Hasan imite les méthodes et la stratégie du premier ?

— Ça colle avec les faits, répondit Jack en faisant la grimace, comme le médecin retirait un débris de verre de son avant-bras.

Il grimaça encore quand Brandeis pulvérisa un produit pour faire cesser les saignements.

— Ibn Al Farad cherchait quelqu'un qu'il appelait *Le vieil homme sur la montagne* quand on l'a arrêté dans la Forêt nationale d'Angeles. Je pense que ce jeune homme a subi un lavage de cerveau, à l'aide du Karma ; il en avait sur lui, lors de l'arrestation. Et puis, n'oubliez pas : j'ai vu un membre dévoué de la Brigade des Forces spéciales saoudiennes se retourner contre ses propres hommes et tuer le ministre qu'il avait fait le serment de servir.

Ryan Chappelle hocha la tête.

— Oui, mais le lavage de cerveau ? Le contrôle des esprits ? Tout cela semble impossible.

— Pas vraiment, lança le Dr Brandeis.

— Éclairez-nous, docteur, demanda Chappellc.

Le médecin continuait de travailler sur son patient, pendant qu'il parlait.

— Il existe diverses façons de contrôler l'esprit de quelqu'un et les drogues peuvent être très efficaces. Dans les années 50, dans le cadre d'une expérience de la CIA appelée MKULTEA, on a utilisé du LSD, de la psilocybine, de la scopolamine, du Penthotal et une combinaison de barbituriques et d'amphétamines pour contrôler l'esprit des cobayes.

— Comment ça a marché ? s'enquit Nina.

— On a obtenu des résultats mitigés, dit Brandeis, en haussant les épaules. Les narcotiques utilisés seuls, se sont avérés inefficaces. Pour obtenir un meilleur contrôle des sujets, il fallait y associer certaines techniques psychologiques.

— Du genre ? demanda Jack, en faisant bouger son bras blessé.

— Des méthodes efficaces de contrôle de l'esprit humain ont été répertoriées dans les années 60. Elles sont codifiées par la charte de coercition Biderman. Ces pratiques comprennent l'isolement, les menaces, la dégradation. Il y a aussi la monopolisation des perceptions, la folie induite, les démonstrations d'omnipotence par le maître du jeu…

— Je ne vous suis pas, avoua Chappelle.

— Eh bien, l'individu isolé ne voit qu'un seul et unique être humain : le maître du jeu, l'interrogateur, appelez-le comme vous voulez. Le sujet devient dépendant de ce maître, se languit de le revoir, après de longues périodes d'isolement. Une relation se crée et c'est le premier pas. Viennent ensuite les menaces et la dégradation. Utilisés judicieusement – ce qui signifie de manière arbitraire –, ces procédés conduisent peu à peu le sujet à accepter son impuissance.

— On dirait le syndrome de la femme battue, dit Nina.

— Un mari abusif se sert instinctivement des mêmes méthodes, rétorqua Brandeis.

— Mais si Jack a raison, l'attrait de Hasan est avant tout d'ordre spirituel.

Le médecin hocha la tête.

— En effet, monsieur Chappelle. C'est là que les autres pratiques entrent en jeu. En contrôlant les perceptions de quelqu'un, vous pouvez lui faire admettre n'importe quelle vérité. Les personnes mal intentionnées cherchent à contrôler les médias, utilisent la propagande dans ce but. Mais les drogues peuvent aussi exercer un immense pouvoir sur les perceptions d'un individu. Elles peuvent engendrer une forme de débilité, de la fatigue, ou intensifier le sentiment d'isolement. Le maître peut même démontrer son omnipotence en utilisant des hallucinogènes pour manipuler les émotions du sujet.

Ryan Chappelle se gratta le menton.

— Et une fois que la volonté du sujet a été brisée ?

— Le maître la remodèle. Dans le cadre du fanatisme religieux, on crée un sentiment d'exclusivité. Le sujet est sauvé, tous les autres sont maudits, ce genre de choses.

— Ibn Al Farad cherchait le Paradis. Il croyait faire partie des élus.

Brandeis hocha la tête.

— Toutes ces méthodes sont décrites dans la charte Biderman.

— D'accord. Disons que Hasan a trouvé le moyen de contrôler l'esprit de ses sujets. En quoi ceci est-il lié à l'attaque prévue à minuit sur le réseau informatique mondial, ou avec le *Trojan* de Lesser ?

— Je n'ai pas dit que j'avais déjà toutes les réponses, répondit Jack. Nous devons savoir comment fonctionne ce virus, connaître ses effets, avant de connaître son objectif, sa cible désignée. Quoi qu'il en soit, je ne crois pas que la visée finale de Hasan soit une attaque du réseau informatique occidental. Des offensives de ce type ont déjà été déjouées.

Chappelle soupira. Il poussa le bouton de son stylo à bille, s'en servit pour taper la table.

— Malheureusement, il semble que nous soyons dans l'impasse. Avec l'assassinat d'Ibn Al Farad, la mort du major Salah et son équipe de choc tchétchène, nous ignorons où et quoi chercher.

Jack poussa l'infirmière du coude et se pencha en avant sur sa chaise.

— Ibn Al Farad m'a chuchoté un nom avant de mourir. Il essayait peut-être de révéler la véritable identité de Hasan, ou alors, il désignait un autre de ses disciples. Dans l'un ou l'autre cas, nous devons immédiatement vérifier cette piste.

Le Dr. Brandeis les interrompit une fois de plus.

— Je suis désolé, Agent Spécial Bauer. Vous n'irez nulle part sans avoir subi des tests plus poussés.

— Je n'ai pas le temps de faire vos analyses.

Brandeis croisa les bras.

— Vous avez probablement une commotion cérébrale, Jack. Vous en avez les symptômes.

— Je vais bien.

— Vous avez une migraine permanente, n'est-ce pas ? Votre vision doit être double, ou brouillée...

— Pas du tout, mentit Jack.

Nina se tourna vers son supérieur.

— Donne-moi le nom, Jack, le pressa-t-elle, le crayon optique posé sur l'écran de son PDA. Tu suis le docteur à l'infirmerie pendant que je passe dans la base de données de la CAT pour voir si nous obtenons une concordance, un numéro de téléphone ou une adresse.

Jack secoua la tête.

— Tu n'auras pas besoin de prendre cette peine, Nina. Ce sera facile de trouver cet homme. L'architecte Nawaf Sanjore est mondialement connu. Sa société a des bureaux à Brentwood et il habite un immeuble luxueux qu'il a dessiné et bâti, près de Century City.

15:11:57 PDT
La Glacière,
Tijuana, Mexique

Milo sentit une puissante emprise sur son bras, avant d'entendre une voix familière.

— Lève-toi, petit. Tu as fait du bon boulot.

Il ouvrit les yeux et vit Cole Keegan penché au-dessus de lui. Derrière le motard, la grille métallique gisait sur le corps d'un gros homme chauve, vêtu d'un tablier en cuir sale et portant des gants de caoutchouc.

— Mon Dieu ! Hé, Tony ! cria Milo.

Il tenta de se lever, faillit perdre l'équilibre. Ses jambes le faisaient atrocement souffrir.

— Assieds-toi. Tu t'es certainement foulé quelque chose en tombant.

Cole lui palpa les jambes.

— Rien de cassé. Essaie de marcher.

En toussant, Milo boita vers l'homme attaché à la plaque de métal rouillé. Le corps relâché, sans chemise, Tony Almeida avait les poignets liés avec du fil de fer. Sa chair avait brûlé à l'endroit des nœuds. Milo vit le vieux générateur à manivelle et comprit que Tony avait subi des chocs électriques.

— Tiens.

Cole planta une paire de cisailles dans sa main.

— Dépêche-toi. Ils sont en train d'éteindre le feu. Il faut qu'on sorte d'ici.

Tony grogna dès que le métal froid toucha sa chair brûlée. Il battit des paupières, puis ouvrit grand les yeux. Milo trancha les fils et l'aida doucement à descendre au sol.

— Milo ?

— N'aie pas l'air si étonné. Tu vas me faire de la peine. Bois ça.

Milo aida Tony à s'asseoir, et glissa une bouteille d'eau dans ses mains ankylosées et tremblantes. L'agent Almeida la vida, s'étranglant une ou deux fois. Tony remarqua le gros homme écrasé sous la grille de fer.

— C'est toi qui as fait ça ?

— Pressman, à l'attaque, répondit Milo en hochant la tête.

— Il s'appelait Ordog, lui apprit Tony.

— Maintenant, il s'appelle Mort Dog, dit Keegan avec un grand sourire.

— Un ami à toi ? demanda Tony à Milo.

— Je te présente Cole Keegan. Le garde du corps de Richard Lesser.

— Tu as trouvé Lesser ? interrogea Tony, en faisant de légères flexions avec son bras.

Milo approuva, de la tête.

— Lesser a décidé de se rendre et de rentrer au pays, l'informa Milo. Il te cherchait, quand…

— Quand les Tchétchènes m'ont trouvé les premiers.

Tout en parlant, Tony versait de l'eau sur les brûlures qu'il avait aux poignets. La piqûre le fit sursauter.

— Comment va Fay ?

Milo ne répondit pas. Au lieu de cela, il se servit des lambeaux de la chemise de Tony pour bander ses brûlures tandis que Cole Keegan gardait un œil sur la porte, de l'autre côté du laboratoire. Tony regardait Milo travailler, attendant une réponse à sa question. Son regard finit par croiser celui de Milo.

— Milo ? Fay Hubley ?

— Les Tchétchènes l'ont trouvée, Tony… Elle est morte.

L'agent ferma les yeux. Il gémit comme sous l'effet d'un coup de poing. Il jeta la bouteille en plastique, chancela pour se lever, avec l'aide de Milo.

— Il faut qu'on sorte d'ici, qu'on les attrape.

— Maintenant, tu arrives à parler, dit Cole, s'approchant de Tony. Je te rejoins au moins sur la première partie du plan « Faut qu'on sorte d'ici. » Tiens, enfile ça.

Il tendit son manteau à Tony, qui l'enfila sur ses épaules musclées.

— Viens, lui dit Milo, Lesser nous attend dans une voiture, à deux pâtés de maisons d'ici. Une équipe nous récupère à la frontière pour nous conduire à Brown Field.

— La sortie est par ici, invita Cole. Il serrait son revolver dans sa main, armé, prêt à tirer.

Lorsqu'ils donnèrent un coup de pied dans la porte pour l'ouvrir, la ruelle menant sur la rue Albino était déserte. Il n'y avait qu'une personne. Brandy était adossée à un mur, tapotant impatiemment le sol du bout de sa botte. Elle portait un long jean noir, une chemise rose à jabot comme pour se rendre à l'église. Elle tenait une petite valise rouge à la main. Cole se raidit en la voyant.

— Je me disais bien que c'était trop facile, murmura-t-il.

Brandy tourna la tête vers l'autre côté de la ruelle, où une foule s'était massée autour du bordel toujours en feu. Les sirènes indiquaient l'arrivée tardive des pompiers.

— Ne vous inquiétez pas, leur dit-elle. Les gars du gang sont allés vers le nord pour faire un coup, et les Tchétchènes se planquent dans une autre partie de la ville avec ce plouc de Ray Dobyns. Un gros truc se prépare…

Les yeux de Tony croisèrent les siens.

— Dobyns ? Vous êtes sûre ?

— Certaine, répliqua Brandy. J'ai tout appris sur la façon dont il vous a donné aux Tchétchènes, de la bouche de Carlos…

— Je vois, fit Tony, d'une voix tendue, sa rage à peine contenue. Et qui est ce Carlos ?

C'est Cole Keegan qui répondit.

— Son mac. Le type qui tient le bar.

Ignorant Keegan, Brandy s'approcha de Tony.

— Écoutez, si vous voulez la tête de Dobyns, je vais vous dire où se trouve ce porc, mais vous devrez lui rendre visite plus tard. Je veux passer cette frontière et me mettre en route pour aller chez ma sœur à Cleveland, avant que Carlos s'aperçoive que je suis partie. Sans quoi, je suis déjà une pute morte.

Tony acquiesça de la tête.

— Ne vous en faites pas, je vous promets que nous vous ferons traverser la frontière. Mais avant, nous devons nous arrêter quelque part.

15:16:21 PDT
Au sud de San Pedro Street,
Little Tokyo

— Samouraï ? Samouraï, où es-tu, mec ? C'est Jake. Tu te souviens ? Jake Gollob, ton patron ? Décroche le téléphone, et parle-moi. Mais où t'es, bon sang ? Moi, j'attends, un magnétophone dans une main, et ma bite dans l'autre. Et pourquoi ? Parce que je n'ai pas mon photographe ici, *voilà* pourquoi. Dans une heure, les presses vont boucler et ta photo ne sera pas là. Si tu es chez toi, décroche, je t'en supplie…

Le répondeur s'arrêta au bout de trente secondes.

Lonnie se remit au travail. Il déplaça le curseur pour isoler une autre partie de la photo, qu'il agrandit au maximum. Il examina les résultats décevants sur l'écran de son ordinateur, se demandant si un autre programme ferait mieux pour améliorer le cliché sans pixellisation. Avec le système Mohave, tout ce qu'il obtenait, c'était une masse floue. Bien sûr, on reconnaissait la silhouette d'Abigail Heyer, assise sur la banquette arrière de sa limousine. Cependant, les détails qui l'intéressaient avaient disparu, effacés derrière un écran flou.

Lonnie poussa un juron et sauvegarda l'image. Il le fit par habitude. Le cliché était inutilisable. Il passa à une autre photographie analogique, sélectionnée dans la série qu'il avait prise un peu plus tôt dans la journée chez Abigail Heyer. Celle-ci avait été prise une fraction de seconde après la précédente. Il l'agrandit jusqu'à ce qu'elle remplisse l'écran, coupant la tête et l'épaule du chauffeur pour que l'actrice figure au premier plan.

Avant d'aller plus loin, Lonnie étudia longuement l'image, s'imprégnant du moindre détail. Il la scruta assez longtemps pour que le téléphone le tire de sa transe informatique. Il ignora l'appel, et le répondeur prit le relais à la troisième sonnerie.

— Nobunaga, espèce de fils de pute ! Tu es viré ! Tu m'as bien bien compris, connard ? Tu es viré !

Lonnie prit sur lui pour ne pas faire attention à la bordée d'injures qui suivit la menace de son patron.

Désolé, Jake, pensa-t-il. *J'irai à l'Auditorium Chamberlain ce soir, mais à l'heure que j'ai fixée. En tout cas, il se pourrait bien que j'aie la photo de l'année, ici. Et si tu la veux, il faudra que tu sois plus gentil avec moi, à l'avenir.*

Le répondeur s'arrêta. Dans le silence qui suivit, Lon quitta le programme Mohave Photo Shop et mit en route un logiciel concurrent. Pour en évaluer la résolution, il sélectionna une image prise bien plus tard. C'était la photo où Abigail Heyer traversait le patio en pierre pour gagner la porte d'entrée de sa maison. Elle semblait très enceinte dans son gros pantalon et son corsage rose de future maman.

Il s'agissait d'une bonne photo, d'après Lonnie. Nette. Claire. D'excellente composition. Jake Gollob serait fier de la mettre à la une de sa feuille de chou, avec un gros titre annonçant la grossesse et s'interrogeant sur l'identité du père. Le journal *Confidences* proposerait ses révélations. Le tirage hebdomadaire augmenterait de 30 %.

Cependant, ce serait un mensonge.

Lon retourna en arrière dans la série de photos, pour regarder le tout premier cliché qu'il avait pris. Il s'agissait d'une image de l'intérieur de la limousine, prise au moment où le chauffeur avait ouvert la portière. Il isola une partie de cette photographie. On y voyait le buste d'Abigail Heyer, comme elle se penchait en avant, pour descendre de la voiture. Cette fois-ci, il inversa le cliché, avant de l'agrandir. De cette façon, les lignes sombres s'éclairaient et les sections plus claires s'assombrissaient, comme sur un négatif.

L'ordinateur moulina un peu, et le résultat apparut sur l'écran. Lonnie contempla l'image, sans ciller.

Voilà, c'est là. Clair comme de l'eau de roche.

Il sauvegarda l'image agrandie, en imprima plusieurs copies. Ensuite, il enregistra l'intégralité des photos prises chez Abigail Heyer sur une clé USB, qui pendait au bout de son porte-clés.

Lonnie se leva, se saisit d'une des photos d'Abigail Heyer qu'il venait juste d'imprimer, et courut littéralement dans sa chambre. Il examina la collection de DVD empilés sur l'étagère, trouva son exemplaire de

Bangor, Maine, et l'inséra dans le lecteur. Il se souvenait d'un passage, dans les bonus du DVD. Après avoir passé les interviews et les scènes supprimées, il trouva enfin le commentaire du metteur en scène.

— Ce fut difficile de trouver le bon angle, en particulier dans les plans larges, disait Guy Hawkins, le metteur en scène anglais du film. Dans de nombreuses, scènes, des plans parfaits ont dû être refaits parce que le harnais utilisé pour simuler la grossesse se voyait sous les vêtements d'Abigail. La plupart du temps, quand ça se produisait, nous utilisions des effets numériques pour effacer tout ça, mais cette gaffe nous a échappé…

Lonnie fit un arrêt sur image. Pendant un long moment, le harnais que portait la comédienne se voyait clairement sous sa chemise de flanelle, comme l'avait dit le metteur en scène. Il compara l'image qu'il voyait à l'écran avec la photo qu'il tenait à la main.

— Abigail Heyer n'est pas plus enceinte que moi, murmura-t-il. Elle porte un putain de déguisement !

Lon regarda l'écran, bouche bée, tout à fait certain d'avoir découvert le secret de l'actrice. La vedette faisait semblant d'être enceinte. Mais une question demeurait sans réponse :

— Pourquoi ?

15:27:01 PDT
La Hacienda,
Tijuana, Mexique

Tony traversa le vestibule désert de l'hôtel, tenant le cadavre enveloppé d'une couverture dans ses bras. Il passa par la minuscule cuisine de la Hacienda, pour regagner l'arrière du bâtiment, où il trouva le patron, sa femme et une domestique. Les Tchétchènes les avaient rassemblés là, avant de les tuer.

Dans la ruelle étroite qui passait derrière le petit hôtel, Milo se tenait près de la voiture. Keegan, Lesser et Brandy se trouvaient à l'intérieur.

Quand Milo vit Tony arriver, il ouvrit le coffre. Tony y déposa le corps, s'étonnant de la légèreté de Fay dans ses bras. On aurait dit que l'essentiel de sa substance s'était évaporé avec sa vie. Milo referma doucement le coffre, et regarda son partenaire.

— Prêt ?

— Ramène Lesser, Keegan et Brandy aux États-Unis. Rejoignez l'équipe que la CAT envoie nous chercher. Et assure-toi que les médecins récupèrent le corps de Fay…

— Et toi ?

Tony regarda vers le bout de la ruelle, dans la rue animée qui se trouvait au-delà. La camionnette blanche dans laquelle il avait passé la frontière était toujours garée là où il l'avait laissée.

— Je serai juste derrière vous. Je vais protéger le matériel qui se trouve dans la chambre, effacer toute trace de l'implication de la CAT.

Milo lui adressa un regard résolu.

— Tu vas traquer ce Dobyns, n'est-ce pas ?

Tony fit sèchement oui, de la tête.

— Et puis, les Tchétchènes aussi doivent détenir des informations qui nous seront utiles…

— Mais Tony, tu seras tout seul. Tu ne penses pas que…

Le regard froid et meurtrier plongea dans les yeux affolés de Milo.

— Je vais leur poser quelques questions, avant d'en finir avec eux.

Le jeune homme soupira. Inutile d'insister.

— Qu'est-ce que je dis à Chappelle ?

— Dis-lui que je suis juste derrière toi… Demande-lui d'envoyer une autre équipe pour me récupérer. Il n'a pas besoin d'en savoir plus, jusqu'à ce que ce soit fini.

Le klaxon retentit. Milo sursauta.

— Bon sang !

— Magnez-vous, cria Brandy, depuis le siège du passager. On n'a pas toute la journée.

Milo fronça les sourcils. Il fit une ultime tentative.

— Tony, réfléchis. Rentre avec nous. Une autre équipe peut se charger de tout ça…

— Tu sais que ça n'arrivera pas, dit Tony en détournant les yeux. Chappelle n'aime pas faire de vagues. Il va penser aux répercussions diplomatiques et se dérober. Je vais devoir m'en occuper moi-même.

— Mais…

— Va-t'en, Milo, fit sèchement Tony. C'est un ordre.

Sa voix se radoucit ensuite.

— On se revoit au QG dans deux heures.

Heure 12

Ces événements se déroulent entre 16 h et 17 h, PDT

16:00:51 PDT
Siège de la CAT, Los Angeles

Torse nu et couché sur le dos dans un lit d'hôpital, Jack Bauer regardait le plafond en béton. Il était à l'épreuve des bombes. Le siège de la CAT à Los Angeles ressemblait plus à un bunker qu'à une administration fédérale. L'infirmerie reflétait le style utilitaire avec ses murs sans fenêtres, des tuyaux qu'on voyait courir le long du plafond ou entre le matériel médical.

Des cloisons de métal et de verre séparaient les douze lits du service où Jack se trouvait, des unités de tri et soins intensifs situées dans le hall. Plus loin, dans le couloir blindé, il y avait un bloc chirurgical en verre, un service de traitement des risques bactériologiques et un laboratoire dernier cri pour isoler et identifier les substances biologiques.

Le Dr Brandeis lui avait fait passer un scanner et une IRM. Il était désormais seul, attendant les résultats des tests, et l'effet des analgésiques qu'il avait rapidement avalés pour rendre supportable son mal de tête.

Jack regarda sa montre. Il fit la grimace et prit le téléphone sécurisé, posé sur une table de chevet en aluminium poli. Il tapa son code personnel pour accéder à une ligne extérieure et composa le numéro de téléphone de son domicile. Teri décrocha à la deuxième sonnerie.

— Teri ? C'est moi.

— Salut, Jack. Il sentait un frisson dans sa voix.

Elle a de bonnes raisons d'être en colère.

— Écoute, je regrette de n'avoir pas appelé plus tôt. Il y a un problème…

— Une autre crise. C'est ce que je me suis dit. Ne t'en fais pas.

Il y eut un long silence.

— Est-ce que Kim est déjà rentrée de l'école ?

Teri soupira.

— Comme je n'avais pas de nouvelles de toi, je l'ai envoyée chez ma cousine. Elle va regarder les Silver Screen Awards avec Sandy et Melissa.

Jack se tut un moment.

— Les Silver Screen Awards ?

— Oui, Jack. Sa mère sera dans le public. Tu te souviens ?

La conversation qu'ils avaient eue le matin lui revint en mémoire. Il se rappela que Teri avait reçu un appel de son ancien employeur, avec une invitation de dernière minute pour la cérémonie des Awards, et qu'elle était excitée à l'idée de revoir certaines de ses anciennes copines.

— Bien sûr. C'est pour ça que j'ai appelé, mentit Jack. Je voulais te dire de bien t'amuser. Que vas-tu porter finalement ?

Jack sentit Teri fléchir un peu.

— Ma robe noire de chez Versace. Tu sais, celle que…

— Je me souviens, murmura Jack. Et je me rappelle la dernière fois que tu l'as portée.

Ils avaient passé un long week-end à Santa Barbara, et le premier soir, elle l'avait enfilée pour le dîner. Les deuxième et troisième nuits, s'habiller était devenu le cadet de leurs soucis. Ils avaient eu peu de moments romantiques depuis.

— Je sais que tu seras très belle, dit Jack.

— Tu pourras le vérifier toi-même.

La voix de Teri était maintenant aussi douce que celle de Jack.

— Ce soir, quand je rentrerai à la maison. Probablement vers minuit.

— J'attends ce moment avec impatience, répondit Jack.

Il se crispa un peu après avoir prononcé ces paroles. Même s'il espérait avoir fini de travailler à minuit, il ne pouvait guère en être certain.

— Écoute, je suis vraiment désolé pour ce soir.

— Jack, ne t'excuse pas. Nous savons tous les deux que ce que tu as à faire est important… sans doute plus important que je ne le réalise… c'est juste que parfois…

— Écoute, Teri…

— Oh, la limousine est arrivée. Il faut que j'y aille.

Jack regarda sa montre.

— Déjà ?

— Oui. En fait, ça commence dans une heure. Dennis a dit qu'ils l'avaient programmée plus tôt, pour la diffuser en *prime time* sur la côte est. Le chauffeur klaxonne. Je dois m'en aller. Au revoir.

— Amuse-toi bien, dit Jack. Je t'aime…

Mais Teri avait déjà raccroché. Jack écouta la sonnerie un instant, et reposa le combiné sur son support. Il se recoucha sur le lit, ferma les yeux et se massa les tempes. Quand il les rouvrit, le Dr Brandeis et Ryan Chappelle s'approchaient. Jack se redressa et passa sa chemise par la tête. Plus pour cacher les patches, les bandages et les bleus, que par pudeur.

— Comment vous sentez-vous, agent spécial Bauer ? demanda le Dr Brandeis, le scrutant et l'évaluant du regard.

— Le mal de tête est pratiquement passé, répondit Jack. Ma vision s'est sensiblement éclaircie et le repos m'a fait du bien.

D'après l'expression pincée du médecin, Bauer savait que l'homme ne le croyait pas. Ryan Chappelle prit la parole.

— Le Dr Brandeis m'apprend que vous souffrez d'une commotion. Il dit que vous vous êtes baladé avec ça une bonne partie de la journée.

— L'IRM a révélé des œdèmes potentiellement dangereux dans le cerveau.

Le médecin adressait cette remarque à Chappelle. Il poursuivit.

— J'ai déjà donné quelque chose à l'agent Bauer pour les résorber et calmer la douleur. Je ne peux rien faire de plus. Il doit se reposer, prendre le temps de se soigner. Je recommande qu'il soit relevé du service actif pendant cinq à sept jours.

Jack lui coupa la parole.

— Je ne peux pas. Nous sommes en plein milieu d'une crise. Une attaque terroriste est peut-être imminente.

Brandeis se refusa à regarder Jack dans les yeux. Parlant uniquement à Chappelle, il insista.

— D'autres agents sont certainement capables de prendre en main cette opération…

Jack lui coupa une fois de plus la parole.

— Je vais m'en occuper jusqu'au bout, quoi que vous disiez.

Ryan Chappelle croisa les bras et fit face à Jack Bauer.

— C'est vraiment ce que vous voulez ? Pensez-y bien avant de répondre.

Jack ouvrit la bouche pour parler, puis il fit une pause pour réfléchir à la proposition du directeur régional, car il s'agissait bien d'une proposition. Chappelle offrait une porte de sortie à Jack, une chance de se décharger de l'opération en la confiant à quelqu'un d'autre. Jack pouvait signer une décharge, quitter l'infirmerie, se rendre chez la cousine de Teri pour récupérer Kim. Ils pourraient regarder les Awards ensemble, et il se chargerait de faire un câlin à Teri quand elle rentrerait. Jack visualisa cet instant, avant de le chasser de son esprit. Il voyait le visage radieux de Kim. Sa femme, dans cette sublime robe. Puis, une autre image se glissa au milieu de tout ça : celle de Hugh Vetri, et de toute sa famille massacrée.

Jack se souvint du CD-rom que l'homme avait en sa possession. Il contenait son dossier secret de la CAT, son adresse, le nom de ses proches.

— Je ne peux pas m'arrêter, docteur Brandeis. Je dois mener cette opération jusqu'au bout. Qui sait combien de vies sont en jeu.

Avec une frustration visible, le Dr Brandeis se détourna de son patient et regarda le directeur régional.

— C'est vous qui aurez le dernier mot, monsieur. Vous pouvez garder cet agent en service actif, au risque de le tuer. Mais vous pouvez également le relever de ses fonctions et le placer de force sous contrôle médical.

Ryan Chappelle secoua la tête.

— Je comprends les risques, docteur Brandeis, et

je vous remercie de les soumettre à mon attention. Cependant, une crise se profile à l'horizon et nous ne la maîtrisons pas. Cette menace pourrait avoir de graves répercussions.

Il se tourna pour regarder Jack droit dans les yeux.

— Malheureusement, j'ai besoin de l'agent spécial Bauer. Je n'ai pas le temps de mettre quelqu'un d'autre au courant. Je suis obligé de renvoyer cet homme en service actif, immédiatement.

***

16:07:21 PDT
Extérieur de La Hacienda,
Tijuana, Mexique

Avant d'envoyer Milo en direction du nord avec Lesser et les autres, Tony Almeida avait soulagé Cole Keegan de sa carabine à canon scié et d'une trentaine de munitions. Après leur départ, il était monté dans la camionnette blanche, avait déverrouillé le compartiment secret situé dans le coffre et en avait soulevé le couvercle.

Tony s'arrêta un instant en voyant l'espace qui avait contenu un des deux Glocks. Il se souvint qu'il avait donné cette arme à Fay pour qu'elle se protège. Compte tenu de ce qu'il avait vu sur la scène du crime, elle ne s'en était pas servi.

Fronçant les sourcils, Tony mit l'autre pistolet dans le manteau que Keegan lui avait prêté. Fouillant plus profondément dans le compartiment, il trouva les huit chargeurs à dix-sept coups, qu'il fourra dans ses poches. Il plaça ensuite la carabine et les cartouches dans le compartiment et le referma.

Tony soupesa l'arme à laquelle il n'était pas habitué.

C'était un modèle 18C de Glock, une toute nouvelle variante disposant d'un mode entièrement automatique, permettant de tirer onze coups à la minute. D'usage restreint et inaccessible aux civils, ce modèle était muni d'un sélecteur de tir monté sur une glissière à gauche. Le canon dépassait le bout de la glissière, et trois entailles diagonales couraient au-dessus du canon, faisant office de compensateurs.

Avec l'arme et le kit de premiers secours de la camionnette dans son manteau, Tony remonta au premier étage de l'hôtel. Il pénétra dans la chambre 6, nettoya et pansa ses brûlures, enfila des vêtements propres. Il passa les trente minutes qui suivirent à supprimer toute preuve de leur présence sur les lieux. Il démonta les ordinateurs et les rangea à l'arrière de la camionnette, avec ses bagages et ceux de Fay, les cartes de crédit volées et les décodeurs magnétiques. Il ne trouva nulle part le deuxième revolver de la CAT, mais il rassembla les bouteilles d'eau qu'ils avaient bu, et même les gobelets en plastique vides, qu'il mit également dans la camionnette. Quand la pièce fut vide, il utilisa un rouleau de papier pour nettoyer toutes les surfaces, espérant effacer ou brouiller toute empreinte digitale.

Ensuite, Tony s'assit au bord d'un des lits et étudia une carte de Tijuana, choisissant mentalement le meilleur itinéraire à travers la ville. D'après Brandy, Ray Dobyns et les Tchétchènes se cachaient dans une maison située sur l'avenue Dante, dans la partie sud de la ville.

Quand il eut terminé, Tony se leva, plia le plan et le mit dans sa poche. Il chargea le Glock, le glissa dans le manteau. Sans un regard, il quitta la chambre où Fay Hubley était morte.

De nouveau dans la rue, il marcha dans l'après-midi brûlant. Autour de lui, la rue était pratiquement déserte. Un vent chaud soulevait la poussière. Luttant contre l'éclat du soleil accablant, il chaussa ses lunettes à large monture.

C'était la période la plus chaude de l'année, et les vieux Mexicains consacraient cette heure à la sieste. Il se reposaient maintenant, quand la chaleur était à son paroxysme, et retournaient au travail à six heures. Ils s'activaient alors toute la soirée.

Tony soupira. Il déverrouilla la camionnette. Il avait beaucoup de temps devant lui. Une longue nuit l'attendait aussi. Mais il ne se reposerait pas tant qu'il n'en aurait terminé avec tout ça.

*
* *

16:17:21 PDT
Siège de la CAT, Los Angeles

— Vous avez craqué le *Trojan* ? demanda Nina.

Elle se tenait dans la salle de contrôle, regardant des séquences de données défiler sur l'écran de l'ordinateur.

Depuis sa chaise placée devant l'écran, Doris la regarda et hocha la tête.

— On en est à plus de la moitié. La clé se trouvait dans la transcription de ta conversation avec Milo. Richard Lesser lui avait confié que le programme ciblait un logiciel de comptabilité, mais il n'a pas dit lequel.

— Il en existe combien ? s'enquit Nina.

— Il y en a des douzaines, peut-être des centaines, sur le marché, expliqua Jamey.

Elle était assise près de Doris et restait concentrée sur l'écran tout en parlant.

— De nombreuses entreprises du secteur de la communication utilisent un logiciel allemand appelé Sap, destiné à leurs besoins particuliers, bien entendu…

— Mais le *Trojan* de Lesser n'a pas affecté Sap, dit Doris, le programme utilisé par les éditeurs et la presse. Les studios de cinéma se servent d'un autre outil.

— Leur programme s'appelle Cinefi, dit Jamey. C'est une abréviation de Cinéma Finance, un programme de gestion des finances et des ressources humaines que presque tous les studios ont adopté.

— Le virus de Lesser est très précis, ajouta Doris. Il n'infecte que les systèmes utilisant Cinefi.

— D'accord, dit Nina, en poussant un siège vide vers le poste de travail pour s'y asseoir. Explique-moi pourquoi.

Doris fit pivoter sa chaise, pour se retrouver face à Nina.

— En sabotant ce programme-là en particulier, les terroristes peuvent causer des dommages chez les multinationales de l'industrie audiovisuelle. Ils peuvent transférer des fonds ou rendre inopérants des codes de sécurité.

— Alors, ce virus-ci, que fait-il ? Tout cela à la fois, ou s'agit-il juste d'un virus nuisible ?

— Ça, on ne le sait pas. Pas encore, répondit Jamey.

Doris fit de nouveau tourner sa chaise, et attira l'attention de Nina sur l'écran de l'ordinateur.

— J'ai chargé le programme Cinefi dans ce serveur isolé, et je l'ai ensuite infecté avec le *Trojan* de Lesser. Comme tu le vois, il se passe quelque chose. Le virus cherche peut-être un genre de protocole. Ou alors, il utilise le logiciel Cinefi comme plate-forme pour lancer une attaque ailleurs.

Le visage de Nina demeura impassible, mais le ton de sa voix fut tranchant.

— Ce n'est pas assez précis.

— Nous avons trouvé un code enfoui dans le Trojan, fit vite remarquer Doris. Il permet de lancer le virus à une date et une heure bien définies.

— Quand ?

Doris échangea un regard inquiet avec Jamey, et dit :

— Il y a trois heures.

Nina se crispa.

— Alors, nous arrivons trop tard pour l'arrêter.

— Pour le moment, nous ne pouvons mesurer aucun effet, dit Jamey. Je me suis procuré un mandat pour surveiller les ordinateurs des grands studios avec le logiciel de surveillance de la CAT. Aucun problème n'a été signalé. Pas de retards, ni de pertes de données. Rien n'indique que le virus ait été actionné.

Doris approuva de la tête.

— La spécificité de la cible explique pourquoi le virus n'a causé aucun dommage majeur des heures après avoir été lâché. Son champ d'action est trop restreint pour inquiéter 99,9 % des personnes possédant un ordinateur. Même si quelqu'un télécharge *Les Portes du Paradis*, son appareil sera infecté, mais pas affecté.

— Seule l'informatique des principaux studios est menacée, expliqua Jamey, une pointe de soulagement dans la voix. Jusqu'ici, il n'est rien arrivé, même aux unités centrales des studios. Richard Lesser est sans doute un génie quand il s'agit de pirater des systèmes de sécurité, mais on dirait que son *Trojan* n'est pas une réussite.

*
* *

16:38:54 PDT
Tour Rossum,
Century City

L'architecte Nawaf Sanjore habitait les cinq derniers étages d'un immeuble qui en comptait trente-quatre. Il l'avait lui-même dessiné sur la corne de Century City. Ce terrain, auparavant situé derrière les studios de la 20th Century Fox, avait été transformé dans les années 80. C'était devenu un quartier de gratte-ciel abritant des banques, des compagnies d'assurance, des institutions financières, des cabinets de placement, des magasins et des salles de cinéma, le tout coincé entre Beverly Hills et West Hollywood. La Tour Rossum dessinée par Sanjore épousait parfaitement l'esthétique ultramoderne de cette partie de Los Angeles, avec sa façade lustrée et nue et ses ascenseurs extérieurs en verre.

Jack Bauer conduisait le SUV noir de la CAT le long du boulevard, vers le parking souterrain du bâtiment. Près de lui, sur le siège du passager, Nina Myers sortit son agenda électronique, et commença à passer en revue les informations qu'elle avait enregistrées sur le célèbre architecte.

— Né au Pakistan, Nawaf Sanjore a immigré en Grande-Bretagne en 1981. Il a étudié à la London School of Design, puis il a obtenu un diplôme au MIT. Il est allé travailler pour Iso Masumoto en 1988. Il l'a quitté en 1992 pour créer son propre cabinet d'architecte.

— Est-il musulman ? Pratiquant ? demanda Jack.

— Musulman de naissance, il a conçu une mosquée en Arabie Saoudite, mais il semble mener une vie profane. Le FBI fait état de plus ou moins longues liaisons avec des femmes américaines ou britanniques.

— Il est politisé ?

— Pas tellement. Il s'est impliqué dans des œuvres de charité et différentes associations à but non lucratif, dont le Croissant Rouge et l'Alliance du Commerce extérieur pour la Russie et l'Europe de l'Est. Il est aussi membre de la Fondation pour les Orphelins d'Abigail Heyer. Il a fait des dons lors des campagnes des actuels maire et gouverneur.

Jack fronça les sourcils.

— Ibn Al Farad était aussi un profane avant de rencontrer Hasan. Sur quels autres projets Sanjore a-t-il travaillé ?

Nina afficha une autre page sur son PDA.

— Nawaf Sanjore a conçu personnellement seize gratte-ciel. Cinq aux États-Unis et les autres disséminés ici et là de par le monde. Il y en a dans des endroits tels que Dubaï, Singapour, Kuala Lumpur, Hong Kong, Sydney. Trois de ces immeubles se trouvent ici, à Los Angeles. La Tour Rossum, le Pavillon du Libre-Échange à Santa Monica...

— Je l'ai déjà vu, dit Jack.

— Regarde ça. Le Pavillon du Libre-Échange est mentionné aujourd'hui sur la liste de sécurité de la CIA et de la CAT. La femme du vice-président s'y trouvait en compagnie de la Première Dame de Russie. L'événement s'est déroulé sans anicroche. Les services secrets n'ont pas sollicité l'assistance de la CAT.

— Où sont-elles maintenant ?

Nina afficha l'itinéraire officiel.

— Ces dames vont dîner chez Spago. Elles assisteront ensuite aux Silver Screen Awards.

Nina se fit étrangement silencieuse et Jack regarda dans sa direction. Sa silhouette mince paraissait tendue. D'une main, elle tenait son agenda électronique. De l'autre, elle se frottait le front en réfléchissant.

— Nina, qu'as-tu trouvé ?

— Je ne sais pas. Ce n'est peut-être qu'une coïncidence.

— Dis-moi.

— La manifestation prévue au Pavillon du Libre Échange a commencé à l'heure où le code horaire enfoui dans le virus de Lesser a activé le *Trojan*.

Jack réfléchit à l'information.

— Mais on ne sait pas encore comment il agit. C'est exact ?

— En effet.

Nina continua de loucher sur le minuscule texte inscrit sur l'écran de son PDA.

— Le projet le plus important sur lequel Sanjore a travaillé était le Summit Studio, ce complexe bâti pour dynamiser toute une partie du centre-ville.

Elle leva les yeux.

— En fait, c'est le Summit Studio qui distribue *Les Portes du Paradis*. Les bureaux de Hugh Vetri se trouvent au huitième étage de la première tour.

— Intéressant, même si ça ne prouve rien.

Jack pénétra dans le garage et prit le ticket délivré par l'automate. Le portail s'ouvrit et Bauer avança plus loin, dans les entrailles de la Tour Rossum.

— Nous disposons de nombreuses preuves circonstancielles, déclara Nina, mais on peut toutes les considérer comme de simples coïncidences.

— Ibn Al Farad m'a chuchoté le nom de Nawaf Sanjore quelques secondes avant de mourir. Ça doit vouloir dire quelque chose.

— Tu penses que Sanjore pourrait être Hasan ?

Nina semblait sceptique.

Jack conduisit le SUV dans une place de garage et coupa le moteur.

— Nous le saurons bien assez vite.

Silhouette d'ébène vêtue d'un costume de Giorgio

Armani, Nawaf Sanjore arpentait son bureau du trente-quatrième étage, des chaussures de marque Bruno Magli aux pieds. À l'extérieur, les gratte-ciel de Century City s'élevaient autour de lui, les murs vitrés de son luxueux appartement lui offrant une vue superbe.

Sanjore ignorait ce paysage, passant d'un ordinateur à l'autre pour transférer des mégabits de données sur des serveurs miniatures ou des zips. Chaque fois qu'un outil de stockage était plein, Sanjore le déconnectait de son port USB et le glissait dans une mallette fauve. Ses yeux intelligents et vifs scrutaient les écrans, vérifiant le contenu de chaque dossier avant d'en sauvegarder les données. Il se déplaçait calmement, avec des gestes précis, se mordant la lèvre inférieure du bout de ses dents blanches dans un réflexe de concentration.

Derrière l'architecte, deux assistants brûlaient des papiers, des plans et des mémos dans les flammes craquantes de la cheminée centrale. C'était un cylindre d'ardoise grise, coiffé d'un conduit d'acier en forme de trompette.

Sur l'écran géant d'un immense poste de travail, Nawaf Sanjore afficha les schémas qu'il venait juste de graver sur un mini-disc : les plans de l'Auditorium Chamberlain. Il les avait fournis à Hasan, quand le bâtiment était encore en construction. Obéissant aux ordres du maître, il avait apporté des modifications secrètes aux plans originaux. Il avait ajouté une zone accessible uniquement aux terroristes, une fois qu'ils auraient pris le contrôle des lieux. À présent, l'heure était venue. Trois années de projections et de préparation allaient porter leurs fruits. Pourtant, Sanjore nourrissait quelques doutes secrets.

Un plan si audacieux peut-il réussir ?

L'architecte baissa la tête, honteux de son manque de

foi. Hasan était plus sage que lui, et remettre en cause celui qui lui avait apporté l'illumination, serait pire qu'une trahison : c'était de la folie. Avant de le rencontrer, Nawaf Sanjore ne croyait pas au Paradis. Hasan lui avait montré la lumière et le chemin. À présent, il avait la foi. Une obéissance totale et une foi sans faille, voilà tout ce que demandait le maître en retour. *Un bien petit prix pour la félicité éternelle.*

— Quand toutes les copies et documents auront été détruits, je veux que vous purgiez la mémoire de l'unité centrale. Intégralement, ordonna Sanjore. Je ne veux pas que les autorités récupèrent quoi que ce soit.

— Bien, monsieur…

Un carillon retentit, les interrompant. L'architecte se tourna vers l'écran, et l'éteignit.

— Ici Sanjore…

Le système de reconnaissance vocale compris dans le réseau de communication interne, très élaboré localisa la personne qui parlait, et envoya le message.

— C'est la sécurité, monsieur. Deux agents de la CAT sont ici. Ils souhaitent vous parler. Ils disent que ça ne peut pas attendre ; c'est en rapport avec la sécurité nationale.

Un gros homme avec une barbe noire particulièrement fournie vint de la salle de séjour. Il avait l'air affolé.

— Qu'est-ce qu'ils veulent ? chuchota-t-il.

Sanjore le fit taire d'un regard.

— Je vais recevoir ces agents, répondit-il sur le réseau de communication interne. Envoyez-les au trente-quatrième étage, s'il vous plaît. Quelqu'un les y accueillera.

— Reçu, monsieur Sanjore.

La communication prit fin. Saaid s'exprima alors :

— C'est de la folie de parler à ces Américains. Ils

ont sûrement découvert quelque chose. Le plan doit prendre l'eau. Ils sont peut-être venus nous arrêter tous…

— À deux ? J'en doute.

Sanjore posa les mains sur les épaules de l'autre homme.

— Garde la foi, Saaid ! Tout n'est pas perdu. Et si c'est le cas, nous nous reverrons au Paradis.

Les paroles de Nawaf Sanjore calmèrent son camarade. Saaid parla encore d'une voix anxieuse.

— Ils se doutent de quelque chose. Pourquoi seraient-ils venus là, autrement ?

— C'est ce jeune Ibn Al Farad, dit l'architecte. Il était faible et idiot. Il nous a très certainement donnés. Hasan a bien fait d'avancer le plan d'évacuation. Il a dû sentir le danger.

Saaid se frotta nerveusement les mains.

— Les agents des services secrets américains sont en train de monter. Que vas-tu faire d'eux ?

— J'ai presque fini, ici. Ces hommes, dit Sanjore en faisant un geste pour montrer ses assistants, se chargeront de nettoyer les ordinateurs. Va dans ma chambre. Prends ma mallette et mon agenda électronique, ensuite va sur le toit. Dis au pilote de mettre le moteur en route, je te rejoins dans un bref instant.

— Tu dois faire vite ! Les Américains arrivent…

Sanjore leva une main manucurée.

— N'aie aucune crainte, mon ami. Nous quitterons cet endroit ensemble. Yasmina s'occupera des Américains.

La vue était spectaculaire à travers les parois de verre des ascenseurs, mais Jack la remarquait à peine.

Il gardait les yeux fixés sur les chiffres qui défilaient rapidement sur le cadran numérique situé au-dessus de la porte. Au trente-quatrième étage, les portes métalliques laquées de brun s'ouvrirent.

La femme qui vint saluer Jack et Nina était si petite que Jack la prit un instant pour une enfant. Un regard plus attentif lui indiqua qu'elle avait au moins vingt-cinq ans. Mince, elle avait le teint foncé et de grands yeux noirs. Son petit corps, parfaitement proportionné, était enveloppé dans un sari bleu ciel très ajusté. Ses petits pieds étaient enfoncés dans des babouches ornées de bijoux. Ses cheveux noirs avaient été remontés sur le haut de sa tête. Des dagues décoratives maintenaient en place cette coiffure lui ajoutant quelques centimètres. Cependant, elle faisait à peine un mètre vingt. Jack ne croyait pas que la jeune femme puisse peser plus de quarante-cinq kilos. Elle pencha la tête avec grâce. Son sourire était chaleureux, sa voix aussi douce et mélodieuse que des carillons tintant au vent.

— Je me présente : Yasmina. Qui dois-je annoncer ?

— Je suis l'agent spécial Jack Bauer de la CAT. Voici ma partenaire, Nina Myers.

— M. Sanjore sera ravi de vous venir en aide, s'il le peut. Suivez-moi, je vous prie.

Elle se tourna et marcha à petits pas mesurés, le long de la moquette du couloir.

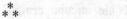

***

Après avoir parlé au pilote, Saaid réalisa qu'il n'avait pas récupéré les affaires de son patron dans sa chambre, comme il le lui avait ordonné. Il descendit en trombe l'escalier à spirale, terrifié à l'idée de croiser les agents américains au prochain tournant… Ou même Nawaf Sanjore, qui découvrirait ainsi son oubli.

Il arriva dans la chambre de son maître, trouva la mallette Louis Vuitton sur le lit et l'agenda électronique dans la penderie. Soulagé que la tâche soit si aisée, il empoigna les éléments et passa la porte à toute vitesse. Il entendit des voix dans le couloir et se raidit.

Les Américains.

Saaid regarda dans le couloir. Quelqu'un approchait. Des ombres dansaient sur le mur. Il fallait qu'il sorte de là ! Le cœur battant la chamade, il se rua vers l'escalier à spirale. Sur son chemin, il heurta un pilier de pierre avec la mallette, faisant tomber une statue précolombienne sur le sol en béton. Quand elle s'écrasa, on aurait pu croire à une explosion.

Jack et Nina marchaient dans le couloir quand ils entendirent le bruit. Jack tourna la tête vers la source du fracas, mais Nina fit face à la jeune Yasmina, et leur sauva ainsi la vie.

Tournant sur elle-même, Yasmina retira de ses mains délicates les dagues qui ornaient son épaisse chevelure. Elle en lança une sur la gorge exposée de Jack.

— Jack ! cria Nina, le poussant sur le mur.

En le bousculant, Nina se mit sur la trajectoire du poignard. La lame d'argent s'enfonça profondément dans son épaule et la jeune femme hurla.

D'un geste agile et gracieux, Yasmina tournoya dans les airs et atterrit les bras joints en face de Jack, qui reprenait seulement son équilibre. Un deuxième poignard lui déchira l'avant-bras, mais la lame fut arrêtée par le bandage qu'il portait sous sa chemise. Dans un mouvement réflexe, Jack arracha l'arme qui tomba des mains de la femme.

Un homme à forte carrure passa à toute allure près d'eux, fonçant vers un escalier à spirale, comme un train sans conducteur. D'une main, il tenait une mallette. De l'autre, il agrippait ce qui ressemblait à un revolver d'argent. Durant une fraction de seconde, Jack pensa qu'il s'agissait de Nawaf Sanjore.

Yasmina profita de ce moment de distraction pour lui donner un puissant coup de pied au genou, le frapper à la mâchoire du plat de la main et prendre une autre paire de dagues, dissimulées dans ses vêtements. Elle les tira et s'arrêta pour empaler Jack, quand un poignard en argent s'enfonça d'un côté de sa gorge, la déchirant pour sortir de l'autre côté. Une fontaine de sang jaillit alors que Nina retirait l'arme blanche, coupant veines, artères et cartilages.

Yasmina se pencha en avant, les yeux brouillés, les lèvres retroussées. Les dagues lui tombèrent des mains. Sa tête roula ensuite en arrière, comme elle s'abattait en avant, sur le sol.

Au bout du couloir, le gros homme montait à grand bruit l'escalier. Jack tourna rapidement a tête.

— Nina, tu vas bien ?

Agrippant son épaule blessée, Nina enjambait le cadavre de Yasmina.

— Ça va aller, mais il faut que tu l'arrêtes.

Jack s'était levé. Avant qu'elle ait achevé sa phrase, il courait déjà. Il saisit la rampe d'une main et sortit son arme tactique de l'autre. Avant d'arriver en haut, il avait ôté la sécurité. L'escalier menait à une passerelle étroite et à une porte métallique. D'un coup d'épaule, il enfonça la porte et l'ouvrit. De la poussière et un vent chaud lui fouettèrent le visage, cependant qu'un hélicoptère quittait le toit plat, tournait dans les airs et s'envolait au loin.

Jack courut sur le toit, visant l'appareil en fuite avec son arme. Il avait presque appuyé sur la détente, quand il vit le gros homme. Il se tenait au bord du toit, la mallette Louis Vuitton posée près de lui, regardant l'hélicoptère disparaître dans l'horizon lumineux.

— Ne bougez pas ! ordonna Jack. Éloignez-vous du bord de l'immeuble et retournez-vous.

L'homme leva les mains en signe de reddition, mais il ne regarda pas Bauer.

— Reculez, et retournez-vous ! répéta Jack.

Dans la main de l'homme, il vit l'objet qu'il avait pris pour un revolver en argent. Il s'agissait en réalité de l'agenda électronique, peut-être celui de Nawaf Sanjore. Bauer savait qu'il lui fallait récupérer l'appareil.

— Regardez-moi ! ordonna Jack, en avançant.

En entendant les pas de Jack, l'homme baissa les bras, et sauta du haut de l'immeuble.

— Allah Akbar !

Le son du cri suicidaire diminua, atteignant les oreilles de Jack, alors que l'homme disparaissait hors de sa vue.

Heure 13

Ces événements se déroulent entre 17 h et 18 h PDT

17:01:55 PDT
Tour Rossum,
Century City

Jack retourna dans le couloir où l'affrontement mortel avait eu lieu. Il y trouva le corps de Yasmina, mais Nina avait disparu. Il lâcha la mallette Louis Vuitton qu'il avait récupérée sur le toit, sortit son arme et la tint des deux mains en position de tir.

— Nina ! Nina, tu m'entends ?

Sa réponse émana de haut-parleurs camouflés.

— Jack ! Il y a un escalier au bout du couloir. Je suis deux étages au-dessous de toi, dans le bureau de Sanjore. Je pense avoir trouvé quelque chose.

Jack descendit, et trouva sa partenaire penchée sur un clavier d'ordinateur. Elle avait versé du vieux cognac sur son épaule et s'était fait un pansement avec des morceaux de serviette en coton égyptien blanc. L'entaille était profonde. Le pansement était déjà maculé du sang qui coulait encore.

— J'ai appelé l'équipe médicale, lui apprit-il en refermant son téléphone. Ils seront là dans une minute.

Nawaf Sanjore s'est enfui en hélicoptère. La CAT avait repéré l'appareil sur son radar, mais on l'a perdu à cause de la circulation bordélique de Los Angeles. Il peut aller n'importe où, à l'heure qu'il est.

Bauer remit la sécurité de son arme.

— Je me suis arrangé pour coincer un des assistants de Sanjore, mais l'homme a préféré se jeter du haut de la tour plutôt que de se laisser arrêter. Il avait un agenda électronique à la main. Je doute qu'il ait survécu à la chute…

— Les ordinateurs aussi ont été nettoyés, dit Nina de sa voix claire, en dépit de sa blessure. Mais regarde ce que j'ai trouvé en allumant l'écran.

Le plus grand écran, dans une pièce qui en comptait beaucoup. Jack regarda le schéma en couleur, représentant apparemment les plans d'un immeuble. Rien ne permettait cependant d'identifier le bâtiment.

— Quelqu'un a oublié de fermer ce programme en effaçant la mémoire de l'ordinateur. Le fichier original a disparu, mais on peut transférer l'image dans la mémoire de l'imprimante, dit Nina. Du moins, je l'espère.

Elle pianota sur quelques touches. Dans un coin, une grosse imprimante se mit en marche et recracha des copies des plans. Nina et Jack expirèrent, sans se rendre compte qu'ils avaient retenu leur souffle.

— C'est déjà ça, soupira Nina.

— Bon boulot, dit Jack.

Il lui toucha le bras et ajouta :

— Merci de m'avoir sauvé la vie.

— Jack, tu saignes !

Jack leva un sourcil, tout en remontant sa manche.

— Toi aussi.

Nina baissa les yeux pour regarder le morceau de serviette ensanglanté dont elle s'était servie pour envelopper sa plaie.

— Mais je me suis déjà pansée, lui dit-elle.

Elle lui indiqua l'essuie-main déchiré qu'elle avait posé sur le bureau. Jack alla le chercher.

— Yasmina m'a touchée à l'endroit de la blessure que j'ai reçue chez les Al Bustani, lui apprit-il, enroulant une bande de coton égyptien autour de son bras qui saignait.

— Je pense que la lame s'est prise dans le bandage. Ça m'a sauvé.

Il sourit à son commandant en second.

— Joli coup, Nina. La tuer avec sa propre arme.

Elle eut un sourire narquois.

— Eh bien, elle m'avait enfoncé cette satanée lame dans l'épaule. Le moins que je pouvais faire, c'était de la lui rendre.

Jack rit, mais durant ce bref instant, il aperçut une lueur cruelle qu'il n'avait jamais vue, dans les yeux de Nina. Elle s'effaça en un éclair… Si vite qu'il crut l'avoir imaginée.

*
* *

17:07:45 PDT
Auditorium Terence Alton Chamberlain,
Los Angeles

L'agent Craig Auburn accompagnait deux techniciens de la sécurité, envoyés par une société privée. Ils devaient effectuer un dernier balayage électronique de l'auditorium entier. Tous deux étaient spécialisés dans la sécurité des événements exceptionnels, et ils avaient apporté leur propre équipement. L'un d'eux était un homme d'environ quarante ans, aux cheveux grisonnants. Il portait à l'épaule un appareil de chromatographie à gaz. L'autre, qui n'avait pas trente ans, avait un spectromètre mobile de couleur gris métallisé attaché dans le dos. Ils commencèrent tous les trois l'inspection par les côtés du bâtiment, avant de monter sur les passerelles situées au-dessus de la scène, de visiter toute la partie supérieure, pour enfin redescendre.

Jusque-là, Auburn n'accomplissait que des tâches administratives. Il soufflait comme un bœuf lorsqu'ils arrivèrent sur l'immense scène principale. Un moment, il se demanda s'il connaîtrait la retraite, ou si son cœur malade le tuerait avant. Soucieux, le plus âgé des deux fouineurs éteignit son engin.

— Hé, mon vieux. Ça va ? Vous voulez peut-être vous reposer un peu ?

Auburn délivra sa réponse, d'une voix grinçante.

— Non, non. C'est seulement le décalage horaire.

Les hommes traversèrent le plateau central qui semblait lisse et brillant de loin. En arrivant plus près, Auburn vit des marques indiquant des positions, des hachures, des prises électriques recouvertes de capuchons métalliques s'alignant le long de la surface immense.

Une réplique géante du Silver Screen Awards surplombait la scène. Elle représentait un ancien modèle de caméra monté sur un trépied. Cet accessoire de scène gigantesque s'élevait à plus d'un mètre du sol. Le boîtier de la caméra, à lui tout seul, avait la taille d'un minibus. Il était composé de feuilles de métal mêlées d'un matériau synthétique utilisé dans les travaux de construction. La pièce trônait sur un chariot motorisé, enveloppé d'aluminium laqué de brun, pour refléter les rampes de la scène. Elle surplombait l'estrade, son ombre s'étendant au-delà de la fosse, pour atteindre les fauteuils du premier rang.

Comme ils s'approchaient de l'accessoire, le spectromètre à ions s'affola. Celui qui le maniait se raidit, tapota sur le pavé numérique pour calibrer le détecteur, mais le signal se fit plus insistant.

— Qu'est-ce que tu as ? demanda le plus âgé des deux.

— Des traces de nitrate.

L'autre secoua la tête.

— Moi, je n'ai rien, et ta machine à ions ne marche pas à tous les coups.

Auburn examina la décoration et se rendit compte que l'énorme Silver Screen Award constituait la version finale, assemblée, des éléments que les ouvriers avaient apportés plus tôt. Ces ouvriers emmenés par l'homme de type moyen-oriental.

— Vous êtes sûr que votre détecteur ne fonctionne pas bien ? demanda Craig Auburn avec insistance, prêt à réduire l'accessoire en miettes, si l'un des deux hommes lui fournissait un motif pour le faire.

Le technicien le plus âgé toucha le bas du trépied. Il retira une main maculée de peinture.

— On vient juste de monter ce truc. Il y a de la peinture, des traces d'acétylène, de la pisse aussi. Rien qui puisse déclencher ton appareil.

— Le signal est faible, approuva le jeune.

— Évidemment, qu'il est maigre, dit l'ancien. S'il y avait une bombe quelque part ici, ce spectromètre ferait un boucan du feu de Dieu. Tu peux me croire. C'est la peinture fraîche qu'il faut incriminer.

Les experts s'éloignèrent pour examiner une autre partie de la scène. Craig Auburn regarda une dernière fois l'accessoire. Quelque chose le chiffonnait, mais il savait parfaitement que ce qui ressemblait à une bosse pour un pinailleur de la médecine légale n'était qu'une petite crotte aux yeux de celui qui voulait conserver son emploi.

— Quoi que vous disiez, c'est vous les experts.

***

17:13:45 PDT
Auditorium Terence Alton Chamberlain, Los Angeles

— *Quoi que vous disiez, c'est vous les experts.*

Les paroles de l'Américain étaient faibles. Les pas qui s'éloignaient encore plus. Cependant, Bastian Grost en avait assez entendu pour ressentir un immense soulagement. Il retira le stéthoscope de la paroi du conteneur, échangea un regard et un hochement de tête avec ses frères d'armes.

Hasan avait raison.

La partie de l'accessoire scénique qu'ils occupaient manquait d'air. Au-dessus de leurs têtes, le filtre à air insonore rafraîchissait l'atmosphère du lieu. Hasan s'était occupé de leur fournir le matériel, bien entendu. Tout le monde avait été ravi de l'allure extérieure de la sculpture géante, de son espace interne. Néanmoins, ils s'étaient interrogés à propos de l'habillage. Le plomb avait toujours été le meilleur bouclier contre les détecteurs d'explosifs. Cependant, un accessoire scénique recouvert de plomb, avec le poids des hommes, aurait été bien trop lourd. Ils ne savaient pas si un habillage en polymère ferait l'affaire, mais tout compte fait, si. Sept de ses hommes étaient assis autour de lui, avec vingt-cinq fusils et trente kilos d'explosifs, et ces imbéciles d'Américains n'avaient rien détecté. Grost était certain qu'ils ne trouveraient pas non plus les armes dissimulées dans un modèle plus petit du Silver Screen Awards que ses hommes et lui occupaient. C'était un élément du décor, à l'arrière de l'auditorium. Le moment venu, leurs complices qui se trouvaient dans la salle quitteraient leurs déguisements, se saisiraient des armes cachées et garderaient les sorties de l'auditorium.

Grost regarda le cadran lumineux de sa montre. Tout avait été prévu jusqu'au moindre détail. Dans moins de deux heures, toutes les pièces s'assembleraient. Ses hommes et lui commenceraient leur voyage vers le Paradis.

***

17:16:12 PDT
Avenue Dante,
Tijuana, Mexique

Ray Dobyns se terrait dans un endroit inattendu. Une maison modeste en brique et en bois sur deux niveaux, dans une banlieue habitée par des personnes de la classe moyenne supérieure. Pour Tony, ces rues et ces maisons n'avaient rien à envier à celles des séries télévisées où vivaient Beaver Cleaver ou la famille Brady Bunch. La maison était nichée dans une petite faille du paysage. Un grand jardin la séparait des autres habitations du voisinage. La bâtisse elle-même était entourée de massifs d'arbustes amaigris et brunis, qui n'offraient pas beaucoup d'ombre. Il y avait une grande baie vitrée et un garage à l'avant de la maison. Beaucoup de gazon poussait autour, même si très peu de cette herbe était encore verte, à cause de la sécheresse prolongée qui avait enflammé les deux côtés de la frontière entre le Mexique et la Californie.

Tony remarqua une énorme antenne satellite sur le toit, un transmetteur de micro-ondes derrière et une autre antenne montée sur un grand arbre, un peu à l'écart de la maison. Avec toute cette technologie dernier cri, Tony savait qu'on ne faisait pas des gâteaux au chocolat, dans cette maison.

Quand il avait vu cette maison en arrivant, il s'y était repris à deux fois. Il avait pensé que cette pute de Brandy s'était moquée de lui. Mais après avoir fait quelques tours dans le coin, après être passé une ou deux fois devant la demeure, il avait finalement vu Ray Dobyns se dandiner dans la cour, comme un gros chat. Il portait un short et sa masse était allongée dans une chaise longue près d'une petite piscine, pendant qu'il sirotait de la tequila et fumait un gros cigare. Maintenant qu'il était certain d'avoir trouvé le bon endroit, Tony se gara de l'autre côté de la rue et observa la maison. Au bout de vingt minutes, l'agent spécial comprit que les Tchétchènes devaient se trouver ailleurs et que Dobyns était seul. Il serra les mains sur le volant.

Ça n'ira pas, se dit-il. *Il faut que tout le monde soit là pour ma petite sauterie.*

***

17:20:47 PDT
Tour Rossum,
Century City

L'équipe d'informaticiens était arrivée et le bureau de Sanjore était soudain devenu un lieu de passage très dense. Il y avait tant de bruit que Jack n'entendit pas son téléphone quand il sonna. Il le sentit seulement vibrer.

— Bauer.

— Jack ? Jack… Est-ce que c'est toi ? (C'était la voix de Frank Castalano.) Il va falloir que tu parles fort, je n'ai toujours pas de bonnes oreilles.

Jack se souvint du lance-roquettes qui avait frappé le véhicule de Castalano. Il savait que son ami avait eu de la chance de s'en tirer avec seulement une baisse de l'audition.

— C'est moi, Frank, répondit Jack à voix haute, des regards se tournant vers lui. Comment va ton coéquipier?

— Quoi?

— Comment va Jerry Adler?

— Toujours au bloc opératoire. Sa femme est à l'hôpital, en ce moment… Quel gâchis.

— Comment vas-tu, toi?

— Quelques égratignures et des bleus. Les médecins disent que j'entendrai mieux dans quelques jours. En attendant, j'entends les cloches de Notre-Dame sonner dans ma tête.

Il y eut un blanc.

— Jack, il y a une heure, nous avons trouvé un portable que Hugh Vetri avait caché sous des papiers, dans son bureau. Il se l'était acheté avec une fausse identité, il y a seulement huit jours…

— Vetri devait se sentir sur écoute. Y avait-il des signes de surveillance non autorisée?

— On n'en a pas encoure trouvés, mais nous avons découvert que Vetri avait passé trois appels avec ce téléphone, tous vers le même numéro : le bureau de Valerie Dodge, P-DG de l'agence de mannequins Valerie Dodge.

17:22:42 PDT
Autoroute 39,
Forêt nationale d'Angeles

L'hélicoptère, survolant une zone forestière, amorça une descente en piqué sur les monts San Gabriel jusqu'à ce qu'il trouve une section déserte de la route, qui avait jadis fait partie de l'autoroute 39. L'appareil descendit vers l'asphalte abîmé dans une nuage de poussière, de feuilles et d'aiguilles de pin desséchées. Les roues avaient à peine touché le sol que la porte s'ouvrit. Nawaf Sanjore bondit vers l'extérieur. Se baissant pour éviter les épines qui voltigeaient, l'architecte courut sur le bitume, pour atteindre le bas-côté.

Se protégeant le visage du souffle chaud de l'hélicoptère, Sanjore regarda l'appareil s'élever et disparaître, le son de ses hélices s'évanouissant rapidement. Avec une inquiétude croissante, il observa le route déserte, l'épais rideau de verdure qui s'étendait de part et d'autre. Le vent soufflait dans les arbres. Un vautour cria au loin. Entouré de cette nature sauvage, il se sentait vulnérable. Il faillit pousser un cri en entendant un frottement sur la roche. Il se tourna vers la source du bruit et vit une partie du sol s'ouvrir. La fosse révélait d'étroites marches en béton, menant sous la terre.

Sanjore entendit des pas. Un homme barbu, vêtu d'une robe noire d'imam, monta l'escalier pour le saluer.

— Je vous prie de me suivre.

Dans le tunnel, l'air était frais et parfumé. L'homme à la robe conduisit Sanjore dans un couloir, au milieu d'un dédale de grottes aboutissant à une pièce immense, au plus profond de la montagne. La crevasse, située au centre de la terre, avait été transformée en une sorte d'Eden. Des ampoules encastrées illuminaient de lueurs célestes l'espace où soufflait une brise légère. Des haut-parleurs diffusaient la musique de carillons poussés par le vent. Nawaf Sanjore estima la hauteur du plafond : il était à plus de mille mètres au-dessus de sa tête. De délicats glaçons de pierre – des stalactites –, y coulaient, baignées d'un arc-en-ciel de lumières changeantes.

À l'autre bout de l'immense cave, un ruisseau d'eau

fraîche de la montagne plongeait, depuis un rebord rocheux, dans une mare aux eaux ondulantes. Au fond, des lumières diffusaient un éclat bleu, phosphorescent. De l'autre côté, à plusieurs centaines de mètres, un édifice de verre et de pierre comportant trois gradins avait été construit le long du mur de la grotte. Des lumières scintillaient derrière des murs en verre, où Sanjore vit des pièces luxueuses, garnies de meubles modernes. Sur le sol inégal, des morceaux de quartz, de granit poli et de cristal brillaient, enfouis dans la pierre.

À chaque détour, une nouvelle senteur flattait ses sens : jasmin, rose, chèvrefeuille. Le calme placide de ce lieu mystique n'était rompu que par le bruissement des robes des imams. Ils traversaient un jardin de pierre où des stalagmites surgissaient en dents de scie, comme d'étranges cactus. Traversant un pont de cristal enjambant un petit ruisseau, ils prirent un couloir conduisant à la maison faite de quartz.

La beauté paradisiaque et la perfection esthétique du repaire souterrain laissaient l'architecte sans voix. Alors qu'ils approchaient de l'entrée, les portes coulissèrent, n'émettant qu'un léger sifflement.

L'homme à la robe s'arrêta.

— Entrez, je vous prie. Des serviteurs satisferont vos désirs. Hasan n'est pas encore arrivé, mais il ne saurait tarder.

17:30:02 PDT
Auditorium Terence Alton Chamberlain,
Los Angeles

Trente minutes avant que le rideau ne se lève pour la cérémonie annuelle des Silver Screen Awards, Teri ne parvenait pas à rejoindre sa place. Des dizaines de personnes s'étaient regroupées dans l'entrée, se massant sous l'arcade située devant l'auditorium. Une poignée de portiers tentait de s'occuper de la foule.

Teri allait se faufiler vers la première rangée quand elle entendit une voix familière.

— Teriiii ! Teri Bauer !

— Nancy !

Les deux femmes s'embrassèrent.

— Tu es superbe ! Comme cette tenue te va bien ! cria Teri.

Nancy Colburn portait une robe rouge de style Années folles avec de longues franges. Elle s'était coiffée à la garçonne et arborait un petit chapeau. Elle avait pris quelques kilos, mais Teri ne l'avait jamais vue aussi heureuse.

— Comme tu es élégante, roucoula Nancy. C'est du Versace ?

Teri fit oui, de la tête.

— Où sont les autres ? Et pourquoi on ne nous laisse pas entrer ?

Une voix masculine s'éleva.

— La femme du vice-président et la Première Dame de Russie passent par ici, madame. Elles arrivent d'une minute à l'autre.

Teri fit face à l'officier de police, un jeune hispanique séduisant et basané. Elle lut le nom brodé sur son écusson.

— Merci pour ces informations, officier Besario.

— C'est un plaisir, madame, dit-il en souriant.

— Par ici ! Teri, viens ! appela Nancy.

Elle était venue avec Chandra et Carla.

— Salut, cria Teri.

Elle étreignit ses anciennes collègues. Quand elles travaillaient ensemble, Chandra sortait à peine de l'adolescence. C'était une jeune technicienne afro-américaine empotée, toujours vêtue de T-shirts trop grands, avec des lunettes bringuebalantes. À présent, elle était une cinéaste reconnue, pleine de confiance en elle-même. Ses lunettes avaient disparu, et la silhouette de garagiste avait fait place à une allure svelte, drapée dans une robe de soie violette. Cependant, la plus grande surprise vint de Carla.

— Dennis m'a dit que tu étais fiancée, dit Teri.

— Et tu vois pourquoi, répondit Carla, caressant son ventre proéminent. Plus de huit mois. Le plus drôle, c'est que Gary m'a demandé de l'épouser trois heures avant que la bande du test devienne bleue ! Dennis dit qu'on peut y voir la preuve d'un véritable amour.

Cela fit rire Teri.

— C'est la vérité, reprit Carla. Je suis censée avoir ce petit bout dans sept jours. Je ne serais pas venue, si Dennis n'avait pas insisté. Il m'a dit que j'avais travaillé sur le film et que je n'aurais à m'en prendre qu'à moi-même s'il recevait un Award sans que je sois là pour partager son succès.

— Comme c'est diabolique. D'ailleurs, où est passé l'insaisissable Dennis Winthrop ? demanda Teri, tentant de dissimuler son impatience.

— Il est producteur. Il doit fouler le tapis rouge, dit Nancy.

— Tu plaisantes ?

Carla rit.

— J'espère qu'il porte autre chose qu'un de ses joggings, sinon Joan Rivers va lui tailler un costard.

— Voilà les personnalités, indiqua Chandra.

Elle regardait la Première Dame de Russie et l'épouse du vice-président, pénétrer dans l'auditorium. Flanquées d'hommes au visage grave vêtus de costumes noirs et portant des casques, les deux dames fendirent la foule qui s'écarta, comme les flots dans une épopée biblique de Cecil B. DeMille.

Teri remarqua que la femme du vice-président avait l'air plus vieille dans la réalité, et combien la Première Dame de Russie était grande. Elle avait lu quelque part que pas une ne la dépassait parmi celles qu'on avait acceptées au Bolchoï. Ces deux femmes éblouissantes furent conduites à toute allure sous l'arcade, et disparurent en un éclair. Une minute plus tard, un groupe de portiers en uniforme apparurent dans l'entrée et commencèrent à escorter les invités vers les sièges qui leur avaient été attribués.

— Mon Dieu, gémit Carla. J'espère qu'ils m'ont installée à côté des toilettes. À l'approche du jour J, je dois souvent y aller.

— Tu connais ces cérémonies, dit Nancy. Si ce truc s'éternise, tu auras peut-être ton bébé ici même.

*
**

17:46:58 PDT
Siège de la CAT,
Los Angeles

Prévenu de leur arrivée, Ryan Chappelle vint à la rencontre de Milo Pressman et des suspects au poste de sécurité de la CAT. Accompagnés de quatre agents de la CAT qui les avaient récupérés à l'aéroport, les fugitifs furent installés dans une salle d'attente. Sur leur passage, un lit roulant transportait le corps de Fay Hubley à la morgue de la CAT.

— Où est Tony ? demanda Chappelle.

Milo se racla la gorge.

— Il est toujours à Tijuana, en train de suivre la piste de Hasan.

— N'essayez pas d'embobiner le roi des menteurs. Tony est en train de jouer les John Wayne, dit Ryan Chappelle, en regardant passer le lit roulant. Ce qu'il fait là-bas ne me pose aucun problème du moment que je n'en entends pas parler dans les journaux du matin… Ou que je ne reçois pas un appel du ministère des Affaires étrangères.

— Je suis sûr qu'il saura se montrer discret, assura Milo.

Le regard de Chappelle se fixa sur les nouveaux venus.

— Présentez-moi vos amis.

— Voici Richard Lesser…

— Vous êtes Chappelle, pas vrai ? Milo m'a tout dit sur vous.

Lesser tendit la main. Chappelle l'ignora.

— Voici Cole Keegan, le garde du corps de Lesser, et je vous présente Brandy…

La femme fit un pas en avant, serra la main de Chappelle.

— Ravie de vous rencontrer, monsieur le directeur régional Chappelle. Je suis l'agent Renata Hernandez, du FBI. J'étais en mission sous couverture, en collaboration avec le gouvernement mexicain, pour enquêter sur une série d'enlèvements de jeunes filles au Texas et en Californie quand j'ai fait la connaissance de vos agents.

Milo cligna des yeux, surpris. La mâchoire de Cole Keegan tomba. Même le visage constamment confiant de Richard Lesser sembla étonné par cette révélation.

— J'ai dit à mon contact de Mexico que je passerais la frontière cet après-midi. J'aimerais prendre contact avec mes supérieurs du bureau de San Diego, poursuivit la femme.

— Bien entendu, dit Chappelle, en examinant le badge d'identification qu'elle lui avait tendu.

— Mes compliments, sur la qualité de votre personnel, ajouta l'agent Hernandez. Bien que n'étant manifestement pas un agent de terrain, M. Pressman a fait ce qu'il fallait pour secourir son collègue. Je n'aurais pas pu agir seule, et très franchement, je ne faisais pas confiance à Cole Keegan ici présent pour que le travail soit fait.

— Hé, c'est pas sympa, se plaignit Cole.

— Merci, agent spécial Hernandez. Vous pouvez téléphoner au FBI depuis mon bureau, dit Chappelle. Il se tourna vers les gardes. Emmenez M. Keegan en salle d'interrogatoire pour le débriefer. Il doit rester ici incognito, jusqu'à nouvel ordre.

— Putain ! C'est vraiment pas juste ! hurla Cole.

— Non, monsieur Keegan, mais c'est comme ça.

Ryan Chappelle se tourna ensuite vers Milo.

— Un compte à rebours a déjà été mis en place. Je veux que vous conduisiez M. Lesser au poste de travail de Jamey Farrell. Doris Soo Min et elle sont impatientes de lui poser quelques questions, concernant son *Trojan*.

Lesser eut un sourire narquois, avant de murmurer avec dédain :

— Des agents du gouvernement…, ça ne m'étonne pas qu'elles aient du mal…

— Nous sommes également impatients d'effectuer une première analyse de cet autre virus que vous détenez. Nous apprécierions beaucoup que vous nous aidiez à y trouver un remède, avant qu'il soit lâché.

Lesser acquiesça de la tête, un sourire moqueur toujours affiché.

— Considérez que c'est fait… En échange de mon immunité, évidemment.

À l'air entendu de Lesser, Chappelle répondit à sa façon.

— Nous discuterons des détails plus tard, M. Lesser… Ou, si vous préférez, je vous envoie dans notre unité chargée des troubles du comportement, pour un interrogatoire poussé. Vous verrez que leurs méthodes sont plutôt efficaces… pour des agents du gouvernement.

Heure 14

Ces événements se déroulent entre 18 h et 19 h, PDT

18:01:01 PDT
Avenue Dante,
Tijuana, Mexique

Les Tchétchènes finirent par arriver. Trois gros bonshommes, dans un Ford Explorer noir. Ils tournèrent dans l'allée sans entrer dans le garage. Dobyns, qui ronflait sur sa chaise longue près de la piscine, les entendit arriver. Il se leva et disparut du champ, sans doute pour aller ouvrir la porte d'entrée.

Depuis son poste d'observation dans la camionnette, Tony voyait Dobyns dans la cour arrière, et les Tchétchènes à l'entrée. Observant les hommes à travers de petites jumelles, il se demandait lequel avait agressé Fay Hubley, avant de lui trancher la gorge. Avec leur teint clair, leurs cheveux blonds ou bruns, leurs yeux bleus ou verts, ces types étaient interchangeables. Ils riaient, échangeaient des blagues dans leur langue maternelle. Deux d'entre eux portaient des casiers pleins de bouteilles de bière. Un troisième tenait une bouteille ouverte. Il but goulûment.

Les yeux de Tony se rétrécirent quand il vit le revolver

coincé dans le ceinturon d'un des hommes. C'était le Glock qu'il avait donné à Fay, pour sa protection. Tony regarda cet homme-là en particulier jusqu'à ce que la porte d'entrée s'ouvre, et qu'il entre avec ses copains. Ils le firent sans se soucier d'inspecter le voisinage. S'ils l'avaient fait, ils auraient vu la camionnette de la CAT. Les Tchétchènes étaient déjà ivres, mais Tony décida de leur laisser encore quelques minutes pour boire tout leur saoul avant que la fête commence. Cela faciliterait grandement les choses.

Pendant qu'il attendait, la chaleur sembla décliner un peu, comme le soleil plongeait vers l'horizon. Des ombres s'étiraient le long des pelouses. On allumait les lumières et on tirait les rideaux dans les petites maisons des alentours. Des odeurs appétissantes qui lui rappelaient son enfance venaient des cuisines environnantes pour embaumer l'air.

Au bout de vingt minutes, Tony passa le manteau par-dessus ses épaules et glissa le revolver dans sa veste. Avec le Glock enfoncé dans sa ceinture et un passe-partout entre les doigts de la main droite, Tony sortit de la camionnette, et traversa la rue déserte. Comme il approchait de la maison, il entendit des voix mal articulées, des éclats de rire, un programme sportif quelconque diffusé à la télévision. Il marcha vers la porte, glissa l'instrument dentelé dans la serrure, le fit calmement tourner. Bientôt, il entendit un claquement dans le penne.

Tony laissa la clé sur la porte, tourna la poignée et entra. La teinte rosée des murs rappelait celle du désert. Un poster représentant une course de taureaux était accroché là. Des marches en bois massif et poli conduisaient au premier étage. À sa droite, une porte en arc de cercle s'ouvrait sur le salon. C'était là que les

Tchétchènes riaient, bavardaient, sans remarquer l'arrivée de leur invité impromptu.

Tony n'éprouvait aucune crainte. Il ne ressentait qu'une tranquillité froide et calculatrice. Prudemment, il s'approcha de la porte et vit les hommes assis en rond autour d'un grand écran de télévision. Ils regardaient un match de football européen. Dobyns n'était pas là, mais Tony savait qu'il était le moins dangereux de la bande.

L'agent Tony Almeida tira son arme de sous son bras, la tenant de la main droite. De la gauche, il prit le Glock coincé dans sa ceinture. Ensuite, il pénétra dans la pièce.

Les hommes levèrent les yeux, mais seul l'un d'eux bougea. Les mains de l'homme se refermèrent sur la crosse du Glock de Fay, avant qu'un coup de feu l'atteigne à la tête. *Ce qu'il y a de bien avec un tir à bout portant, c'est qu'on n'a pas besoin de recommencer*, songea Tony.

Du sang gicla sur les autres hommes, les faisant s'agiter. De la main gauche, Tony pointa le Glock et tira six fois. Méthodiquement, il assassina les ivrognes dans leur fauteuil d'un coup au cœur, deux à la tête. Le silence qui s'ensuivit était effroyable, parce que Tony savait qu'il n'était qu'une impression. Il était dû à la surdité temporaire causée par les tirs. En réalité, il y avait toujours du bruit sur une scène de violence. Des cris choqués et surpris, des gémissements, du sang qui coulait sur le sol.

Tony jeta le revolver maintenant vide et passa le Glock à moitié plein dans sa main droite. Le moment était venu de trouver Ray Dobyns. Une fouille rapide du reste du rez-de-chaussée ne donna rien. La cuisine était vide. Il n'y avait que de la bière dans le réfrigérateur. Le garage était plein d'objets volés, surtout de l'électronique, du matériel sortant d'usine, des articles de luxe comme des fourrures et des manteaux de cuir accrochés dans un coin.

Tony trouva Dobyns au premier étage. L'homme était recroquevillé dans la partie supérieure de la maison, qui avait été transformée en grande salle remplie d'ordinateurs. Il y avait tant de matériel informatique que les lieux ressemblaient au centre de commande de la CAT, en version miniature. Dobyns avait tenté d'appeler quelqu'un avec son portable, mais ses mains tremblaient trop violemment pour tenir l'appareil. À présent, le téléphone lui glissait des mains pour rebondir sur le sol recouvert d'une moquette.

— Ils n'ont pas Police Secours ici, l'informa calmement Tony.

— Ne me tue pas, Navarro, s'il te plaît, s'il te plaît, s'il te plaît, gémit Dobyns. Ses gros genoux roses tremblaient.

— C'est quoi, tout ça ? demanda Tony, faisant un geste de sa main libre pour indiquer les ordinateurs.

— Je ne sais pas, sanglota Dobyns. Ton ami Lesser a installé tout ça pour Hasan. Les Tchétchènes et moi devions surveiller l'ensemble. Dans deux heures, des techniciens prendront la relève. Je te jure, je ne sais pas ce qu'ils trament !

— À propos de combine, pourquoi m'as-tu donné aux Tchétchènes ?

— Je… Je savais que cette histoire que tu me racontais sur Lesser était un mensonge, dit Dobyns. Je savais aussi que tu étais une sorte d'agent fédéral. Quelques jours après ta dernière visite, les flics ont embarqué tous ceux qui avaient travaillé avec toi. J'ai seulement additionné deux et deux.

— Tu sais que Lesser a les foies. Il veut l'immunité.

Dobyns secoua alors la tête.

— Il joue la comédie. Il travaille toujours pour Hasan.

— Comment le sais-tu ?

— Personne ne quitte Hasan en vie. Rien ne peut le protéger. Si Hasan avait voulu que Lesser meure, il serait mort. Tu ne pourrais rien y faire, et Lesser le sait.

Tony réfléchit aux allégations de Dobyns. L'homme n'était pas fiable, et il était capable de dire n'importe quoi pour sauver sa peau. Regardant autour de lui, Tony songea que les réponses à de nombreuses questions étaient certainement dans cette pièce. Y compris les preuves de la véracité des propos de Dobyns, concernant Lesser.

— S'il te plaît, Tony, ne me tue pas. Je peux t'aider. Je peux te faire sortir d'ici, passer la frontière. Tu serais fou de supprimer le seul mec capable de t'aider… Tu sais que tu n'as pas envie de me tuer…

Dobyns continuait à parler, mais Tony avait cessé de l'écouter. Il y avait un tas de raisons pour tuer cet homme. Sa trahison. Le meurtre sauvage de Fay. Le fait de l'avoir livré aux mains des Tchétchènes, qui l'avaient torturé. Son rôle dans le projet terrifiant qui se préparait.

Ouais. Tony avait une foule de bonnes raisons pour tuer Ray Dobyns. Pourtant, à la fin, il ne pressa la détente que pour qu'il la ferme.

***

18:29:53 PDT
Agence de mannequins Valerie Dodge,
Rodeo Drive, Beverly Hills

La circulation était dense à l'heure de pointe sur Tinsel Town, qui n'était qu'un vulgaire quartier commerçant où faire du lèche-vitrines, à un prix indécent. Si on voulait une paire de chaussures à 1 500 dollars ou un collier à dix millions de dollars, Rodeo Drive était la bonne adresse. C'était aussi celle que lui avait donnée Frank Castalano.

À six pâtés de maisons de l'Agence Valerie Dodge, Jack composa un numéro. On répondit à la première sonnerie.

— Bonjour, dit Bauer. Je souhaite parler à Mme Valerie Dodge. C'est très important. Je m'appelle...

— Mme Dodge n'est pas disponible. Veuillez appeler pendant les heures de bureau.

La ligne fut coupée. Le prochain appel que Jack passa fut pour Jamey Farrell.

— J'ai besoin que tu fasses une recherche dans les dossiers fiscaux de l'agence de mannequins Valerie Dodge, dont le P-DG est Valerie Dodge.

— Qu'est-ce que tu cherches ?

— Il me faut le nom d'un fournisseur. Quelqu'un avec qui l'agence Dodge travaille souvent. Peut-être le nom d'une société qu'elle utilise pour s'assurer d'importantes déductions fiscales.

Jamey se tut un moment.

— Combien de temps tu me donnes ? J'ai Ryan sur le dos. On est sur le point de faire un diagnostic du virus de Lesser.

— Il me faut cette information, Jamey, et il me la faut maintenant.

— Attends ! s'écria Jamey. Je peux me servir du limier de Fay Hubley. Avec Lesser dans le coin, tous ces mégabits sont gâchés. Laisse-moi juste modifier les paramètres de recherche.

Une minute plus tard, Jamey avait les dossiers que Jack demandait.

— Ce programme est épatant... Très bien. J'ai la société A.J. Milne Fashions, sur Sepulveda.

— Tu peux croiser les registres de cette entreprise

avec ceux d'entreprises de transport express comme FedEx ou un truc dans le genre ?

— Avec le logiciel de Fay, je peux…

Après une courte pause, Jamey dit.

— Ok, FedEx devait livrer neuf colis au nom de Valerie Dodge. Tous ont été déposés aujourd'hui à l'Auditorium Chamberlain.

— Aujourd'hui ?

— Oui, Jack.

— Ça ira. Je te rappellerai.

Jack fonça et se gara en face de l'agence Valerie Dodge. Le bureau de la dame occupait le premier étage d'un immeuble en faux crépi. Il n'y avait pas de fenêtres sur la devanture et la porte était fermée. Jack vit l'interphone et appuya sur la sonnette. Il sonna trois fois, avant qu'une voix grésille dans le haut-parleur. Jack reconnut la voix de la femme. C'était la personne qui lui avait répondu, au téléphone.

— Nous sommes fermés, dit-elle.

— C'est FedEx. Une livraison pour l'Auditorium Chamberlain a été refusée. Nous retournons le colis à l'envoyeur.

— J'arrive tout de suite.

Jack se mit tout près de la porte et sortit son arme. Une femme qui promenait son caniche vit le revolver et s'éloigna prestement des lieux. Jack entendit le cliquetis du verrou. La poignée tourna, et la porte entrouvrit. Il n'y avait pas de chaîne, et il donna un coup de pied dans la porte pour l'ouvrir. Elle s'écrasa contre une jeune femme blonde qui vola en arrière, se cognant la tête sur le mur. Jack entra, l'arme au poing. Il vérifia qu'il n'y avait pas de menace, dans les bureaux.

Il n'y avait que deux personnes dans les lieux. La femme blonde qu'il avait heurtée, qui était maintenant sans connaissance, et le cadavre d'une autre femme, qu'on avait jeté sans ménagement dans un coin. La jeune femme blonde était étendue par terre et ne bougeait pas. Jack Bauer brandit son arme vers elle. Du pied, il écarta le revolver qu'elle tenait à la main. Il fouilla le bureau, trouva un sac à main sur une chaise, en sortit un portefeuille et une carte d'identité. La photo de Valerie Dodge correspondait au visage du cadavre.

Jack Bauer remarqua un ordinateur sur le bureau, des feuilles de papier empilées tout autour. Sur l'écran, il vit un schéma identique à celui qu'ils avaient imprimé chez l'architecte Nawaf Sanjore. Du coin de l'œil, il perçut un mouvement, vit la jeune femme blonde changer de position, l'entendit gémir.

— Que faites-vous avec ces plans sur l'écran ? lui demanda-t-il. Qu'est-ce que vous préparez ?

La jeune femme essuya un filet de sang sur sa joue et vit qu'elle n'avait plus son arme. Elle sembla réaliser qu'elle était impuissante, prise au piège.

— Pourquoi avez-vous tué Valerie Dodge ? À quoi ces plans sont-ils destinés ? répéta Jack.

La femme se redressa, remit de l'ordre dans sa tenue.

— Répondez-moi, aboya Bauer. Il avança vers elle, pointant son arme tactique.

Elle eut simplement un sourire moqueur.

— Vous pouvez me tuer, mais vous arrivez trop tard pour nous arrêter.

Son sourire devint radieux et ses yeux se mirent à briller. Soudain, elle détourna le regard et mordit quelque chose. Jack vit bouger sa mâchoire, entendit le craquement de la capsule dans sa bouche. Tout en haletant, la jeune femme fut prise de spasmes. Ses jambes bougeaient de manière désordonnée, et de l'écume lui coulait des lèvres.

— Non ! cria Jack.

Il bondit vers elle, lui ouvrit la bouche pour ôter le poison. Il trouva des débris de verre sur sa langue ensanglantée. Les yeux de la femme s'écarquillèrent et elle se mit à gargouiller. Elle mourut dans un ultime spasme. Jack chercha son pouls. Il ne le trouva pas. Il regarda son jeune et joli visage, et le sourire d'extase absolue qui s'y dessinait toujours après que toute vie l'avait déserté.

Jack se leva alors et arpenta la pièce. Il se laissa tomber sur le fauteuil du bureau et scruta l'écran de l'ordinateur. En quelques secondes, il trouva le fichier qui se rapportait aux plans qu'il consultait. Le cœur battant la chamade, il appela Ryan Chappelle.

— Ryan. Valerie Dodge est morte. Assassinée. Il y avait quelqu'un dans son bureau, qui se servait de son ordinateur. Il y a des schémas sur l'écran. Il s'agit d'une partie des plans que Nina a trouvés…

— Ça ne peut pas attendre ? Nous avons déjà une crise ici.

— Ryan, vous devez m'écouter. Ces plans sont ceux de l'Auditorium Chamberlain. Quoi qu'il doive s'y dérouler, c'est déjà en route. Nous n'avons peut-être plus le temps nécessaire.

18:42:07 PDT
Siège de la CAT, Los Angeles

Assis sur une chaise de bureau, Richard Lesser s'adossa. Il était installé à un poste de travail inoccupé, derrière Milo, Jamey et Doris. Il observait leurs activités avec détachement.

Les trois analystes de la CAT travaillaient à isoler un ordinateur en le déconnectant du processeur central et des autres réseaux. De cette façon, le virus de Lesser ne pourrait s'échapper. Ryan Chappelle se tenait derrière eux, observant leur travail. Quand l'équipe fut certaine que le serveur isolé avait été sécurisé, Doris enfonça la clé de Lesser dans un port USB.

— Il est chargé, dit-elle au bout de quelques minutes.

Ils étaient sur le point de regarder le virus pour la première fois, quand le téléphone de Chappelle sonna. Le directeur régional contrôla l'identité de celui qui appelait et répondit. Il s'éloigna pour parler en privé.

Doris décida de ne pas attendre le retour de Chappelle, et lança le programme d'analyse qu'elle avait conçu, Frankie.

— Ça ressemble à un protocole de mise en route d'arrêt, assez élaboré, dit-elle, pendant que des données surgissaient sur l'écran. Ces trucs-là sont ennuyeux, mais la plupart des serveurs peuvent très bien s'en dépatouiller.

— Ce virus est tout de même complexe, fit remarquer Milo, comme d'autres données apparaissaient. Il est énorme.

— C'est une bonne chose qu'on en aie une copie, déclara Doris. Dans les cinq prochaines heures, je suis sûre que nous pourrons créer une sorte de pare-feu. Ainsi les principaux fournisseurs d'accès à l'Internet seront préservés…

Tandis que les autres étaient rivés à l'écran, Lesser se tourna vers l'ordinateur du poste inoccupé. Cet ordinateur était encore branché au processeur central de la CAT. En silence, il installa un lien avec le système de la CIA, à Washington. Il se sourit à lui-même.

Plus le chaos est grand, mieux c'est.

Il jeta un dernier regard alentour. Chappelle était toujours au téléphone, parlant de façon animée. Les autres étaient hypnotisés par les informations qui apparaissaient sur l'écran.

Dans sa botte il trouva une clé, la prit et l'enfonça dans un des ports USB de l'ordinateur. Il afficha le fichier gravé sur la clé et l'activa.

Avec un sourire satisfait, il déconnecta la clé et la remit dans sa botte. Lesser se retourna vers les autres. Ces idiots ne s'étaient aperçus de rien.

*
* *

18:55:01 PDT
Auditorium Terence Alton Chamberlain,
Los Angeles

Le comédien Willy Diamond terminait un monologue hilarant, clou de la soirée. L'agent spécial Ron Birchwood n'avait pas ri, ni même souri. En fait, il avait à peine prononcé quelques mots depuis le début des Silver Screen Awards.

Assis dans la loge présidentielle, juste derrière la femme du vice-président, il constatait qu'elle s'entendait bien avec Marina Katerine Novartov, dont l'anglais était meilleur en privé que lors des occasions publiques et formelles. Les deux femmes avaient abordé de nombreux sujets au cours des longues et ennuyeuses pauses émaillant le spectacle.

À côté de Birchwood, se trouvait son homologue, le chef de la sécurité russe, Vladimir Borodine. À l'instar de Birchwood, il n'avait pas ri à une seule plaisanterie depuis le début de la cérémonie, et il avait encore moins parlé. Son anglais était excellent. Les deux hommes étaient absorbés par leur travail. Ils observaient la foule, écoutaient les bavardages dans leurs oreillettes. Ils avaient accès à tous les canaux de communication.

Sur la scène, Willy Diamond saluait, sous un tonnerre d'applaudissements. Ensuite, l'orchestre joua une version du sempiternel indicatif des Silver Screen Awards. La rediffusion télévisée de la soirée s'interrompit pour une page de publicité. Dans l'assistance, on cancanait pendant que des ouvriers conduisaient les sculptures géantes sur le plateau, à l'aide d'une plate-forme motorisée. Cela signifiait qu'un nouvel Award serait bientôt décerné, après la pause publicitaire.

Birchwood reconnut un acteur célèbre, qui montait sur la scène un court instant pour vérifier la position des prompteurs avant de retourner dans les coulisses. Il n'arrivait pas à se rappeler le nom de cet acteur. S'appelait-il Chad ? Peut-être Chip ? C'était ça, pensa-t-il : Chip Manning. Sa fille, une préadolescente, avait un poster du séduisant comédien sur le mur de sa chambre, à côté d'un *boys band* célèbre, et d'une demi-douzaine de photographies d'arcs-en-ciel. Elle avait été aux anges d'apprendre que son père serait à la cérémonie pour veiller à la sécurité de l'épouse du vice-président. Il savait qu'elle regardait la retransmission télévisée en ce moment même, dans leur maison du Maryland, avec sa mère et son petit frère. Il les imaginait, essayant de l'apercevoir dans les plans fugaces du public. Pour la première fois ce soir-là, Ron Birchwood sourit.

L'orchestre se remit à jouer. La retransmission reprenait après les publicités, et un des hommes de Birchwood, debout derrière lui dans la loge présidentielle, lui toucha l'épaule.

— Ligne 1, monsieur.

Un appel extérieur ? Birchwood appuya sur son transmetteur, et monta le son.

— Agent spécial Birchwood ? Ici Ryan Chappelle, directeur régional de la cellule antiterroriste à Los Angeles.

Pour prouver son identité, Chappelle donna son code

d'autorisation à l'agent. Birchwood confirma le code sur son agenda électronique.

— Que puis-je pour vous, monsieur le Directeur ?

— Nous avons une menace crédible. Il s'agirait d'un attentat sur la vie de l'épouse du vice-président, ou sur la Première Dame de Russie. Peut-être sur les deux.

— Crédible à quel point ?

— Au cours de l'heure qui vient de s'écouler, un agent de la CAT a tué une terroriste qui était en possession des plans de l'auditorium dans lequel vous vous trouvez. Nous avons des raisons de croire que la frappe est imminente.

Birchwood se tourna vers Vladimir Borodine.

— Monsieur, je…

— Oui, j'ai entendu, dit le Russe en fronçant les sourcils. Je propose que nous bougions dès maintenant.

Birchwood se leva, s'adressa à l'agent qui était derrière lui. Borodine fit de même.

— Faites immédiatement sortir les femmes d'ici, ordonna Birchwood. Évacuez dans le calme. Évitez la panique, et faites aussi vite que vous le pourrez.

*
* *

18:57:20 PDT
Avenue Dante,
Tijuana, Mexique

Pendant environ une heure, Tony avait recherché des preuves dans la pièce où il avait tué Ray Dobyns. Il était finalement parvenu à craquer le protocole de sécurité protégeant le système. Il ne pouvait pas aller très loin dans les fichiers, dont la plupart disposaient d'une deuxième sécurité. Cependant, certains n'étaient pas sécurisés, et Tony les lut attentivement.

Il découvrit que Richard Lesser avait lui-même conçu

le virus qu'il prétendait avoir reçu de Hasan. Il l'avait fait là, sur cette console. L'installation du bordel n'avait été qu'une ruse, ou un système de rechange. Dans des dossiers non protégés, Tony avait trouvé les notes de Lesser. La plupart n'avaient pas de sens pour lui, mais le titre d'un des chapitres attira l'attention de Tony : ACTIVER CAT.

Étonnamment, le dossier n'était pas verrouillé. Quelqu'un s'en était servi récemment pour graver les données sur un disque… qui ne se trouvait plus là. Le logiciel demandait déjà si l'utilisateur voulait graver un autre disque. Tony ouvrit le fichier, et trouva un dossier complet sur Jack Bauer, émanant directement de la base de données de la CIA.

— Enfoiré.

Un autre document intitulé CHEVAL DE TROIE, DEUXIÈME PARTIE n'était pas non plus protégé. Tony l'examina et son sang ne fit qu'un tour.

C'était cela, la preuve que Ray Dobyns disait vrai. Il empoigna le téléphone portable que Dobyns avait laissé tomber sur la moquette, composa le numéro de Ryan Chappelle. Il eut Nina Myers au bout du fil.

— Nina, où est Ryan ?

— Il est avec l'équipe de crise. J'y allais, quand ton appel m'a été transmis…

— Richard Lesser est un traître. J'en ai la preuve irréfutable, ici. Il fait semblant de se rendre. Il est sur le point de prendre le contrôle des ordinateurs de la CAT, des téléphones et du réseau de communications électroniques. Tout. Il faut que tu…

La ligne fut interrompue. Tony appuya sur la touche de rappel. La ligne était occupée. Il composa le numéro d'urgence de la CAT. Occupé, là aussi. Ce qui n'était jamais censé arriver. Tony poussa un juron, réalisant que son avertissement était arrivé trop tard. Lesser avait lâché son virus.

Heure 15

Ces événements se déroulent entre 19 h et 20 h, PDT

19:03:00 PDT
Régie de la télévision,
Auditorium Chamberlain

— Prépare-toi, caméra 3. Caméra 1, recule. Caméra 5, tiens-toi prête pour un plan serré. Trois, deux, un…

Depuis sa confortable chaise, le réalisateur Hal Green regardait sur l'écran central les images qui passaient par le réseau pour atteindre des millions de téléspectateurs. Il ne faisait pas attention à l'immense écran à plusieurs fenêtres situé en face de lui, même si elles lui offraient une vue du centre de la scène et de presque tout l'auditorium. Il voulait voir ce que le public avait sur son écran de télévision.

En ce moment, la caméra était braquée sur Chip Manning, qui était arrivé sur la scène par la gauche, et avançait vers le milieu du podium. Manning était un acteur populaire avec une gueule de mannequin comme il y en avait à la pelle. Il avait une coupe de cheveux à la Jules César et avait assorti son costume parfaitement coupé de chez Helmut Lang, avec une chemise blanche dont il avait laissé le col ouvert. Il portait des bottes en autruche, et une barbe d'un jour dessinée dans un institut de beauté. Rien dans son apparence n'avait été laissé au hasard par son styliste afin d'accentuer la distance décontractée et néanmoins sympathique du personnage de Manning.

— Avance, caméra 5. Deux, un…

La caméra se fixa sur Anton Stanton, une beauté aux jambes longues, vêtue d'un fourreau fuchsia très osé. Tous les techniciens présents dans la salle de régie avaient les yeux rivés sur son décolleté sans bretelles, dont l'échancrure descendait très bas. Comme la superbe comédienne chancelait sur ses talons hauts dans le périple risqué qu'elle avait entrepris de la droite de la scène jusqu'à son centre, l'équipe technique se mit à prier pour un « dysfonctionnement du costume », craignant la réaction de la Commission fédérale des Communications[1], mais espérant l'événement avec ferveur.

— Avance sur le podium, caméra 1…

Hal Green baissa une main et la posa sur le tableau de contrôle. De l'autre, il sirotait du café dans une tasse Thermos. Sous des sourcils gris broussailleux, ses yeux noisette très vifs ne quittaient presque jamais l'écran. Lorsque cela se produisait, ce n'était que pour contrôler l'image d'une caméra à partir d'un des six écrans.

Assis derrière l'autre console, Ben Solomon grogna.

— C'est là que ça devient risqué. Ava n'y arrive jamais du premier coup. Elle s'est emmêlée dans ses répliques pendant les deux répétitions. Et regarde qui l'accompagne : Chip Manning…

Hal sourit au commentaire de son assistant-réalisateur, qui avait soixante ans. Il en avait entendu d'autres

1. FCC : Federal Communications Commission, le CSA des Etats-Unis, en quelque sorte. *(N.d.T.)*

de ce genre, au cours des dernières quatre-vingt-dix minutes. C'était tout Ben. Après avoir régulièrement embauché cet homme pour ce travail durant les neuf éditions précédentes, Hal savait à quoi s'attendre.

— C'est vraiment une honte de voir ce que le métier est devenu, murmura Ben. Chip Manning enseigne quelques prises de karaté à des stagiaires du gouvernement dans un dojo de Sunset Strip, et son agent de presse en fait un « professionnel des arts martiaux, qui conseille des membres des services secrets ». Et cette Ava Stanton n'est qu'un vulgaire mannequin. Ce n'est certainement pas Elizabeth Taylor.

— Ce n'est même pas Elizabeth *Berkeley*, répondit Green, réprimant un rire. Mais c'est tout ce qu'on a maintenant, Ben. Ava Stanton agite ses atouts dans une série à l'eau de rose et ça en fait une star dans le ciel du cinéma.

— Je t'en prie, chuchota Ben, vraiment horrifié. N'utilise pas ce terme devant moi. Je me souviens des vraies stars : Bogart, James Stewart, Bette Davis, Ingrid Bergman…

— Qu'est-ce que c'est que ça ? s'écria soudain Hal.

Se mettant sur ses jambes, il leva les yeux de l'écran pour scruter les immenses fenêtres surplombant l'auditorium. Ben tenta de se lever, mais les fils de son casque s'étaient emmêlés. Il entendait des cris de confusion, des hurlements, et même des rires nerveux, provenant du public.

Chip Manning et Ava Stanton s'étaient lancés dans un badinage plein d'esprit, qui devait sembler improvisé alors qu'il avait été écrit à l'avance, quand une sculpture surgit derrière eux. Dans leur dos, la grosse réplique du Silver Screen Award s'était ouverte et huit hommes masqués et armés venaient de glisser le long de cordes, pour atterrir sur la scène.

Cette scène absurde, ridicule et presque surréaliste avait été saluée par des rires nerveux, mêlés à des cris de surprise et de peur. *Est-ce que ça fait partie du spectacle ?* se demandait-on dans le public. *C'est peut-être un coup promotionnel pour le nouveau film de Chip Manning ?*

— Evacuez la scène ! cria Hal Green dans son casque. Sécurité, faites-les descendre, immédiatement.

Obéissant au réalisateur, plusieurs agents de sécurité se précipitèrent vers la scène pour arrêter les envahisseurs masqués. Armés uniquement de bâtons et de matraques électroniques, ils n'avaient aucune chance. Chacun des terroristes bien entraînés avait posé un genou à terre, levé son arme et fait feu sur les troupes en uniforme.

L'explosion des armes, puis les balles ricochant sur la scène pour venir déchirer les chairs et les muscles, pour briser les os, tout cela mit fin à toute spéculation selon laquelle ce qui se passait était un coup publicitaire. Le public se pressait en titubant dans les allées. Les gens se marchaient les uns sur les autres, essayant de s'enfuir de l'auditorium. Ils étaient refoulés par les beaux portiers et les ouvreurs fournis par l'agence Dodge. Ces jeunes gens, qui avaient déjà passé des écharpes noires et des brassards verts, agitaient des mitraillettes. Ils tiraient en l'air pour faire reculer la foule prise de panique.

Pendant ce temps, sur la scène, Chip Manning avec sa barbe d'un jour faisait au monde entier une démonstration de ses compétences en arts martiaux. Usant de manœuvres aussi rapides que l'éclair, il s'était débrouillé pour fuir les assaillants armés plus vite que sa charmante coprésentatrice. Entravée par ses talons hauts, cette dernière s'écroula sous le coup de crosse d'un des hommes armés.

Là-haut, dans la cabine de régie, le réalisateur entendit un craquement. Il se tourna et vit un trio d'hommes armés qui entraient de force. Des écharpes noires ne laissaient visibles que leurs yeux, et chacun tenait une mitraillette avec un accessoire en forme de banane et un gros anneau sous le canon.

L'unique agent de sécurité se trouvant dans la cabine pointa son arme. Le crépitement d'une mitraillette l'arrêta, tirant des cris d'horreur à tous ceux qui se trouvaient dans le petit local.

— Levez les mains !

Un des hommes masqués braqua sa mitraillette trapue sur l'équipe de réalisation. L'envahisseur frappa l'épaule de Hal de sa main gantée et le tira sans ménagement de sa chaise pour le jeter à terre.

— Enfoiré, cracha Ben Solomon. Il tenta de se défendre, mais le terroriste lui fit perdre l'équilibre, et lui assena un coup de crosse.

— Ben ! s'écria Hal.

Les deux hommes se recroquevillaient maintenant sur le sol. Les hommes masqués les poussèrent dans un coin, à l'autre bout de la pièce. Le troisième homme masqué marcha vers le centre de la cabine, une mitraillette à l'épaule. Il scruta la pièce des yeux, puis il parla.

— Cet auditorium et cette cérémonie sont désormais sous le contrôle du Front uni de Libération pour une Tchétchénie libre. Si vous collaborez, vous vivrez peut-être. Si vous résistez, vous mourrez à coup sûr.

19:05:09 PDT
Poste de Sécurité,
Auditorium Chamberlain

— Police de Los Angeles, répondez ! Répondez ! criait l'agent dans la radio. C'est un appel d'urgence. L'Auditorium Chamberlain est attaqué. Il y a eu une fusillade. Des agents sont morts. Je répète : nous sommes attaqués.

Le silence fut la seule réponse. Le chef de la sécurité, Tomas Morales, appuya la main sur l'épaule de son agent.

— L'appareil est hors service. Ou son signal est brouillé. J'espère que les flics ont compris ce qui se passait. En attendant, sortons notre arsenal.

Hochant la tête, le jeune agent en uniforme se leva et courut vers la pièce attenante.

— Ces foutus téléphones sont aussi hors service, dit une femme assise derrière un bureau, une rangée d'écrans de contrôle devant les yeux. Corpulente, avec des cheveux rouges coupés court, Cynthia Richel posa violemment le combiné sur son support. Aujourd'hui, c'était son quarante-cinquième anniversaire. Elle se tourna vers le chef de la sécurité.

— Le futur selon Sanjore, d'après les gros titres ! dit-elle dans un grognement. Eh bien, tu sais quoi ? Quand t'es dans la merde jusqu'au cou, le futur, ça ne marche pas !

Morales déplaça son regard vers la douzaine d'écrans installés devant Cynthia. Tous montraient des scènes de terreur, une vision du chaos. Tous, sauf un.

— Le réseau est passé aux publicités, fit remarquer Morales.

— Y a quelqu'un qui réfléchit.

Le jeune agent revint, leur tendit des armes. Cynthia

fit pendre le canon d'un revolver entre son pouce et son index.

— Qu'est-ce que je suis supposée faire avec ça ? Je suis programmeuse en informatique.

Ce n'était pas tout à fait vrai, et Tomas Morales le savait. Avant de rejoindre le Summit Studio, dont l'Auditorium Chamberlain faisait partie, elle avait été agent secret dans l'armée de l'air. Morales vérifia son arme, ôta la sécurité.

— Dans ce cas, dis-moi ce qui ne marche pas avec ces ordinateurs.

Cynthia Richel déposa le revolver sur le bureau.

— Il y a quelques minutes, une sorte de programme despotique a pris le contrôle de tous nos protocoles de sécurité…

Une succession de bruits étranges l'interrompit. Par-dessus les tirs, on entendit des cris, des pieds martelant le sol. Une secousse rythmée et effrayante secoua l'auditorium tout entier, comme des douzaines de gongs résonnant l'un après l'autre.

Le visage de Cynthia pâlit.

— Qu'est-ce qui se passe ? demanda le jeune agent.

Morales, lui, le savait déjà.

— C'est le bruit des portes métalliques qui se ferment, dans tout l'auditorium. Ces portes doivent servir en cas d'incendie, après l'évacuation du bâtiment, pour isoler la partie endommagée des locaux.

— En ce moment, elles sont manifestement utilisées comme portes de prison, affirma Cynthia, pour nous enfermer tous à l'intérieur.

Morales regarda l'écran de l'ordinateur de Cynthia.

— Tu peux faire quelque chose ?

— Bien sûr.

Cynthia Richel prit de nouveau l'arme, par la crosse

cette fois. Elle vérifia le chargeur comme une professionnelle, et fit sauter la sécurité.

— Dis-moi juste où tirer.

*
**

L'agent spécial Craig Auburn avait mémorisé l'itinéraire d'évacuation à l'ancienne en le faisant à pied dix fois de suite. Quand l'ordre d'évacuer était arrivé à son oreillette, il se trouvait à son poste, dans l'entrée. Il avait suivi les procédures standard et avait immédiatement rejoint un escalier de secours menant directement à la voie d'évacuation. Dans le cas d'espèce, il s'agissait d'un couloir vert avocat s'étirant sous la salle de spectacles et conduisant à deux portes vitrées qui donnaient sur une rampe de chargement.

Plus tôt dans la journée, Auburn avait suivi ce parcours en compagnie de l'équipe de déminage. Un ascenseur de service se trouvait près de la sortie de la rampe de chargement, et il l'avait bloqué lui-même en position « ouvert », pour sécuriser le passage. Maintenant qu'il était arrivé au bout du couloir, Auburn fut étonné de constater qu'il était le premier agent sur les lieux… et cela plus de six minutes après que l'ordre de fuir eut été donné. Il passa les portes vitrées, l'arme au poing, pour s'assurer qu'il n'y avait pas de menace, à la sortie.

Quelque chose ne va pas, pensa-t-il immédiatement. Il n'y avait aucun agent à l'extérieur, et leurs véhicules non plus n'y étaient pas. Bien qu'ils aient pu faire sortir les deux dames par un autre chemin, personne n'avait fait état d'une évacuation réussie, ou de quoi que ce soit à ce sujet. L'oreillette d'Auburn était restée silencieuse. Il avait pensé que les équipes de sécurité maintenaient le silence radio, mais, à présent, il se disait qu'il se passait autre chose, et qu'il ne l'entendait pas.

Il retourna dans le couloir, tentant d'appeler son patron, Ron Birchwood, mais n'obtint pas de réponse. Puis il entendit un énorme claquement juste derrière lui, et se rendit compte avec effroi que les portes pare-feu en métal venaient de se fermer sur l'unique issue disponible, de ce côté-là du couloir. Il chercha un moyen d'ouvrir ces portes ou d'en forcer les verrous, mais il ne vit ni pavés numériques ni panneaux de contrôle. Il n'y avait rien.

Le bruit de tirs se rapprochant vint ensuite. Auburn sortit son arme, et courut en direction du bruit. Quatre personnes pénétraient dans le couloir par l'escalier situé à l'autre bout. Il reconnut aussitôt l'épouse du vice-président et la Première Dame de Russie. Marina Novartov boitait, et du sang coulait d'une blessure qu'elle avait à la cheville. Un homme en blazer bleu la soutenait, aidé en cela par une jeune femme blonde aux cheveux raides. Auburn savait qu'il s'agissait de deux membres de l'équipe du vice-président, mais il ne se rappelait pas leurs noms.

Derrière ces quatre-là, Auburn vit l'agent spécial Ron Birchwood, et le responsable de la sécurité russe, Borodine. Ils avaient sorti leurs armes et tiraient en reculant. Une balle rouge traversa le couloir et déchira la poitrine du Russe. Il y eut une explosion écarlate, et Borodine écarta les bras en tombant en arrière.

Un homme masqué apparut dans la porte de l'escalier. Birchwood tira un coup, puis deux. Quand l'homme disparut, Birchwood regarda par-dessus son épaule.

— Auburn ! Il y a toute une équipe de choc derrière moi, bloquée dans la loge présidentielle. Les autres sont tombés… Ils sont morts. Les communications sont brouillées. Je vais tenter de les ralentir pour vous laisser le temps d'évacuer ces dames.

Le groupe de quatre passa près d'Auburn.

— La sortie est bloquée ! leur cria-t-il, se tenant dans leur dos pour les couvrir. Montez dans l'ascenseur.

Quand ils furent tous à l'intérieur, Auburn enfonça une clé dans le panneau de l'ascenseur et appela son patron.

— Venez, Ron ! L'ascenseur est libre.

Avant même qu'il puisse se retourner, une rafale de tirs mit l'agent spécial Ron Birchwood en pièces. Auburn tourna la clé. Les portes se fermèrent, et l'ascenseur descendit.

*
**

19:38:12 PDT
Centre de Los Angeles

Jack Bauer fonçait à travers les rues, passant au rouge sans gyrophare. Pour la vingtième fois, il composa automatiquement le numéro du portable de Teri. Une fois de plus, il tomba sur la messagerie. Il était évident qu'elle avait éteint son téléphone pour la durée de la diffusion télévisée des Silver Screen Awards. La cérémonie l'exigeait sans doute du public. Il n'était donc pas surpris, mais terriblement frustré. Avec cette menace sur l'Auditorium Chamberlain, il voulait qu'elle sorte de là.

À présent, Jack se rendait compte que la CAT n'était pas opérationnelle. Il était parvenu à cette conclusion, alors qu'il se trouvait dans le bureau de Valerie Dodge, quand il avait voulu appeler l'équipe médico-légale et la cyberunité.

D'après ce qu'il avait vu sur les plans affichés sur l'ordinateur de Dodge, Jack soupçonnait que d'autres informations étaient gravées sur le disque dur. Il était peut-être assis sur une mine d'informations, mais il ne pouvait y accéder sans dommages s'il n'avait pas l'aide de la cyberunité. Et avec le chaos opérationnel de la CAT, il savait qu'il ne disposerait pas très vite de cette aide. Il avait donc débranché le PC, tiré les câbles et jeté le tout dans sa voiture.

Sachant que les lignes de la CAT étaient coupées, il avait branché la radio sur la fréquence de la police de Los Angeles. C'est là qu'il avait appris que l'attaque de l'Auditorium Chamberlain avait déjà commencé.

Slalomant entre les voitures, il fonçait dans les rues, une main sur le volant, l'autre sur la touche d'appel rapide de son portable, essayant de joindre sa femme. Il rencontra le premier barrage de police à cinq rues du Chamberlain.

— Je suis l'agent spécial Jack Bauer de la CAT, dit-il à l'agent en uniforme qui lui avait demandé son identité. Je dois immédiatement parler à votre supérieur.

L'homme parla à voix basse dans la radio qu'il portait à l'épaule. Il écouta la réponse dans son casque, et hocha la tête

— Très bien, agent spécial Bauer. Le capitaine Stone veut vous parler. Garez-vous, et suivez-moi, monsieur.

Escorté par l'agent, Jack marcha quelques mètres le long de rues étrangement vides, dans le centre de Los Angeles. Un vent chaud soufflait du désert, perturbé uniquement par le tournoiement des hélices des hélicoptères qui encerclaient la salle de spectacle. Des colonnes blanches, émanant de leurs torches encastrées, rampaient sur l'asphalte, au-dessus des toits, et le long des murs.

En arrivant au tournant suivant, Jack était encore à trois pâtés de maisons de la façade très illuminée de l'Auditorium Chamberlain. Autour des immeubles, des véhicules blindés de couleur noire s'étaient garés de manière à rester invisibles depuis l'auditorium. Jack s'aperçut qu'elles appartenaient à son ancienne équipe, celle du Groupe d'Intervention de la police de Los Angeles.

Le capitaine Gavin Garrett Stone se trouvait à l'intérieur du centre de commande mobile. L'engin blindé avait été chargé comme pour affronter des ours. Aussi grand que Jack, l'officier pesait vingt-cinq kilos de plus. Son apparence physique n'avait rien à voir avec sa personnalité. C'était un dur, qui s'était maintes fois distingué en service. C'était une force de la nature, un poids lourd.

Autour du capitaine, d'autres membres du Groupe d'Intervention de la police de Los Angeles se préparaient à donner l'assaut. Jack s'approcha de Stone, la main tendue. L'homme darda sur lui un regard froid.

— Nous avons tenté d'entrer en contact avec la CAT, Bauer. En fin de compte, nous avons envoyé une voiture de patrouille à votre QG. Il y aurait eu une sorte d'attaque informatique. Le chef de votre unité tactique, Chet Blackburn s'est mis en rapport avec nous, à travers notre fréquence radio.

— Bien, dit Jack.

Stone eut l'air de regarder sa montre.

— Blackburn a dit qu'il serait ici. Cependant, son équipe et lui semblent avoir du mal à passer les grilles de la CAT… Ou alors, c'est la circulation. Peut-être bien les deux.

— Et la Sécurité intérieure ? demanda Jack.

— Le directeur a déjà parlé au gouverneur. Le plan de Garde Nationale de la Californie a été activé, pour aider à sécuriser le périmètre. Puisque la CAT est hors service – ou du moins sabotée de l'intérieur à notre connaissance – la Sécurité intérieure suggère que la police de Los Angeles prenne le relais.

La mâchoire de Jack se contracta.

— Que prévoyez-vous, Capitaine ?

— De quoi ça a l'air ?

— Les terroristes se sont-ils identifiés ou ont-ils formulé des exigences ? Ont-ils exécuté des otages ? Relâché quelqu'un ? Êtes-vous seulement entré en contact avec eux ? Avez-vous ouvert une ligne de communication ?

Stone passa rapidement près de Jack, et fit un mouvement en direction d'un écran de télévision. Une caméra unique montrait un plan large de la scène. Des hommes aux masques noirs bougeaient, agitaient des Agram 2000, des mitraillettes de fabrication croate, aisément reconnaissables à l'anneau de prise en main situé sous le bout du canon.

— Il y a trois hommes sur la scène, dit Stone. Nous supposons qu'il y en a une douzaine de plus dans le public. Ils ont scellé les portes pare-feu. Ils s'imaginent nous avoir eus. Mais nous disposons d'un bélier, prêt à enfoncer deux portes…

Stone montra un plan à Jack. Il lui était étrangement familier.

— Les portes sont ici… et là.

Les points d'attaque se trouvaient aux deux extrémités opposées de l'auditorium. Sur le papier, ça avait l'air bien, mais Jack secoua la tête.

— C'est trop rapproché, trop serré. Ça pourrait être un piège.

Stone eut un rictus.

— Je ne vais pas laisser ce siège continuer. Plus longtemps ces hommes gardent le contrôle de la situation, pire elle deviendra.

— Écoutez, dit Jack, soutenant le regard de l'homme.

Ce que vous avez là est une redite du scénario de l'Opéra de Moscou. Cela signifie qu'il y a peut-être plusieurs dizaines de terroristes là-dedans, le corps lardé d'explosifs. Si vous chargez dans l'auditorium, ils les feront sauter, et des centaines de gens mourront. Vous devez attendre un meilleur plan…

Une autre voix les interrompit.

— Nous n'avons plus le temps, agent spécial Bauer. L'épouse du vice-président et la Première Dame de Russie sont dans ce bâtiment…

L'homme avança plus près. La faible lueur de l'écran lui éclairait le visage. Sa peau ressemblait à un vieux parchemin. Ses yeux étaient froids, sous les rides.

— Agent Evans, des Services secrets. Un des nôtres, un agent nommé Auburn, s'est arrangé pour faire descendre les deux dames au sous-sol, *via* un ascenseur de secours. Il est caché là, avec deux stagiaires de la Maison-Blanche. Les terroristes ne sont pas encore arrivés à eux. Auburn a bloqué l'ascenseur, mais ce n'est qu'une question de temps. Le FBI est sur le coup avec nous. Nous ne pouvons pas attendre.

— Comment communiquez-vous avec Auburn ? s'enquit Jack.

— Avec un téléphone à manivelle, relié à une ligne souterraine éphémère. Il avait été abandonné là avec des outils et du matériel par des ouvriers venus réparer la climatisation. C'est une bonne chose, étant donné que les transmissions radio et les communications cellulaires sont brouillées.

Jack remarqua qu'un des ordinateurs du centre de commande était branché sur la chaîne de télévision qui diffusait la cérémonie des Silver Screen Awards. On passait une publicité. Jack pointa l'écran du doigt.

— Que sait le public ?

— Ils ne savent encore rien, répondit Evans. La

chaîne a mis en place un retard de vingt secondes dans la vitesse de diffusion. Quelqu'un a appuyé sur le bouton rouge, dès qu'on a vu les terroristes monter sur la scène. Pour le moment, l'Américain moyen n'a vu qu'un écran s'assombrir pendant vingt secondes, puis une publicité. Actuellement, ils rediffusent une émission qui passe habituellement dans ce créneau horaire, mais leurs équipes d'information veulent savoir ce qui se passe.

— Et que leur dites-vous ?

L'agent des Services secrets se tut un moment.

— Vous avez une idée ?

Jack acquiesça, d'un hochement de tête.

— Coupez l'électricité dans le centre-ville. Un délestage est un événement visible, et les journaux télévisés peuvent le montrer au monde. Les téléspectateurs seront alors convaincus d'un problème technique et si les hommes qui sont là-dedans veulent faire une quelconque déclaration télévisée, nous pouvons leur dire que le courant est coupé.

Le capitaine Stone et l'agent secret échangèrent des regards. De la tête, Evans fit un signe d'approbation, et Stone fit venir un autre officier du Groupe d'Intervention.

— Contactez la compagnie d'électricité, dit Stone. Faites en sorte que le courant soit coupé dans un rayon d'un kilomètre autour de l'Auditorium Chamberlain, aussi vite que possible.

Soulagé d'avoir obtenu le petit doigt, comme dit le proverbe, Jack tenta de saisir le bras.

— Capitaine, vous devez réviser votre idée de donner l'assaut. Des gens pourraient mourir inutilement…

Stone lui coupa la parole.

— Je me suis entretenu avec le maire et le gouverneur. C'était à moi de prendre une décision, et je l'ai prise…

— Mais…

— Ça suffit, gronda Stone. Vous autres de la CAT, vous êtes censés empêcher ce genre d'attaque. Vous ne l'avez pas fait. Dès que mon équipe d'assaut sera prête, je vais en finir avec tout ça, avant que ça n'empire.

Heure 16

CES ÉVÉNEMENTS SE DÉROULENT
ENTRE 20 H ET 21 H, PDT

20:01:01 PDT
Siège de la CAT, Los Angeles

Presque aussitôt que les ordinateurs s'éteignirent, Nina Myers arriva dans la cyberunité, suivie d'une équipe de sécurité, et fit mettre Lesser en détention. Il ne résista pas. Un sourire en coin lui barrait le visage, comme on le conduisait à sa cellule.

Pendant l'heure qui suivit, Milo, Doris et Jamey travaillèrent avec frénésie pour réparer les ordinateurs. Quoi qu'ils tentent, les serveurs semblaient coincés dans un circuit fermé. Ils avaient éteint et rallumé les ordinateurs, essayé de purger les systèmes, mais tout avait échoué. Le programme Rollback, qui aurait dû ramener le système au point où il était avant l'attaque, ne fonctionnait tout simplement pas. Aucune aide ne venait de l'extérieur non plus. Les ordinateurs de la CIA avaient été eux aussi touchés par le virus et étaient hors service.

Au bout d'une demi-heure, Jamey se mit à paniquer. La police de Los Angeles était passée et avait fait connaître la nouvelle de la prise d'otages en cours à l'Auditorium Chamberlain. La CAT n'arrivait pas à mettre en route ses téléviseurs satellites pour voir la suite des événements comme le reste du monde. Cette situation et l'émotion qu'elle avait refoulée en apprenant l'assassinat de Fay Hubley la mettaient pratiquement hors d'elle.

— Je suis programmeuse, pas experte en sécurité ! s'écria-t-elle d'une voix stridente. C'est ton boulot, Milo. Pourquoi tu ne le fais pas ?!

Jamey leva les mains au ciel, en regardant d'innombrables fichiers disparaître dans le cyberespace. Milo eut une idée. Il remit un des ordinateurs en marche, celui qu'ils avaient isolé pour l'infecter sciemment avec le virus que Lesser avait programmé pour minuit. Il se servit du Rollback pour purger la machine de la partie non exécutée du virus. Ensuite il nettoya la mémoire. À présent, il avait un ordinateur sain. Avec l'aide de Doris, il tenta de l'utiliser pour pirater les unités centrales infectées et tout remettre en route.

20:12:54 PDT
Salle d'interrogatoire,
Siège de la CAT

Ryan Chappelle pénétra dans la cellule et s'assit à la petite table en face de Richard Lesser. On avait fouillé le génie de l'informatique, et récupéré la clé USB cachée sur lui. Maintenant, les deux hommes se regardaient en silence. Ils se défiaient. Qui parlerait le premier ?

Chappelle, qui était un maître du silence bureaucratique, remporta la bataille.

— Pourquoi tu me fais chier, ducon ?

Chappelle ne répondit pas.

— Qu'est-ce qu'il y a ? poursuivit Lesser. C'est une sorte de torture ? Être assis là en face de vous, à vous regarder baisser votre visage dépité vers le sol ?

— Dépité, dit Ryan Chappelle. C'est un choix d'adjectif intéressant.

— Oui, c'est ça : dépité. Vous ne connaîtrez jamais l'extase que j'ai ressentie quand la main de Dieu m'a touché.

— Vous voulez certainement dire *Allah* ? Que dit un gentil garçon juif comme vous quand il rencontre ses copains musulmans : *Shalom* ?

— Vous ne comprendriez pas. Dieu. *Allah*. C'est la même chose. J'ai vu le Paradis. Je sais.

— Le Paradis ? Vous voulez parler de ce lieu situé dans les montagnes ?

Les yeux de Lesser se rétrécirent. Il pointa l'index.

— Maintenant, vous essayez de m'embobiner, mais vous ne le pouvez pas.

Il se pencha en avant, et baissa la voix.

— Vous ne comprenez pas comment ça m'a changé. Transformé. Il n'y a qu'un homme qui comprenne.

— Hasan ?

Lesser s'adossa de nouveau sur sa chaise, toucha un bouton de sa chemise du bout du doigt.

— Même vous, vous avez entendu parler de lui. Vous tous, dans vos alcôves du gouvernement, dans ces matrices en marbre, vos forteresses multinationales… Hasan vous fait déjà trembler, dans vos complexes militaro-industriels. Il est la Vérité, le Prophète, le Sauveur. Il est…

— Le Messie ? C'est pour ça que vous travaillez pour lui ?

Lesser afficha un sourire narquois.

— Je ne travaille pas pour Hasan. Je le sers. Comme vous le servirez tous. Comme tout le monde le servira.

Ce que vous servez en ce moment ne vaut rien. C'est vide, sans signification. Toute la vie humaine n'est qu'un clignement de paupière dans le temps cosmique. Vous, moi, tout le monde, nous vivons dans le passé. Ce passé constant et permanent. Hasan est l'avenir…

— Considérant que vous n'avez aucun avenir, M. Lesser.

Chappelle s'adossa et croisa tranquillement les bras.

— Vous aurez soixante-dix ans avant de quitter le pénitencier fédéral où vous serez, sauf si nous vous lâchons parmi la population carcérale ordinaire, avec ses trafiquants, ses assassins, ce genre de personnes. Vous tiendrez peut-être une semaine, mais ces sept jours ne seront guère agréables.

Le sourire de Lesser s'évanouit. Son visage s'assombrit, se fit songeur. Il fronça les sourcils. Chappelle attendait, espérant que Lesser marchande pour obtenir une peine plus courte, en échange de sa collaboration. Finalement, Lesser parla.

— Je suppose que je n'ai pas le choix.

Chappelle hocha la tête, content d'avoir trouvé une ouverture.

— Au revoir, monsieur Chappelle, dit Richard Lesser.

Dans un mouvement fluide, il déchira le premier bouton de sa chemise, le glissa dans sa bouche et mordit.

20:16:03 PDT
Auditorium Terence Alton Chamberlain,
Los Angeles

Teri Bauer grimaça. Carla Adair lui serrait la main si fort que ses doigts en rougissaient. Entre des gémissements, Carla inspirait profondément et bruyamment par la bouche comme on le lui avait appris dans ses cours d'accouchement sans douleur. Elle lâcha finalement la main de Teri.

Le travail de Carla avait commencé peu après la prise de l'auditorium. Nancy Colburn, dans sa robe à franges des Années folles, qui avait elle-même accouché deux ans auparavant, avait aidé Teri à soulever les accoudoirs des fauteuils bleus. Carla avait ainsi pu s'allonger dessus. Leur ancien patron, Dennis Winthrop, avait couvert la femme enceinte avec sa veste.

— C'est l'adrénaline, murmura Nancy. C'est la peur qui a déclenché le travail.

— Seigneur ! siffla Dennis.

À présent, Carla s'était redressée sur les coudes, le visage rouge, le front luisant de sueur. Chandra Washington était sur le point de déchirer un morceau de son fourreau violet quand elle vit une écharpe blanche que quelqu'un avait laissée sur son siège.

D'élégants accessoires vestimentaires étaient éparpillés dans toute la salle de spectacles. Pendant la course vaine de la foule vers la sortie, des escarpins à talons aiguilles, des sandales à ficelles et des sacs à main brodés de perles étaient tombés. Des bijoux avaient été arrachés. Teri remarqua une boucle d'oreilles en diamant, montée sur du platine et un collier en or rose.

Celles à qui appartiennent ces bijoux sont-elles encore en vie ? ne pouvait-elle s'empêcher de se demander. Au moins vingt personnes avaient été tuées pendant la première course folle vers les portes de sortie. Ensuite, les terroristes avaient demandé à tout le monde de se coucher à terre, où qu'on se trouve. Des groupes de personnes étaient désormais assis sur les côtés et près des portes arrière de la salle.

Teri ferma les yeux et tenta de se calmer en imaginant Kim chez sa cousine. Mais ensuite, l'inévitable question surgit. Qu'avait vu sa fille de la cérémonie ? Les terroristes diffusaient-ils les scènes se déroulant en ce moment ? Kim regardait-elle ? Avait-elle peur ?

Carla gémit à nouveau.

Teri ouvrit les yeux et regarda sa fine montre-bracelet.

— Les contractions se rapprochent, dit-elle à Chandra.

— Il nous faut un médecin, chuchota la jeune femme.

Carla entendit la conversation. Son visage se tordit de douleur.

— Je ne veux pas perdre mon bébé, fit-elle d'une voix rauque.

— Tu ne le perdras pas, l'assura Teri. Je ne permettrais pas que ça arrive.

Carla s'allongea une fois de plus. Ses cheveux auburn qui lui touchaient les épaules s'éparpillèrent sur les fauteuils en velours bleu de la salle de spectacles.

— Gary et moi avons nettoyé la deuxième chambre le mois dernier, murmura-t-elle, ses yeux croisant ceux de Teri. Nous l'avons entièrement préparée… Tu devrais voir le papier peint. Il est d'un très beau jaune soleil levant… Et les meubles du bébé… on les a attendus si longtemps qu'on a cru que le bébé naîtrait peut-être avant… Mais nous les avons reçus il y a deux jours.

À la fois en sueur et en larmes, elle sanglota d'une petite voix :

— Je veux rentrer à la maison.

Moi aussi, pensa Teri en observant la foule. La plupart des gens étaient calmes, à présent. Comme eux, ils avaient abandonné l'idée de se servir de leurs téléphones portables. Teri n'avait pas la tonalité, et personne d'autre ne l'avait. Elle supposait que les terroristes avaient activé un système de brouillage.

En silence, elle regarda dix hommes armés, portant des foulards noirs sur le visage, marcher dans l'auditorium, faire lentement le tour des parties latérales. Les autres terroristes – elle en avait compté jusqu'à vingt durant le premier assaut – étaient invisibles.

Quand ils avaient pris l'auditorium, ils avaient vidé la mezzanine, forçant les gens à descendre au rez-de-chaussée dans un périmètre où on pouvait tous les surveiller. Peu après, les hommes masqués avaient fait entrer quatre femmes dans une pièce. Parmi elles, Teri avait reconnu une des jolies ouvreuses qui les avaient conduits à leurs places.

Toutes ces femmes avaient quitté leurs robes du soir, et s'étaient couvertes de longues robes noires de la tête aux pieds. Les membres de l'assistance avaient ouvert la bouche, surpris et craintifs, en voyant ce que les femmes tenaient : des briques de plastic accrochées à des ceintures autour de la taille. Avec des sourires béats sur le visage et des détonateurs à la main, elles s'étaient mises en position, chacune dans un coin de la salle.

Quand le public comprit que des terroristes suicidaires se tenaient maintenant parmi eux, une autre montée de panique s'ensuivit. Des tirs en l'air et des coups de crosse avaient ramené le silence.

Après cela, Teri avait vu de nombreux autres actes de violence et d'étranges petits drames. Des lâches essayaient de passer des accords pour sauver leur vie. Des héros tentaient de protéger ceux qui se trouvaient à leurs côtés, sans se soucier de leur propre vie. Cependant, l'acte de bravoure le plus inoubliable restait à venir.

— J'ai si soif, murmura Carla, les yeux fermés.

Teri voyait que son amie avait les lèvres sèches, et qu'elle avait du mal à déglutir. Dennis Winthrop se leva.

— Il y a une femme enceinte ici, hurla-t-il. Elle est en travail. Il lui faut un médecin.

Deux hommes masqués s'approchèrent aussitôt de lui. L'un le frappa au visage, mais son cran britannique ne vacilla pas. Il refusa de s'asseoir, se tenant simplement en face d'eux, attendant une réponse. Il leur dit finalement :

— Si vous ne pouvez pas aider cette femme, donnez-lui au moins de l'eau.

Un des hommes répondit à sa demande, dans un anglais parfait.

— Si vous voulez de l'eau, venez avec moi. Les autres, restez ici sans causer d'ennuis.

C'est alors que Nancy bondit, pour se tenir debout.

— Je viens aussi, déclara-t-elle, comme partie en croisade dans sa robe rouge des Années folles. Je peux ramener de l'eau pour tout le monde.

Les hommes masqués ne dirent rien, se contentant de pousser le couple en avant, du bout de leurs mitraillettes. Inquiètes, Teri et Chandra les avaient regardés s'éloigner, jusqu'à ce qu'ils se perdent dans la foule.

Dix minutes s'écoulèrent, puis vingt, mais Dennis et Nancy n'étaient toujours pas revenus. Teri se demanda où était Jack. Elle regarda sa montre, se demandant s'il savait ce qui se passait dans l'auditorium, et ce que son équipe de la CAT ferait, quand ils le découvriraient.

— Où est Nancy ? Et Dennis ? s'inquiéta Chandra. Quand est-ce qu'ils reviendront avec l'eau ?

Le cœur de Teri s'arrêta presque quand elle entendit des sons étouffés mais parfaitement audibles de tirs, provenant de quelque part derrière la scène. Il y eut deux rafales de tirs de mitraillette. Rien de plus.

— Teri ? fit Chandra d'une voix rauque, les yeux écarquillés de peur.

Priant pour que ses mains cessent de trembler, Teri regarda une fois de plus sa montre.

— Ils seront là bientôt, dit-elle pour rassurer la jeune femme. Bientôt.

*
* *

20:36:50 PDT
Auditorium Terence Alton Chamberlain,
Los Angeles

Un cercle obscur entourait dorénavant l'auditorium outrageusement illuminé. Le courant avait été coupé dans un rayon d'un kilomètre et demi, mais l'auditorium n'avait pas besoin du réseau électrique pour continuer à briller, telle une torche au milieu de la nuit. Ses générateurs lui fournissaient de l'énergie pour les lumières, les robinets, la climatisation et les systèmes de refroidissement.

Plus de mille deux cents personnes étaient enfermées dans le bâtiment verrouillé, si on se référait à la fiche de placement du public. Il y avait cent personnes supplémentaires, dont l'équipe de service de l'auditorium, les petites mains, et les techniciens. Rien ne serait tenté pour couper les générateurs de la salle. Sans climatisation, sans eau ni lumière, la situation empirerait pour les otages.

Jack Bauer avait parfaitement conscience que sa femme, Teri, se trouvait parmi eux.

Pendant qu'on mettait la dernière main aux préparatifs de l'assaut, Jack continuait de protester contre l'attaque.

— Vous devez nous donner plus de temps pour

formuler une réponse rationnelle, insista-t-il, harcelant Stone. On ne peut pas simplement ouvrir le feu.

— Nous avons deux des femmes les plus importantes du monde libre enfermées dans ce bâtiment, répliqua Stone, perdant manifestement patience. Nos communications avec le seul agent qui les protège sont limitées et ne passent que par une ligne temporaire. Elle pourrait être coupée à tout moment. Nous n'avons pas le temps de négocier.

Un membre de l'équipe de Stone les interrompit.

— Je suis le chef adjoint Vetters, monsieur. Les pompiers sont là.

Les pompiers s'avançaient, vêtus de lourdes combinaisons et de casques. Le capitaine Stone fit face au plus âgé d'entre eux, un homme au visage rougeaud et à la moustache grise.

— Je crois savoir que vous avez effectué des simulations d'incendie avec l'équipe de l'Auditorium Chamberlain et que vous pouvez ouvrir ces portes pare-feu, dit-il en indiquant les schémas affichés sur l'écran.

Le chef Vetters fit oui de la tête.

— Nous avons les codes permettant d'ouvrir ces portes. Les deux sont des points d'entrée destinés aux pompiers. Mais il y a vingt-quatre autres portes métalliques que nous ne pouvons pas ouvrir.

— Ça ne fait rien, répondit Stone. Nous n'avons besoin que de deux portes. Vos hommes viennent avec nous pour faire sauter les verrous. Ensuite, mon Groupe d'Intervention entre.

Le plan ne semblait pas convenir à Vetters mais il ne dit rien. Le chef des pompiers rejoignit ses hommes, et les trois pompiers se dirigèrent vers deux véhicules d'assaut blindés. Jack suivit Vetters qui avançait vers les voitures et le prit à part.

— Chef, vous avez des doutes à propos de tout ceci comme moi, dit Jack en guise d'introduction.

L'homme regarda Jack, le jaugeant des yeux.

— En général, je n'aime pas les stratèges assis dans leur fauteuil, et le maire me demande d'obéir aux ordres de Stone.

— Mais ? Car Jack sentait qu'il y avait un *mais*.

— Mais j'ai été soldat pendant la première guerre du Golfe, et tout ça m'a l'air d'être un piège.

Au lieu de retourner au centre de commande bondé de monde, Jack resta auprès de Vetters, attendant le début de l'opération. Quand les véhicules d'assaut noirs se mirent à descendre l'une des quatre voies d'une avenue sombre et déserte, roulant vers l'auditorium lumineux, Jack sortit ses petites jumelles pour mieux observer l'opération.

Une des voitures fit le tour de l'auditorium et disparut hors de vue. La deuxième roulait droit sur la façade de verre. Elle l'enfonça un instant plus tard, pour atteindre la porte pare-feu et l'accès à la salle de spectacles qui se trouvait derrière.

— Ils entrent, apprit Jack au chef. Votre homme est accompagné par le Groupe d'Intervention. Il est à la porte pare-feu… Elle s'ouvre.

Le crépitement d'armes automatiques parvint à leurs oreilles, avant que Jack comprenne ce qui s'était passé.

— Bon sang ! s'écria Jack, le Groupe d'Intervention se fait tuer. Votre homme est à terre. Blessé. Il n'est pas mort. Un flic le tire, l'éloigne des tirs. Non. Le flic tombe aussi.

— Seigneur, murmura Vetters.

Jack était sur le point de baisser ses jumelles quand il vit deux civils passer à travers ce chaos, esquivant les balles. Un homme et une femme. L'homme portait un costume sombre et la femme était vêtue d'une robe du soir couleur ivoire. Ils fonçaient hors de l'auditorium, main dans la main, se servant du véhicule blindé comme couverture. Mais comme ils atteignaient l'arrière du véhicule d'assaut, le couple reçut une rafale de balles venant de l'auditorium.

— Deux personnes viennent de s'évader. Ils sont coincés là-bas, dit Jack au chef.

Observant la rue, Jack vit un troisième véhicule d'assaut, garé près du centre de commande.

— Venez, on y va.

Le chef Vetters était juste derrière lui. Ils rampèrent pour entrer dans la voiture, et Vetters se mit au volant.

— J'ai piloté un véhicule de combat Bradley, pendant l'opération Tempête du Désert. C'est pareil, expliqua Vetters.

Le moteur vrombit, et ils démarrèrent. La voiture roulait sur des pneus géants, increvables. Cela lui conférait une plus grande aisance de conduite que les véhicules d'assaut auxquels les deux hommes étaient habitués. Elle était rapide, avec ça. En moins d'une minute, ils atteignirent l'auditorium.

Vetters arrêta le véhicule d'assaut derrière ceux qui avaient essuyé des tirs, près de la porte pare-feu. Jack ouvrit prestement le hayon, et vit le couple en tenue de soirée, allongé derrière son maigre bouclier. Des tirs sporadiques fusaient encore, mais Jack voyait que la bataille était terminée... tous les hommes de l'équipe d'assaut avaient été massacrés.

— Montez ! cria Jack. Le couple n'hésita pas.

Ils foncèrent le long du mètre cinquante qui les séparait du hayon. La femme peinait avec ses talons hauts. L'homme la pressait. Ils bondirent à travers la porte et Jack fit claquer le hayon.

Vetters fit tourner la voiture, alors que des balles

ricochaient sur le blindage. Jack regarda les nouveaux venus : une jolie jeune femme d'origine chinoise, et un jeune homme d'origine japonaise, avec un appareil photo numérique pendant autour du cou.

— Qui êtes-vous ? demanda Jack.

— Christina Hong, reporter au Service Spectacles de la chaîne KHTV, de Seattle. Voici…

— Lon Nobunaga. Je suis photographe.

— Vous étiez tous les deux dans l'auditorium, pressa Jack.

Ils hochèrent la tête.

— Je suis arrivé en retard, répondit l'homme. Je me frayais un passage vers l'entrée quand ça a commencé à mal tourner. J'ai tenté de sortir, et je me suis retrouvé enfermé dans le hall quand les portes pare-feu ont été verrouillées. Christina aussi…

— Nous nous sommes cachés dans une réserve, tous les deux. Nous avons regardé les terroristes s'aligner devant les portes pare-feu, pour attendre la police. Ils savaient que les flics arrivaient. C'était une embuscade !

L'homme approuva d'un signe de la tête. Il essuya la sueur sur son front avec la manche de son costume de soirée : « Au milieu de la fusillade, j'ai vu un passage dans toute cette pagaille, et j'ai empoigné Christina. Nous avons couru, et nous sommes arrivés dehors. » Nobunaga s'arrêta. Il secoua la tête.

— Nous avons eu de la chance. Ces terroristes – peu importe qui ils sont –, sont complètement cinglés. Ils n'en ont rien à faire de rien, ni de personne. Je les ai vus abattre des gens, frapper des femmes à la tête avec leurs armes. Si on ne les arrête pas, ils vont tuer tout le monde là-dedans !

Heure 17

CES ÉVÉNEMENTS SE DÉROULENT
ENTRE 21 H ET 22 H, PDT

21:02:06 PDT
Auditorium Terence Alton Chamberlain,
Los Angeles

Dans les allées les plus proches de la scène, là où on avait ordonné aux présentateurs les plus connus de s'asseoir, Sol Gunther, l'agent publicitaire hollywoodien, bougeait nerveusement sur son fauteuil. Il ouvrit son téléphone portable, et vit qu'il n'y avait toujours aucun signal. Il rangea l'appareil, chuchota à son client célèbre.

— Tu crois qu'ils vont faire quoi ?

— Comme tout le monde dans cette ville, ils vont conclure un marché, répondit Chip Manning. Tu ne crois quand même pas qu'ils sont assez cons pour tuer tout le monde ?

Sol haussa les épaules.

— Peut-être qu'ils sont cons, ou peut-être pas. Mais s'ils ne le sont pas, ta carrière est fichue. À moins que la diffusion se soit arrêtée avant que tu fuies la scène, en laissant ta coprésentatrice prendre une balle dans le crâne. Ce n'est pas vraiment héroïque de laisser une femme derrière.

— Écoute, Sol, chuchota Chip, en appuyant ses bottes en autruche sur le dossier du fauteuil placé devant lui, je ne vais quand même pas mourir parce qu'une bimbo sur laquelle on fait trop de battage médiatique ne peut pas courir sur ses talons hauts.

Sol se frotta le menton et soupira.

— Pourquoi ces fichus téléphones ne marchent-ils pas ?

Il vérifia encore le signal.

— Je veux appeler ma femme. Je veux lui parler.

Chip Manning ne répondit pas à son agent. L'homme n'avait pas cessé de répéter ce mantra depuis le début de la prise d'otages. Le regard plein d'ennui de Chip parcourut les sièges alentour pour s'attacher au profil époustouflant d'Abigail Heyer. C'était une vision bien plus intéressante que la vue de Kevin Krock, le réalisateur de documentaires, qui pleurait comme un veau dans les bras de son agent. L'actrice était assise, calme, quelques fauteuils plus loin. Son visage était impassible, et ses mains manucurées reposaient sur son ventre proéminent.

— C'est une dure, hein ? chuchota Manning à son agent. Regarde-la. Pas le moins du monde décontenancée. Je me demande qui l'a mise en cloque ? Un sacré veinard, ça, c'est certain.

— Puisque tu es tellement exubérant, pourquoi tu ne te sers pas de tes trucs d'arts martiaux contre quelques-uns de ces mecs ?

Manning grogna.

— Tu ne vas pas te laisser avoir par ton propre boniment. Casser des planches dans un dojo n'a rien à voir avec le fait d'affronter un groupe d'hommes armés.

— Mais tu pourrais faire quelque chose, fit remarquer Sol. Tu as plus de compétences que la plupart d'entre nous. Conduis-toi comme un homme.

— S'il te plaît, Sol, laisse donc les fascistes en finir avec ces bons à rien. C'est ici qu'il faut que la police de Los Angeles sorte les flingues, et pas dans un quartier défavorisé comme South Central.

*
* *

21:09:16 PDT
Siège de la CAT, Los Angeles

Milo Pressman continuait de se battre avec le processeur central infecté de la CAT. Il utilisait l'ordinateur isolé. Il avait restauré un minimum de fonctionnalités, en mettant en marche plusieurs protocoles de nettoyage. Le travail était lent, inefficace et produisait peu d'effets. Pour couronner le tout, sa concentration était en berne.

Chappelle lui avait dit ce qui s'était passé il y avait moins d'une heure :

— Lesser a dit qu'il avait goûté au Paradis, qu'il se fichait de ce que nous lui ferions. Il était entré en religion et il était prêt à mourir. Ensuite, il s'est suicidé.

La mâchoire de Milo tomba en entendant ces mots.

— Vous dites que Lesser est… mort ?

Chappelle avait hoché la tête.

— Un bouton de sa chemise était en fait une capsule de cyanure.

— Mais Lesser est un profane, un agnostique iconoclaste, pas une espèce de fanatique religieux.

— Hasan s'est arrangé pour en faire un croyant. Il a utilisé des drogues pour affaiblir l'esprit de Lesser, briser sa volonté. Appelez ça contrôle de l'esprit. Lavage de cerveau. Une illusion religieuse induite.

Chappelle haussa les épaules.

— Je ne pensais pas que c'était possible, avant de le voir par moi-même.

Depuis cette conversation, des souvenirs de Lesser s'étaient abattus comme des vagues sur Milo : les disputes, les insultes, la bagarre pour gagner l'attention d'une jolie camarade de classe, qu'aucun d'eux n'avait finalement obtenue. Même à l'université, Lesser avait fait montre de tendances vicieuses et antisociales. À deux reprises, il avait saboté les salles d'informatique de l'université de Stanford, s'amusant du dommage causé aux autres. Juste au moment où les étudiants étaient persuadés que leurs projets étaient à l'eau, irrécupérables, Lesser apparaissait, tapait sur quelques touches et réparait tout.

À ce moment-là, les doigts de Milo s'immobilisèrent sur le clavier.

— Attends un peu.

— Quoi ? demanda Doris.

— Est-ce que le processeur central est encore en marche ?

— Il marche, mais il ne respecte pas les consignes.

Milo fit pivoter sa chaise, roula à travers la pièce, et poussa Doris qui regagnait son poste de travail.

— Qu'est-ce que tu fais ? s'écria-t-elle. Si tu l'éteins, ça va prendre vingt minutes pour le rallumer.

— J'ai un pressentiment, répondit Milo.

— Un pressentiment ! Ce n'est pas l'heure des pressentiments.

Milo l'ignora et entra une série de commandes.

— Quelles commandes es-tu en train de mettre en place ? demanda Doris, craignant de regarder.

— C'est un truc que Lesser utilisait, quand on était à la fac.

Doris était atterrée.

— Et tu crois vraiment que ça va marcher ?

Milo lança son « pressentiment », et retint son souffle. Pendant un moment, il ne se passa rien. Puis chaque système, chaque écran se remit en réseau. Tout était parfaitement opérationnel, comme si rien ne s'était jamais arrêté. Des cris de surprise, de joie, de soulagement, ainsi que des applaudissements éparpillés, explosèrent dans la salle de contrôle des opérations.

Milo entendit un bruit de pas martelant le sol. Ryan Chapelle tournait au coin de la pièce, en courant. Il s'arrêta si vite qu'il glissa sur ses Oxfords.

— Comment… ? demanda-t-il.

Doris pointa Milo du doigt.

— Demandez-lui.

— Pressman, vous savez quoi ? Le comment n'a pas d'importance : vous êtes un génie !

Milo soupira.

— Assez bon pour servir l'État.

*
* *

21:41:22 PDT
Avenue Dante,
Tijuana, Mexique

Quelques minutes après que Tony Almeida avait perdu le contact avec la CAT, deux techniciens tchétchènes se garèrent devant la maison dans une Ford de modèle récent. Les hommes descendirent de la voiture, causant dans leur langue, en avançant vers la porte.

Tony attendit qu'ils entrent, puis il mit fin à leurs jours avec le Glock qu'il avait donné à Fay pour qu'elle se protège. Justice expéditive, mais bien méritée, du point de vue de Tony.

Une fois le travail physique achevé, Tony avait

passé les deux heures suivantes à éplucher le contenu de la base de données. Heureusement pour lui, les Tchétchènes s'étaient montrés négligents. Ils avaient laissé le système en route, les protocoles de sécurité ouverts, permettant un accès total au processeur et à son contenu.

En se servant de l'historique de l'ordinateur, Tony ouvrit les fichiers actifs, du dernier au premier. Il en ouvrit un à la fois. De temps en temps, il effectuait des recoupements avec un nom ou une adresse, ce qui lui permettait de découvrir une autre mine d'informations. Après une heure passée à associer ces données apparemment sans lien, Tony commença à comprendre de quoi il retournait.

Il découvrit que Richard Lesser avait conçu le *Trojan* dans cette maison. Après avoir enfoui le virus dans le film, il l'avait envoyé dans le cyberespace, grâce au serveur qui tournait dans un coin de la pièce. Dans ce fichier téléchargé des *Portes du Paradis*, Lesser avait dissimulé un virus despote qui prenait le contrôle d'un système appelé Cinefi. Hugh Vetri, qui avait un bureau dans le complexe Summit Studio, avait trouvé la version pirate de son film, qui était sur le point de sortir. Il l'avait téléchargée, lâchant le *Trojan* dans les ordinateurs des studios, où il était resté latent pendant les deux heures qui venaient de s'écouler. Le virus s'était alors réveillé pour prendre le contrôle de l'Auditorium Chamberlain. Les portes pare-feu avaient été verrouillées, le système téléphonique coupé, les otages enfermés à l'intérieur.

Mais tout cela n'était que la phase 1. Richard Lesser n'avait pas menti, à propos du virus programmé pour minuit, et de sa capacité à effacer l'infrastructure complète de l'Internet dans le monde entier. Ce virus devait être lâché, depuis cette installation, par les deux

Tchétchènes dont les cadavres fixaient maintenant le plafond de leurs yeux éteints.

Tony poussa un soupir de soulagement. *Au moins, il avait contrecarré cette partie du plan de Hasan.*

Lesser n'avait jamais clairement envisagé de donner ce virus à la CAT, comme il l'avait prétendu. Il avait été lui-même un Cheval de Troie vivant, envoyé pour détruire le système informatique de la CAT. D'après le silence de l'agence, Tony supposait que Lesser avait accompli sa mission.

En continuant d'exploiter les données, Tony trouva les noms de ceux qui étaient soit des complices, soit des pigeons de Hasan : Nawaf Sanjore, Valerie Dodge, Hugh Vetri. C'était l'architecte Sanjore, ou une personne travaillant dans son cabinet, qui avait fourni les plans de l'auditorium à Hasan. L'ancien top model, Valerie Dodge, ou une personne infiltrée dans son agence, avait placé les kamikazes de Hasan comme portiers à la soirée des Silver Screen Awards.

Les dossiers contenus dans l'ordinateur renseignèrent Tony sur Hugh Vetri. Le producteur avait accidentellement contrarié un aspect du plan de Hasan. Pas beaucoup, mais assez pour constituer une menace. Sa famille et lui avaient donc été tués avant qu'ils parlent aux autorités.

Après deux heures de casse-tête chinois, il y avait encore des dizaines de fichiers à ouvrir, mais Tony n'avait plus le temps. Avant de s'en aller, il décida de remplir le moindre CD vierge, la plus petite clé USB, chaque carte mémoire qu'il trouverait, avec les informations qu'il avait sélectionnées.

En plein milieu de cette opération, son téléphone sonna. C'était Jamey Farrell.

— Tony ? Est-ce que tout va bien ?

— Ouais. Qu'est-ce qui s'est passé ?

— Lesser a infecté le processeur central, répondit Jamey, mais les problèmes ont été résolus.

Tony ne demanda pas comment. Il n'en avait cure.

— Écoute, je pense que l'Auditorium Chamberlain est la cible d'une attaque terro…

— Trop tard, Tony, l'interrompit Jamey. Les lieux sont déjà assiégés. Il y a des centaines d'otages.

Tony poussa un juron.

— Écoute, je veux t'envoyer le contenu de l'ordinateur de Lesser. Il y a des dizaines de fichiers.

— Très bien, je vais ouvrir une ligne sécurisée. Transfère les données et bascule-les dans la boîte 224QD.

Tony et Jamey travaillèrent ensemble, et Tony expédia rapidement les documents.

— Je les ai, dit Jamey un instant plus tard. Chappelle veut savoir quand tu reviens.

— J'ai encore une petite chose à faire, répondit Tony.

Il mit fin à la conversation, descendit à la cuisine, poussa le four placé devant le mur, mettant à nu une conduite de gaz naturelle. Il l'ouvrit, en y donnant plusieurs coups de botte. Quand il entendit le sifflement du gaz qui s'échappait, Tony empoigna un sac en toile plein de CD, de fichiers imprimés – la moindre information pouvant servir –, et se dirigea vers la porte. Il s'arrêta un moment dans la salle de séjour, juste assez longtemps pour enflammer une feuille de papier, devant la télévision.

Tony Almeida était derrière le volant de sa camionnette, à mi-chemin de la maison, quand elle explosa, brisant le silence du soir. À travers son pare-brise il vit des langues de feu embrasant le ciel.

Heure 18

CES ÉVÉNEMENTS SE DÉROULENT
ENTRE 22 H ET 23, PDT

22:00:04 PDT
Centre de commande mobile
de la police de Los Angeles

C'était maintenant Jack, qui menait les opérations. Après l'assaut désastreux du capitaine Stone, et après qu'on avait informé le maire, le gouverneur, et le directeur de la Sécurité Intérieure des capacités pleinement retrouvées de la CAT, le capitaine avait discrètement été remplacé.

Le premier acte de commandement de Jack fut de mettre les choses au point avec Stone. Il souhaitait utiliser les ressources de l'homme dès que le plan serait élaboré. Jusque-là, il plaça le capitaine et ce qu'il restait du Groupe d'Intervention aux avant-postes. De cette façon, ils pouvaient aider la Garde nationale à sécuriser le périmètre.

Avant d'appeler la CAT, Jack téléphona à la cousine de Teri. Il fut soulagé d'apprendre que Kim s'était endormie en attendant que les Silver Screen Awards recommencent. Comme le reste du pays, la cousine de Teri pensait que la panne électrique du centre-ville était à l'origine de l'arrêt de la retransmission. Jack ne l'éclaira pas sur ce point. Il lui dit simplement que Teri serait en retard et demanda si Kim pouvait passer la nuit chez elle. Il la remercia, mit fin à la conversation, et retourna à son poste.

Il appela Ryan Chappelle. Chet Blackburn et l'unité tactique étaient arrivés sur le lieu du siège, mais Jack demanda également l'envoi d'un centre de commande mobile de la CAT.

Chappelle accepta.

— Je vous en envoie un, immédiatement. Milo sera dans l'équipe qui vient vous rejoindre. Je garde Jamey ici, pour tout coordonner.

— Dites à Milo de prendre un ordinateur dans ma voiture. Elle se trouve à quelques rues d'ici. J'ai activé la puce GPS, et il la trouvera sans mal.

— Quel ordinateur ? demanda Chappelle. D'où vient-il ?

— De l'agence de mannequins Valerie Dodge. C'est Mme Dodge qui a fourni son personnel à l'auditorium : portiers, ouvreuses et escortes pour les célébrités. J'ai des raisons de penser qu'elle a été bernée par une employée qui lui a fait envoyer des terroristes au lieu du personnel requis. Il y a des plans et des graphiques du Chamberlain sur le disque dur de l'ordinateur. Je veux que Milo examine toutes ces données le plus vite possible.

À la console de communications, un jeune technicien de la police saisit son casque et leva les yeux.

— Agent spécial Bauer, appela-t-il. J'ai quelqu'un sur la ligne externe. Il prétend être le chef des preneurs d'otages. Il demande à parler au responsable.

— Mettez-le sur haut-parleur. Enregistrez l'appel pour effectuer une analyse numérique, ordonna Jack.

Le technicien mit le magnétophone en marche, changea les lignes et hocha la tête.

— Je suis l'agent spécial Jack Bauer, responsable de la cellule antiterroriste, à Los Angeles. Vous vouliez me parler.

— Vous avez vu ce que nous sommes capables de faire. Vos morts jonchent la rue comme des déchets. Une autre tentative d'assaut sur ces locaux aboutira à la mort de centaines d'otages.

La voix était neutre, dénuée d'émotion.

— Qui représentez-vous ? Quelles sont vos exigences ?

— Pour le moment, nos exigences sont simples : la restauration des capacités de diffusion d'ici quinze minutes…

— Ça risque d'être difficile, l'interrompit Jack. Il y a une panne d'électricité. Nous n'avons pas de courant dans le centre-ville…

— Trouvez un moyen. S'il ne nous est pas permis de faire une déclaration au monde dans les trente prochaines minutes, nous commenceront à exécuter des otages. Une vie sera supprimée toutes les cinq minutes jusqu'à ce que vous obtempériez.

— Attendez…

Mais la ligne était coupée. Jack se tourna vers le technicien en communications.

— Envoyez l'enregistrement à la CAT, pour une analyse vocale.

Evans prit la parole.

— Nous ne pouvons pas les laisser utiliser les ondes américaines comme tribune.

— Non, nous ne le pouvons pas, dit Jack. Mais faisons comme si nous acceptions leurs exigences. Ça nous laissera le temps de mettre au point un nouveau plan d'attaque.

Jack se massa le front. Son mal de tête revenait de plus belle.

— Il doit y avoir un moyen de leur faire croire qu'ils sont en train de faire passer leur message.

***

22:29:09 PDT
Extérieur de l'Auditorium Chamberlain

Tout était prêt, grâce au travail des techniciens de radiodiffusion sélectionnés dans des entreprises rivales, pour venir sur place couvrir les Silver Screen Awards. À la demande de Jack Bauer, ils avaient collaboré pour faire l'impossible. En moins de vingt-cinq minutes, ces experts dans leur domaine avaient réussi à trouver des câbles à fibre optique sous la rue. Ils les avaient placés sur écoute, ce qui était le premier pas pour contrôler les images que les terroristes voyaient sur leurs écrans de télévision depuis l'intérieur de l'auditorium.

La CAT savait qu'il y avait des dizaines d'écrans reliés au câble dans l'Auditorium Chamberlain. Les terroristes regarderaient certainement la diffusion de leurs propres images sur une chaîne locale, ou peut-être sur une chaîne d'informations émettant 24 heures sur 24. Cela signifiait que ces chaînes, et seulement elles, devaient être piratées pour être remplacées par de fausses émissions. Cela semblait une tâche impossible, mais les ingénieurs assurèrent Jack qu'ils pouvaient la réaliser.

— Faites-nous confiance, dit un producteur. Notre métier, c'est l'illusion. Nous pouvons faire croire n'importe quoi au téléspectateur, au moins pendant un petit moment.

— J'espère que nous n'aurons besoin que d'un petit moment, répondit Jack.

Les caméras étaient déjà en position. L'auditorium illuminé avait été minutieusement cadré pour servir de toile de fond. Pendant que Christina Hong attendait pour intervenir, une visagiste de cinéma retouchait son maquillage et l'assistante personnelle d'une présentatrice célèbre lui pulvérisait de la laque dans les cheveux. Toute la partie qu'elle devait jouer avait été mise en place par un producteur ayant reçu un Emmy Award. Un ancien des chaînes nationales allait maintenant réaliser le tout. L'ensemble tenait du rêve devenu réalité pour une jeune femme qu'on ne voyait que pendant trois minutes chaque semaine, sur une chaîne locale de Seattle.

— Je suis sur le point de jouer le rôle de ma carrière à la télévision, murmura-t-elle, et personne ne la verra, à part une bande de terroristes psychopathes.

À moitié aux anges, à moitié terrifiée à l'idée des conséquences si elle échouait, Christina se racla la gorge et redressa ses épaules. La visagiste et l'assistante personnelle reculèrent alors que le réalisateur entamait le compte à rebours. Au cours des trois dernières secondes, sa voix s'effaça. Il gardait trois doigts levés, puis deux. Il pointa…

— Ici Christina Hong, en direct de l'Auditorium Chamberlain, à Los Angeles. Nous interrompons votre programme habituel avec une nouvelle importante. Des terroristes inconnus ont pris le contrôle de la cérémonie annuelle des Silver Screen Awards, ils détiennent des centaines de personnes en otages. Parmi elles, on compte de nombreuses célébrités…

Dans le centre de commande, Jack Bauer regardait un écran. Mlle Hong était sans doute assez convaincante. Le logo situé en bas à droite de l'écran lui indiqua qu'il regardait la première chaîne d'informations de Los Angeles. Il changea de chaîne. Sur Fox News, on voyait la même image de Christina, à présent encadrée par le logo de Fox News.

— Des officiels du gouvernement des États-Unis, se trouvant actuellement sur les lieux, disent qu'ils attendent une déclaration imminente du groupe terroriste. Elle doit commencer dans une minute.

L'image de Christina Hong disparut, remplacée par celle d'un homme vêtu de noir de pied en cap, une écharpe sombre lui masquant le visage. On ne voyait que ses yeux. Il tenait un Agram 2000 au creux du coude. Jack fit la grimace en reconnaissant le drapeau vert et noir du Front uni de Libération pour une Tchétchénie libre, un mouvement dissident ultraviolent, dont on ne connaissait pas l'importance.

Bien qu'il soit une menace pour la paix et la stabilité dans la région où il opérait, Jack Bauer n'avait jamais considéré ce groupe comme un danger pour la sécurité nationale. Il ne pensait pas non plus qu'il disposait des informations ni des ressources permettant de mettre en place un siège de l'envergure de celui-ci… Pas sans soutien.

Entre-temps, l'exposé improvisé de Christina Hong se poursuivait.

— Nous apprendrons peut-être ce que veulent ces personnes, quelle cause ils représentent, et ce qui les a conduits à commettre un acte aussi désespéré. Voici leur déclaration, diffusée en direct…

Après une pause, l'homme masqué se mit à parler. Il émit une longue liste de demandes impossibles à satisfaire : que la Russie quitte la Tchétchénie, qu'elle relâche tous les prisonniers politiques, qu'elle paie des réparations à toutes les victimes de son occupation.

Jack nota que le terroriste masqué prétendait retenir la Première Dame de Russie et l'épouse du vice-président en otages; c'était un mensonge, et Jack le savait. Il s'était brièvement entretenu avec Craig Auburn, dans le sous-sol de l'Auditorium Chamberlain, avant le début de la retransmission. Les dames étaient toujours en sécurité dans leur cachette. Jack comprit qu'il avait affaire à un homme prêt à bluffer pour se sortir d'une situation difficile.

***

22:51:39 PDT
Centre de Commande mobile
de la police de Los Angeles

Vers la fin de la tirade du Tchétchène masqué, qui avait duré vingt minutes, le téléphone portable de Jack sonna. C'était Nina Myers.

— Jack, nous avons une identification positive de la voix du chef des terroristes.

— Génial !

— Les résultats de la première conversation téléphonique que tu nous as envoyée n'était pas concluants, mais cette retransmission télévisée nous a fourni tous les échantillons vocaux dont le laboratoire audio avait besoin, pour une identification positive…

— Positive à quel point ?

— Notre unité audio et les analystes vocaux sont certains à 98 % que l'homme qui s'exprime en ce moment est Bastian Grost. Il a quarante-quatre ans. C'est un ancien associé de Victor Drazen et un membre de sa police secrète, les Chiens Noirs.

— Merde, murmura Jack. Encore Drazen !

— Tu connais Drazen ?

— J'ai… lu quelques dossiers sur lui, répondit Jack.

— Bastian Grost est recherché par la Cour pénale internationale, poursuivit Nina. Il est en fuite, et avait disparu jusqu'ici. Interpol le soupçonne d'avoir été embauché pour entraîner des groupes terroristes de Tchétchénie.

— Je crois que Grost entraîne des terroristes, affirma Jack. Mais ce genre d'attaque-suicide ne correspond pas à son profil. Les troupes de Drazen étaient constituées d'opportunistes politiques. Ce sont des survivants, pas des fanatiques suicidaires prêts à mourir pour une cause.

— Sauf si Grost a subi un lavage de cerveau, répliqua Nina, comme Ibn Al Farad et Richard Lesser.

Jack hocha la tête.

— Oui, Hasan a pu lui laver le cerveau.

Heure 19

Ces événements se déroulent entre 23 h et 24 h, PDT

Auditorium Chamberlain,
3e sous-sol

Adam Carlisle, stagiaire à la Maison Blanche, était soucieux. L'agent secret Craig Auburn transpirait anormalement. Même avec les lampes de secours encastrées dans les murs qui brillaient faiblement, Adam voyait que le visage de l'homme était gris. Il n'avait pas l'air d'aller bien.

Au cours des quatre dernières heures, Craig Auburn était resté allongé dans un coin sombre, près du téléphone portatif cassé, le combiné noir à la main. Tous les quarts d'heures, il parlait d'une voix étouffée à quelqu'un qui se trouvait à l'autre bout du fil. Était-ce un autre agent secret ? Le FBI ? La CAT ? Adam l'ignorait. Tout ce qu'il savait, c'était qu'il y avait probablement des centaines de personnes qui travaillaient ardemment pour les faire sortir de ce sous-sol. *En tout cas, pour faire sortir la Première Dame et la femme du vice-président.*

Les deux femmes étaient assises sur deux chaises pliantes, autour d'une table de jeu, dans le sous-sol froid, humide et sombre. Elles étaient restées assez calmes, la lèvre supérieure pincée. Durant la première heure, après qu'ils avaient quitté l'ascenseur de secours, Adam avait trouvé une boîte à repas métallique. Elle contenait notamment un Thermos vide. Il l'avait lavé à un robinet fixé sur le mur, à l'autre bout du sous-sol, où l'eau coulait par un trou rond sur le sol en pente. Il avait apporté de l'eau à ces dames, leur disant de lui faire savoir si elles avaient besoin de quoi que ce soit d'autre. Après cela, lui et sa camarade stagiaire, Megan Gleason, s'étaient tenus assez tranquilles.

À peu près une heure auparavant, Megan, que la poussée d'adrénaline due à la peur et l'oisiveté avait épuisée, s'était endormie. À présent, elle commençait à remuer. Soudain, elle écarquilla les yeux. Ils étaient remplis de crainte.

— Tout va bien, chuchota Adam, craignant qu'elle se mette à crier ou quelque chose dans ce goût-là. L'agent secret Craig Auburn leur avait conseillé de rester silencieux. À un certain moment, ils avaient entendu des craquements et des voix filtrant à travers les caches de la ventilation situés au-dessus d'eux. Ils savaient que les terroristes les cherchaient.

— Quelle heure est-il ? demanda Megan, se redressant et brossant ses cheveux bruns et raides en arrière.

— Il est plus de 23 heures, répondit Adam.

— Je n'arrive pas à croire que j'aie dormi, murmura-t-elle.

— Tu étais choquée. Nous le sommes tous. Cependant, le téléphone marche encore, et l'agent spécial pense qu'on vient nous chercher.

Le sol en béton était froid. Megan avait perdu les talons de ses chaussures, et ses bas étaient déchirés. Elle avait les pieds nus et ne portait qu'une robe noire vaporeuse. Adam ôta sa veste de smoking, et l'enveloppa dedans.

— Merci, dit-elle en claquant des dents. Seigneur, je meurs de faim. Je n'ai pas eu le temps de manger quoi que ce soit depuis ce matin.

Adam sourit.

— Regarde ça, chuchota-t-il, sur le ton de la conspiration.

Il sortit de sa poche une barre chocolatée enveloppée dans de la Cellophane. Il l'avait trouvée dans la boîte à repas.

— Elle n'est périmée que depuis deux jours, j'ai vérifié. Franchement, je pense que ces trucs-là contiennent tellement de produits chimiques qu'ils sont comestibles pendant une décennie.

Megan tendit une main tremblante vers la barre chocolatée, puis marqua un temps d'arrêt.

— Ne devrions-nous pas offrir cette barre chocolatée à Mme Novartov pour respecter le protocole ?

Adam regarda par-dessus son épaule.

— Tu ne te souviens pas que, pendant que nous aidions l'assistant personnel du vice-président à préparer les sorties prévues après la cérémonie, elles se goinfraient d'un souper fin chez Spago ? Je pense qu'elles peuvent encore attendre un peu… D'ailleurs, la femme du vice-président n'a absolument pas l'air en danger de mourir de faim.

Megan regarda son collègue la bouche ouverte, et secoua la tête.

— Je n'arrive pas à croire que tu aies dit ça.

— Mange, ordonna Adam. Je t'ai dit que ce travail avait ses avantages.

— Adam…

L'agent spécial Auburn, lui fit signe de s'approcher. Il ne fallut qu'un regard au jeune homme pour comprendre pourquoi. L'homme avait du mal à respirer. Il avait les traits tordus et souffrait manifestement.

— Monsieur, vous allez bien ? chuchota Adam, inquiet.

— Je crois que c'est mon cœur, dit-il en se penchant plus près.

— Que puis-je faire pour vous, monsieur ?

— Ne dites rien aux autres.

Il plongea la main dans sa veste, en sortit quelque chose qu'il enfonça dans les mains d'Adam. Le stagiaire baissa les yeux. Il vit un kilogramme de métal noir.

— Je vais vous apprendre comment vous en servir, murmura l'agent, au cas où il m'arriverait quelque chose. D'accord ? Vous me suivez ?

Adam hocha la tête.

— Cette arme est un USP Tactique, de calibre 45, un pistolet à chargeur universel, chuchota Craig Auburn. Ses tirs sont puissants, mais l'arme est munie d'un bon système de recul, qui amortit le coup une fois que tu as tiré. Est-ce que tu me suis, petit ? N'aie pas peur.

En fait, Adam n'avait pas peur. Après avoir vu ceux que les terroristes avaient blessés ou tués, et sachant qu'ils comptaient blesser ou tuer encore, Adam ressentait surtout de la colère.

— Oui, monsieur. Continuez.

23:23:46 PDT
Auditorium Terence Alton Chamberlain,
Los Angeles

— Il y a plus d'une heure que Dennis et Nancy ont été emmenés, dit Chandra, les sourcils froncés. Où les a-t-on conduits et que leur a-t-on fait ?

Teri Bauer fit la sourde oreille à ces questions, se

pencha vers Carla. Ses contractions semblaient s'être arrêtées. Elle avait les yeux ouverts. Elle était pâle, en sueur.

— Carla ? murmura Teri. Parle-moi.

— Je ne sais pas ce qu'il y a de pire, répondit Carla. Quand les contractions arrivent, j'ai l'impression que je vais mourir. Maintenant qu'elles se sont arrêtées, j'ai peur que quelque chose n'arrive à mon bébé.

— Essaie de ne pas t'inquiéter, souffla Teri. J'ai été en travail pendant plus de vingt-deux heures pour Kimberley. Mes contractions se sont arrêtées et ont repris plusieurs fois. Celles de ma cousine se sont complètement arrêtées, et il a fallu les provoquer.

— Je ne sais pas... J'ai si peur !

— Tu dois rester positive, Carla. C'est la seule façon de se tirer d'une aventure comme celle-ci. Pour le bien de ton bébé, tu dois garder le moral, et croire que tout va bien se passer.

Carla fit oui de la tête, déglutit péniblement, avec un sourire forcé.

— Hé ! Regardez par ici ! cria soudain une voix coléreuse.

Teri leva les yeux. Deux hommes masqués approchaient, mitraillette pendue à l'épaule. Ils traînaient entre eux le corps avachi d'un homme plus âgé. Les fauteuils de la rangée située devant la leur étaient vides, et les terroristes jetèrent l'homme blessé sur l'un d'eux.

— Salauds de nazis, murmura l'homme, en crachant du sang.

Des filets rouges lui coulaient sur le visage et sur sa chemise blanche, dont le col était ouvert. Son nœud papillon était défait. Un œil enflé était fermé, et il y avait un trou sanglant dans sa mâchoire, là où il y avait eu une dent.

Un autre homme âgé, portant une veste de soirée, se précipita dans l'allée. Il se dirigea vers le blessé, mais un homme masqué le tira en arrière et le gifla du revers de la main. L'homme arracha lui-même la Rolex qu'il portait au poignet et la tendit aux hommes masqués. Écartant la proposition, ils s'en allèrent en riant.

— Ben, Ben, dit le nouveau venu au blessé. Pourquoi fallait-il que tu l'ouvres ?

— Ce sont des nazis puants. Je devrais surtout leur cracher dessus.

La bouche tuméfiée de l'homme afficha un sourire.

— Je les ai foutus en rogne, hein, Hal ?

— Et vois ce que ça t'a rapporté, idiot !

Teri se pencha en avant.

— Tenez, essuyez-le avec ça, dit-elle en tendant à Hal un bout de satin rouge.

— Merci, dit-il, avant de s'occuper de son ami qui saignait.

— Je suis Teri Bauer.

— Ravi de vous rencontrer. Je suis Hal Green, le réalisateur de cette misérable farce.

Il pointa son ami du doigt.

— Et cette grande gueule est mon assistant réalisateur, Ben Solomon. Nous étions dans la cabine de régie quand tout s'est arrêté. Tomas Morales et l'équipe de la sécurité ont tenté une attaque, mais les terroristes les ont descendus. Puis, après que ces cons ont pris le contrôle, ils m'ont obligé à installer une télévision dans la cabine et à montrer à chacun d'eux comment la faire marcher. Pour finir, ils nous ont jetés ici.

Hal Green observa l'auditorium.

— Comment se passent les choses ici ? Nous étions coupés de tout, là-haut.

— Maintenant, ils nous donnent des pauses pour

aller aux toilettes. Dix personnes à la fois. Abigail Heyer et son entourage sont les premiers à en avoir bénéficié…

— C'est sans surprise, grogna Chandra. Qui a été une célébrité de Hollywood reste une célébrité de Hollywood.

— Il n'y a toujours eu ni eau ni nourriture pour le reste d'entre nous, ajouta Teri.

Puis elle regarda la cabine de verre placée en haut, au-dessus de leurs têtes. Elle se pencha plus près de Hal, pour que Carla ne l'entende pas.

— Vous avez dit qu'ils voulaient se servir d'une caméra là-haut ? murmura-t-elle.

— C'est exact.

— Ils doivent s'apprêter à faire des demandes dans ce cas. Et si elles ne sont pas satisfaites, ils commenceront à tuer des otages.

Hal Green regarda Teri.

— Vous êtes quoi, ma jolie, un agent du FBI ? De la CIA ?

— Presque, répondit-elle.

23:38:46 PDT
Centre de commande mobile
de la police de Los Angeles

Jack Bauer, Chet Blackburn, et un groupe d'ingénieurs convoqués à la hâte, avaient passé en revue les plans de l'Auditorium Chamberlain pendant une heure. Comme il était une des deux seules personnes qui avaient échappé aux terroristes, Lonnie Nobunaga se trouvait parmi eux. Jack pensait que, le photographe s'étant effectivement trouvé dans la salle, il pourrait apporter un éclairage sur la situation.

Le groupe déduisit que les terroristes ignoraient tout des nouveaux systèmes de climatisation et de filtrage de l'air, qui avaient été installés dans l'auditorium pour se conformer aux nouveaux critères de l'État relatifs à la qualité de l'air dans les lieux couverts. Les conduites assemblées étaient larges et assez longues pour permettre à des snipers armés de pénétrer dans le bâtiment sans être vus. Cependant, il faudrait entrer au sous-sol pour atteindre les conduites principales.

Ils étudièrent le réseau hydraulique de la ville et le système de drainage des crues, mais ils tombèrent sur une nouvelle impasse : rien de plus large qu'un tuyau de quelques centimètres de diamètre entrant de l'auditorium. C'était trop étroit pour faire passer un homme. Le seul immeuble proche de l'auditorium était celui qui abritait les bureaux du Summit Studio, qui aboutissaient en fait à la salle de spectacles mais ces bureaux partageaient les mêmes portes d'entrée que l'auditorium et ils étaient tout simplement inaccessibles.

— Les murs de cet auditorium ont un mètre d'épaisseur, à certains endroits, dit Jon Francis, un ingénieur corpulent, vêtu d'une chemise hawaïenne froissée. Sa tête chauve était aussi lisse qu'une boule de billard. Dans la journée, il enseignait l'ingénierie dans une université locale, mais Francis travaillait aussi comme consultant pour la CAT.

— Il faudrait une heure à une équipe d'ouvriers en bâtiment, pour les percer… Peut-être plus, prévint-il.

— Et les terroristes feraient sauter leurs bombes dès qu'ils entendraient les premières perceuses, ajouta Jack.

Evans prit la parole.

— Pourquoi êtes-vous si sûr qu'ils ont des bombes ?

— Les Tchétchènes étaient les auteurs du siège de l'Opéra de Moscou, répondit Jack, et vous savez comment ça s'est terminé. Ils se sont emparés de la salle, se sont servis de veuves de guerre tchétchènes portant des bombes sous leurs vêtements pour empêcher les autorités d'agir. En fin de compte, le président Poutine a autorisé la police russe à utiliser des gaz sédatifs, pour assommer tout le monde... Nous n'avons pas cette possibilité ici.

— Pourquoi pas ? demanda Lonnie Nobunaga. Nous disposons de gaz non létaux dans notre arsenal, non ?

— Malheureusement, il n'existe pas d'attaque chimique non mortelle, quoi que disent les experts, répondit Jack. Le Fentanyl et tous les autres gaz calmants sont mortels quand on les utilise en concentration massive, ce qu'il faudrait pour remplir l'Auditorium Chamberlain. Un grand nombre de personnes mourraient dans la foule. Les enfants seraient les plus exposés, mais toute personne en dessous d'un certain poids ferait une overdose. Ceux qui souffrent d'allergie auraient des crises, voire des réactions peut-être mortelles. Les personnes ayant des problèmes médicaux mourraient de complications, et les femmes enceintes feraient certainement des fausses couches. Plus de cent otages sont morts dans le siège de Moscou. La plupart à cause des gaz, pas à cause des terroristes.

— Je vois ce que vous voulez dire, fit Lonnie, dont le visage s'assombrit.

Evans fronça les sourcils en regardant les plans sur l'écran.

— Ce lieu est imprenable. Avec ces portes pare-feu fermées, on dirait une forteresse.

Un technicien de la police s'approcha du groupe.

— Agent spécial Bauer ? Nina Myers en ligne pour vous.

Jack accepta le casque, mit l'oreillette en place.

— Nina, qu'as-tu appris sur les terroristes ?

— Le Front uni de Libération pour une Tchétchénie libre existe depuis huit ans. L'organisation a commencé petit, mais sa taille et son pouvoir ont très vite triplé. C'est un mouvement violent. Une sorte de Hezbollah tchétchène. Son influence a tellement augmenté qu'il y a deux ans, Nikolaï Manos, qui dirige l'Alliance du Commerce pour la Russie et l'Europe de l'Est, a assisté le ministère des Affaires étrangères dans une négociation avec son leader.

— Pouvons-nous joindre Nikolaï Manos ? s'enquit Jack.

— J'ai essayé, répondit Nina. Malheureusement, M. Manos est injoignable. Il était au siège de son organisation à Los Angeles pour une conférence de presse tôt cet après-midi, mais ses assistants m'ont dit qu'il avait quitté la ville pour une mission secrète.

— Ça tombe un peu trop bien. Trouve tout ce que tu peux sur Manos et son organisation.

— Je suis déjà sur le coup, assura Nina.

Jack mit fin à l'appel et regarda l'écran sur lequel Christina Hong continuait sa fausse retransmission, au cas où les terroristes regarderaient.

Heure 20

CES ÉVÉNEMENTS SE DÉROULENT ENTRE 24 H ET 01 H, PDT

24:10:59 PDT
Centre de commande mobile de la CAT

Edgar Stiles n'avait pas besoin de miroir pour savoir qu'il était un homme petit et rond. Il n'était pas beau et ne se passionnait pas vraiment pour la mode. Son pantalon kaki semblait se froisser dès qu'il le passait, et il portait sa chemise boutonnée jusqu'en haut de son cou épais. Cependant, Edgar n'était pas stupide. Il avait presque aussitôt compris le dilemme tactique auquel Jack Bauer était en proie.

Assis dans le véhicule à huit roues du centre de commande et de contrôle mobile de la CAT, il était visible depuis l'auditorium. En regardant par la portière, Edgar voyait le centre de commande mobile de la police, garé de l'autre côté de la rue. Seulement quelques mètres séparaient les deux imposants véhicules. Pourtant, aux yeux d'Edgar, ils auraient aussi bien pu se trouver sur deux points opposés de la planète.

Cela faisait moins de six semaines qu'il travaillait à la CAT, et Stiles n'était pas content qu'on l'ait tiré de son poste habituel pour le mettre dans un vulgaire mobile home, à quelques rues du lieu où se déroulait une crise terroriste. Quand il était arrivé sur place, Milo Pressman, son superviseur direct pour la nuit, lui avait assigné la tâche abrutissante de scanner des plans, et de les numériser. Les schémas arrivaient de partout : la compagnie des eaux, la compagnie d'électricité, la télévision câblée de Los Angeles, et même le réseau routier.

Il ne lui fallut pas longtemps pour en déduire que l'agent spécial Jack Bauer et le chef de l'unité tactique Chet Blackburn essayaient de trouver un accès à l'Auditorium Chamberlain sans que les preneurs d'otages ne remarquent leur présence.

Même si le premier mouvement d'Edgar était toujours de dévaloriser ses propres efforts, il savait parfaitement que, dans cette situation, il avait connaissance d'informations pouvant aider ses supérieurs et sauver des vies. Pourtant, Edgar hésitait encore, se demandant à qui il devrait communiquer ses informations. Pendant un quart d'heure, il retourna la question dans sa tête. En fin de compte, il décida de parler à Milo, bien que l'idée ne le mette pas particulièrement à l'aise. Ce n'était pas qu'il détestait Milo mais Edgar ne se sentait simplement pas à l'aise avec lui.

— E… excusez-moi, dit-il, tellement nerveux qu'il était presque troublé. Il faut que je parle à quelqu'un…

— Si tu as besoin d'aide, adresse-toi à Dan Hastings, trancha Milo. Dan connaît ce centre de commande comme sa poche. Je suis un peu débordé en ce moment.

— Oh, bien sûr… D… désolé, répondit Edgar. Je ne vous dérangerai plus, monsieur.

Abattu, Edgar regagna son poste de travail. Il eut du mal à se libérer de la pile posée sur son bureau. Il inspira profondément et sortit pour respirer un peu d'air frais. À partir d'un hayon ouvert dans le centre de commande de la police, Edgar vit Jack en conversation studieuse avec Blackburn et les autres.

— Tu dois dire quelque chose, se murmura-t-il à lui-même.

Il avança deux fois vers la porte du véhicule, et s'arrêta deux fois. Il tourna les talons et se mit à arpenter nerveusement la rue sombre. Le temps passa et Edgar se rendit compte qu'il ferait mieux de retourner à son poste de travail, au cas où d'autres documents à scanner arriveraient pour lui. Mais comme il se retournait pour s'en aller, il entendit des voix fortes sortant du hayon.

— C'est comme Massada ! s'exclama la voix frustrée de Chet Blackburn.

— Aucune forteresse n'est impénétrable. L'Auditorium Chamberlain doit bien avoir une faille que nous pouvons exploiter. Il faut seulement qu'on la trouve.

Le deuxième interlocuteur était Jack Bauer lui-même, et le simple fait d'entendre la déclaration de l'homme donna envie à Edgar de bondir dans la direction opposée.

Ce type a tué des gens. Il s'est retrouvé dans toute sorte de situations dangereuses imaginables. Comment un plouc comme moi pourrait-il aider quelqu'un comme lui ?

Pourtant, plus Edgar entendait la conversation, plus il était convaincu que l'information qu'il avait en tête – elle était vraiment futile – pourrait effectivement aider. Et s'il pouvait aider, ne le devait-il pas aux innocents dont la vie était en jeu ?

Faisant appel à son courage, il prit une profonde inspiration, et marcha vers le centre de commande opérationnel. Se dirigeant vers le centre très actif, plein d'ordinateurs, d'instruments de communication et de postes de travail munis des technologies les plus avancées, Edgar s'attendait à ce qu'on le gronde et qu'on le prenne par l'oreille pour le jeter dehors. Mais ils étaient évidemment trop absorbés par leur travail pour remarquer un nouveau venu.

Il s'approcha de Jack Bauer. Une image numérique affichée sur l'écran horizontal d'une table illuminait le visage de l'homme. La lumière brute conférait une blancheur osseuse à ses traits déjà pâles.

— Monsieur Bauer ? Edgar se crispa intérieurement, en entendant sa propre voix, tendue par l'anxiété, et trop forte. Puis-je vous parler ?

Jack sortit brusquement de ses pensées et fit face à Edgar.

— Je vous en prie ?

Face à face avec l'agent spécial Jack Bauer, chargé de la CAT, Edgar ressentit l'urgence de fuir. Au lieu de cela, il se racla la gorge et parla.

— Je voulais vous parler, monsieur. J'ai une information qui pourrait vous aider.

À présent, le regard tranchant de Jack était fixé sur Edgar, et le petit technicien se rétrécit sous ce regard intense et attentif. Il continua.

— Êtes-vous… Êtes-vous au courant des modifications de l'immeuble de l'Auditorium Chamberlain ?

Jack et ses ingénieurs écoutaient.

— Non, rien, répondit Jack. Rappelez-moi votre nom ?

— Stiles, monsieur Bauer. Edgar Stiles. Je travaille à la division informatique…

— Sous les ordres de Dan Hastings ?

— Oui, monsieur, et de Milo Pressman également, pour ce soir.

— Que disiez-vous à propos de l'Auditorium Chamberlain ?

— En fait, je parlais du site sur lequel il a été construit.

Un des ingénieurs fit une remarque.

— Je me souviens que cette partie du centre-ville était assez dégradée.

— Oui, monsieur, mais elle disposait de la plus belle salle de cinéma de la ville. On l'a détruite, pour construire l'auditorium.

— En quoi cette information nous aide-t-elle ? demanda Jack.

— Le Crystal Palace a été construit dans les années 30, avant la Grande Dépression, répondit Edgar. C'était un de ces vieux cinémas immenses, avec des balcons et tout. Une vraie salle de spectacles.

— Je me souviens d'avoir lu quelque chose sur cette salle, mais je croyais qu'elle était un peu plus à l'ouest, affirma Blackburn.

— Non ! s'écria Edgar. Elle était ici même, à ce croisement.

— Vraiment ? dit Blackburn, réprimant un rire.

— Ma mère y a travaillé dans les années 60 et 70, durant la guerre froide. Elle m'a dit qu'il y avait quatre ou cinq sous-sols. Les deux niveaux les plus bas étaient utilisés par la Défense nationale comme abris contre les raids aériens. On les remplissait de bidons d'eau, de détecteurs de radiation, et tout le reste.

Les ingénieurs furent les premiers à réagir.

— Ça pourrait expliquer cette annotation sur les plans, dit Jon Francis. Quelque chose qui indiquerait un équipement souterrain, un mur ou quelque chose d'autre.

— Vous êtes sûr de ça, Edgar ? demanda Bauer.

Edgar hocha la tête.

— Ma mère a vu *La Dernière Guerre* à la télé, et elle a eu plein de cauchemars après ça. Elle disait que si une guerre nucléaire éclatait, elle se précipiterait sous le Crystal Palace où les sous-sols sont si profonds qu'elle serait à l'abri des radiations.

— Seigneur, grogna Jon Fancis. Si ce gars dit vrai, ces sous-sols existent peut-être encore. Et même si ce n'est pas le cas, les conduites d'aération qui les alimentaient doivent encore être enterrées sous le bâtiment.

— Mais en quoi ça nous est utile ? demanda Blackburn. Nous ne savons pas où sont ces conduites, ni même les sous-sols.

— Non, mais quelqu'un le sait, répondit Francis. Les plans du Crystal Palace sont archivés quelque part, à la mairie ou aux archives du comté.

— Et la Défense nationale ? demanda l'agent spécial Evans. Il doit y avoir des plans de ces abris antinucléaires dans les archives gouvernementales.

— Nous devons trouver toutes les informations que nous pouvons à ce sujet, et le plus vite possible, dit Jack Bauer. Si ces tunnels, ces sous-sols existent encore, c'est par là que nous entrerons.

Jack fit un tour sur lui-même.

— Où est l'agent de liaison du maire ?

— Juste ici, répondit une jeune femme portant un ensemble rayé impeccable.

— Je veux que vous trouviez certains dossiers aussi vite que possible.

Pendant ce temps, les ingénieurs revinrent plusieurs pages en arrière dans leur consultation des schémas numériques, pour retrouver ce mur que l'un d'eux avait vu sur les plans. Ça bouillonnait maintenant d'activité autour d'Edgar Stiles, mais il n'était pas de la partie. Il regarda les hommes s'affairer encore quelques minutes, puis supposa qu'ils n'avaient plus besoin de lui.

Sachant qu'une nouvelle fournée de papiers était certainement empilée sur son bureau, Edgar Stiles quitta le centre de commande et regagna son poste de travail, sans qu'on le remarque.

Heure 21

CES ÉVÉNEMENTS SE DÉROULENT
ENTRE 01 H ET 02 H, PDT

01:01:56 PDT
Centre de commande mobile de la CAT

Milo pensait que c'était une perte de temps totale de vouloir exploiter l'ordinateur de Valerie Dodge. Il n'aurait pu se tromper davantage.

Le PC contenait des tas de dossiers sur l'agence de mannequins mais un seul était sécurisé. Il ne fallut que quelques minutes à Milo pour contourner le code utilisateur, et ouvrir le fichier. Il s'agissait d'un énorme dossier multimédia, plein de cloches et de sirènes.

— Waouh ! s'écria-t-il.

Milo trouva rapidement les plans de l'Auditorium Chamberlain ainsi que les photos et les profils des femmes kamikazes. C'étaient des femmes tchétchènes, dont les époux étaient morts, ou simplement portés disparus pendant l'insurrection en cours contre le régime russe. Il trouva ensuite les photos et les pedigrees de vingt soldats, tchétchènes eux aussi, entrés en fraude aux États-Unis grâce à une société nommée Entreprises MG. Ils avaient ensuite été embauchés comme portiers, pour la cérémonie des Silver Screen Awards.

En progressant dans le dossier, Milo vit que tout s'y trouvait : le minutage de l'attaque, les points d'entrée et de sortie, et, plus important, la position des porteuses de bombes dans l'auditorium.

Tout était là. Une mine de renseignements.

*
* *

01:07:19 PDT
Centre de commande mobile
de la police de Los Angeles

Milo venait juste de transmettre la bonne nouvelle à Jack quand les ingénieurs revinrent, tout sourires.

— On a quelque chose pour toi, Jack, dit Jon Francis, et ça va te plaire.

Il enfonça une clé USB dans un serveur de la table à carte numérique, et fit apparaître un fichier.

— Ce môme avait raison, commença Francis. L'ancien Crystal Palace se trouvait sur le site actuellement occupé par l'Auditorium Chamberlain, et ce vieux cinéma avait cinq – je les ai comptés, cinq sous-sols. Si tu regardes attentivement, certains des vieux murs apparaissent sur les plans de l'auditorium.

— Mais pouvons-nous entrer dans l'auditorium par ces sous-sols ? demanda Jack.

— Nous pouvons percer un trou dans un vieux sous-sol en utilisant la conduite d'évacuation qui se trouve juste là, expliqua un homme de la compagnie des eaux. Ça vous emmènera sous le Chamberlain. Il vous faudra sans doute creuser un autre trou, mais vous serez dedans.

— Tout est complètement souterrain, dit Francis, interrompant l'autre. Les caméras de sécurité qui sont à l'extérieur, ou même celles que les terroristes utilisent pour nous surveiller, ne verront rien.

— Le bruit sera tout de même un problème, fit remarquer un autre ingénieur. Il nous faudra utiliser une perceuse pendant cinq minutes environ pour passer ce mur. Il est épais d'un mètre. En temps normal, nous ferions sauter quoi que ce soit d'aussi massif, mais dans le cas présent…

— Ça ira, fit Jack. Nous placerons des haut-parleurs autour de l'auditorium, et nous mettrons de la musique. Ça couvrira le bruit de la perceuse.

— Que vont penser les terroristes ? interrogea Francis.

— Ils penseront que nous utilisons des techniques de guerre psychologique, lui apprit Jack.

— Des techniques inefficaces, et tout le monde le sait, lança l'agent secret Evans. Est-ce que ça ne va pas nous faire passer pour des idiots ?

Dans la lumière crue de la table à carte, les yeux de Jack rencontrèrent ceux d'Evans.

— Laissons les terroristes penser que nous sommes désespérés. S'ils nous sous-estiment, ils se montreront imprudents et commettront des erreurs. Alors, on aura ces salopards.

*
* *

01:18:06 PDT

Dans les conduites d'évacuation des eaux

Jon Francis fit venir une équipe de la compagnie d'électricité. Munis de pioches, de pelles, de torches et de perceuses électriques, ils pénétrèrent dans le système d'égouts, à trois rues de l'auditorium.

Guidés par une équipe d'inspecteurs de la compagnie des eaux, ils avancèrent efficacement dans l'eau trouble qui coulait dans un dédale de tunnels en béton et qui leur arrivait aux chevilles. Fermant la marche, deux techniciens de la compagnie du téléphone déroulaient un long câble téléphonique. C'était une ligne de terre, qui reliait les ouvriers à Jack Bauer, resté dans le centre de commande de la police.

Les inspecteurs menèrent l'équipe vers ce qui semblait être une impasse.

— Ouais, c'est là, grogna Jon Francis, faisant briller une petite torche sur la carte. Il n'utilisait jamais de cartes numériques sur le terrain.

— On a coulé vingt centimètres de béton, juste là. Derrière, il y a un mètre et demi de briques bien solides. Vous pensez pouvoir entrer sans dynamite ?

— Reculez, dit l'homme qui maniait la perceuse.

Se servant de la ligne de terre qu'ils avaient tirée sur leur chemin, Jon Francis se mit en contact avec le centre de commande.

— Envoyez la musique, ordonna-t-il.

01:25:20 PDT
Auditorium Terence Alton Chamberlain, Los Angeles

De sa chaise qui ressemblait à un trône au centre de l'immense scène, Bastian Grost gardait une attitude confiante face à ses hommes, et devant les otages. Son foulard se balançait autour du cou. Il se fichait que quiconque dans cette foule voie son visage, car ils mourraient tous bientôt. Désinvolte mais toujours autoritaire, il tenait son Agram 2000 enfoncé au creux de son coude, dans un geste évoquant le pouvoir et la confiance.

Jusque-là, sa stratégie avait fonctionné. Même les membres puissants de l'élite hollywoodienne détournaient les yeux quand il fixait sur eux son regard glacial. En dépit de cette façade tranquille, Bastian Grost bouillait intérieurement de rage. En tant que stratège opérationnel de premier plan, il maudissait les faux pas de ses hommes, et leurs occasions manquées, leur inaptitude à respecter la moindre consigne sans céder d'une manière ou d'une autre à la violence. Ils avaient même violé des femmes parmi les otages. Évidemment, tout avait mal commencé.

Après la prise de contrôle réussie de la cérémonie des Awards, son équipe de choc très entraînée n'était pas parvenue à capturer la Première Dame de Russie, Marina Novartov, ou même la femme du vice-président des États-Unis. La plupart des membres de l'équipe de Grost avaient été abattus dans l'échange de tirs avec les équipes de sécurité américaine et russe et aucun de ses hommes n'avait vu par où les femmes s'étaient enfuies. Il était possible qu'elles soient sorties avant la fermeture des portes pare-feu. Il était également possible qu'elles aient toutes les deux pris la fuite dans un ascenseur de secours.

Grost avait ensuite découvert que cet ascenseur ne faisait pas partie des plans initiaux de l'auditorium et n'était pas non plus contrôlé par l'ordinateur central du bâtiment. Grost pouvait trouver un moyen de déverrouiller et de réactiver l'appareil, mais il n'avait pas de temps à perdre. D'après son étude des plans, il savait que l'immeuble n'avait que quatre niveaux à fouiller : la mezzanine, le rez-de-chaussée de la salle, l'entresol et le sous-sol.

Des heures s'étaient écoulées à présent, et les quelques hommes auxquels Gros pouvait confier cette tâche avaient échoué dans leurs recherches. Il devait accepter l'idée de ne pas pouvoir montrer les dames à la caméra. Il ne pouvait que bluffer, faire croire qu'il les détenait.

Le deuxième problème était survenu à 23 heures, quand Hasan n'avait pas pu les contacter, *via* une ligne de terre secrète et sûre, qui reliait le Chamberlain au centre informatique basé à Tijuana. Hasan avait promis de faire « une ultime déclaration aux martyrs », comme il disait.

Le coup de grâce était arrivé à minuit, quand le virus censé détruire le réseau informatique de l'Ouest n'avait pas été lâché comme prévu. Grost le savait, parce qu'il avait dépêché des hommes sur le toit de l'auditorium pour observer le ciel de Los Angeles, au-delà de la zone sombre qui les entourait. Ils avaient dit que les lumières de la ville brillaient toujours, que les feux réglant la circulation fonctionnaient, et qu'il y avait même des avions de ligne dans le ciel, qui atterrissaient à l'aéroport international de Los Angeles.

À ce stade, Grost ne pouvait plus ignorer ce qu'il savait être la vérité.

Le centre informatique de Tijuana a dû être endommagé, peut-être détruit, ce qui signifie que nous sommes vraiment seuls...

Un bruit curieux interrompit le flot des pensées de Bastian Grost : le rythme trépidant d'une musique hip-hop. Le son était étouffé mais assez fort pour qu'on l'entende dans tout l'auditorium. Le visage aussi dur que la pierre, il écouta pendant une minute. Puis il se mit à glousser, suscitant le regard curieux d'un de ses lieutenants qui se tenait avec lui sur la scène.

Un des soldats du groupe arriva sur l'estrade un instant plus tard.

— Ils ont installé des haut-parleurs dans la rue, rapporta-t-il. Qu'est-ce que ça veut dire ?

— C'est une tactique sortie du manuel américain de lutte contre le terrorisme, répondit Grost, avec un rictus. Ils veulent nous faire quitter cet endroit avec cette mauvaise musique. Une mauvaise stratégie, sans aucune chance de succès.

Bastian Gros accrocha sa mitraillette à son épaule. Il s'enveloppa la tête avec la longue écharpe noire qu'il portait. Cela lui plaisait de penser que ses ennemis étaient si impuissants.

Si c'est tout ce que peut faire la CAT, alors le plan final de Hasan, le massacre à l'heure de pointe matinale de Los Angeles, et devant des millions de témoins de tous ceux présents dans l'auditorium, n'est absolument pas contrarié.

*
* *

01:33:09 PDT
Centre de commande mobile
de la police de Los Angeles

La réunion préalable à la mission avait mobilisé tant de personnes que le véhicule était bondé. Chaque siège était occupé, et beaucoup étaient debout, y compris Lonnie Nobunaga, qui s'arrangeait pour traîner dans les parages bien après que son rôle actif était achevé. Même Christina Hong était là, après avoir été relayée par un célèbre journaliste qui faisait avec brio un faux reportage pour son public de terroristes.

Malgré la climatisation qui tournait en permanence, l'atmosphère était étouffante dans le centre de commande. Les hayons et les portes avaient été fermés à double tour pour assurer la sécurité et bloquer la musique tonitruante qu'on entendait autour de l'auditorium.

La plupart des hommes se trouvant sur les lieux étaient des snipers, choisis au sein de l'équipe tactique de Chet Blackburn, du FBI, et du Groupe d'Intervention du capitaine Stone.

Jack commença la réunion sans préambule.

— L'auditorium et plus de mille otages sont aux mains d'une vingtaine de Tchétchènes armés, tous bien entraînés, tous munis de mitraillettes Agram 2000, de calibre 9 mm. Leur chef est cet homme…

Un visage apparut sur l'écran plat monté sur le mur.

— Bastian Grost. Il n'est pas tchétchène de naissance, mais il est, autant que nous puissions en juger, fanatiquement dévoué à leur cause.

L'image sur l'écran changea à nouveau. Les portraits de quatre femmes apparurent. Certaines portaient le foulard.

— Encore plus dangereuses que les vingt hommes armés, il y a cinq porteuses de bombes, placées dans le public…

Les femmes furent remplacées par le plan détaillé de l'auditorium.

— D'après les plans trouvés dans l'ordinateur de Valerie Dodge, nous savons que les kamikazes sont placées de manière à causer le plus de dommages possible aux cinq piliers supportant le bâtiment, quand les bombes sauteront. Vous voyez d'après ce plan qu'ils sont plantés ici, là, et qu'il y en a deux à l'arrière de l'auditorium. Il y a également une porteuse de bombe près de la scène, assise parmi les célébrités.

Jack s'arrêta un court moment.

— Le plan est simple. Cinq de nos agents de terrain, des femmes uniquement, toutes vêtues de tenues de soirées, se chargent des femmes kamikazes. Au même moment, les tireurs embusqués abattent chacun deux hommes, successivement et rapidement. Notre synchronisation doit être parfaite, et comme les terroristes brouillent tout signal radio, une fois que nous entrerons dans l'auditorium, les groupes seront séparés et sans possibilité de contact.

— Seigneur, murmura un des tireurs de la CIA.

— L'assaut doit être parfaitement minuté. Nous prévoirons une heure pour frapper, et tout le monde devra agir dans la même fraction de seconde.

La nouvelle fut saluée par des soupirs et des grognements.

— Malheureusement, la synchronisation n'est pas le pire de nos problèmes.

Jack se tut, jusqu'à ce que tous se calment.

— Nous avons le nom et la photo de quatre kamikazes, mais l'identité de la cinquième porteuse de bombe reste inconnue…

De hauts cris accueillirent l'information.

— Cela signifie qu'une bombe est susceptible de sauter, cria un sniper du FBI.

— Pas forcément, déclara Jack, haussant le ton pour être entendu par-dessus le brouhaha. Nous savons où la kamikaze est assise : en bas, parmi les célébrités. Nous allons envoyer l'équipe d'assaut féminine, avant l'attaque des snipers. Si nous avons de la chance, Nina Myers et ses agents opérationnels localiseront et neutraliseront cette femme kamikaze inconnue, en même temps que les quatre autres.

— Attendez un instant, s'écria Lonnie Nobunaga. Vous avez dit que la porteuse de bombe inconnue était assise parmi les célébrités ?

— Oui, répondit Jack. Ce doit être le cas. C'est ce que les plans des terroristes indiquent, et c'est aussi là que se trouve le cinquième pilier. S'ils en manquent ne serait ce qu'un, le bâtiment pourrait ne pas s'écrouler, même après les explosions.

— Et vous êtes sûr que c'est une femme ?

— C'est comme ça que les Tchétchènes ont procédé jusqu'ici, répondit Jack. Où voulez-vous en venir ?

Lonnie Nobunaga prit une inspiration profonde.

— Écoutez, ça n'a peut-être rien à voir avec les terroristes…

— Venons-en au but. Nous n'avons plus beaucoup de temps.

— Abigail Heyer est venue à la cérémonie enceinte jusqu'aux oreilles…

— Pas étonnant, dit Christina Hong. D'après la rumeur, elle a une liaison avec Nikolaï Manos.

Jack cligna des yeux.

— Vous avez dit Manos ?

Christina hocha la tête.

— C'est dans toute la presse à scandales, y compris dans la feuille de chou pour laquelle Lonnie travaille.

— Tu me blesses, dit Lonnie, avec un sourire narquois.

Jack fixa Lonnie du regard.

— Donc, vous me dites qu'Abigail Heyer attend l'enfant de Manos ?

Lonnie fit non, de la tête.

— Je suis en train de vous dire qu'elle fait semblant d'être enceinte, depuis le début. Elle porte un harnais, comme elle le faisait dans le film *Bangor, Maine*. J'ai la photo qui le prouve. Je l'ai prise ce matin dans la propriété de la dame.

Il agita la clé USB, suspendue à son porte-clés. Un des snipers prit la parole.

— C'est dingue. Comment Abigail Heyer aurait-elle pu passer la sécurité de l'auditorium avec un ventre bourré d'explosifs ?

Même Lonnie connaissait la réponse à cette question.

— Les vedettes marchent sur le tapis rouge. Elles ne passent pas par la sécurité. Ce serait comme donner des ordres au Président et à la Première Dame. On ne fouille pas les gens qu'on est censé protéger.

Heure 22

CES ÉVÉNEMENTS SE DÉROULENT
ENTRE 02 H ET 03 H, PDT

02:09:03 PDT
Auditorium Chamberlain,
3e sous-sol

Adam Carlisle, stagiaire à la Maison-Blanche, s'éveilla en sursaut. Il commença à bouger, mais il avait le dos raide, après avoir dormi sur le béton froid. Ses mouvements réveillèrent Megan Gleason, qui avait utilisé sa cuisse comme oreiller.

— Qu'est-ce qui ne va pas ? chuchota-t-elle.

— J'ai entendu un bruit, dit Adam, en se levant prestement.

Les deux dames qui avaient ronflé sur leurs chaises étaient réveillées maintenant, elles aussi. Elles chuchotaient nerveusement. Dans l'obscurité du sous-sol, Adam vit Craig Auburn près du téléphone à manivelle, où il s'était effondré. Il était désormais étendu sur le sol, sa main droite tenant encore son bras gauche. Il avait les yeux fermés, le souffle court.

Un craquement violent se fit entendre, aussi puissant qu'un glissement de terrain.

— Seigneur, chuchota Megan. Qu'est-ce que c'est ?

— D'après ce qu'a dit l'agent Auburn avant de s'évanouir, c'est la cavalerie… je l'espère.

— Tu l'espères ? demanda Megan, soudain pâle.

À l'autre bout du long couloir, Adam vit la lumière de torches tranchant l'obscurité. Des silhouettes sombres apparurent, un instant plus tard.

Brandissant le USP Tactique que l'agent Craig Auburn lui avait donné, Adam marcha résolument vers les torches, l'arme braquée sur l'homme qu'il voyait.

— Qui êtes-vous ? demanda-t-il à voix haute.

— Agent spécial Jack Bauer, de la CAT, répondit Jack.

Dans un soupir audible, Adam baissa l'arme. Un instant plus tard, des hommes armés envahirent le sous-sol. L'un d'eux s'approcha des deux dames.

— Je suis l'Agent Evans, des Services secrets, leur dit-il.

— Dieu soit remercié, dit la femme du vice-président.

D'autres hommes sortirent des ténèbres pour se tenir aux côtés des deux dames et aider Marina Novartov à se lever sur sa jambe blessée. Adam informa Evans de l'état grave dans lequel était Auburn. Un aide-soignant et un autre homme furent appelés à l'aide.

— Nous sortons d'ici immédiatement, dit-il aux dames et aux stagiaires. Suivez ces deux agents, et restez groupés. Nous ne sommes pas encore hors de danger.

La petite troupe marcha le long du sous-sol sombre jusqu'à atteindre un hayon ouvert dans le mur en béton. Adam l'avait vu bien avant, et avait voulu l'ouvrir, mais il était verrouillé de l'autre côté.

Juste à ce moment-là, cinq femmes en robe du soir très à la mode, portant des chaussures à talons hauts, émergèrent du hayon. Megan darda un regard interrogateur à Adam. Il haussa les épaules et secoua la tête. *Ne me demande pas ça à moi.*

Evans s'approcha d'eux.

— Allons-y. Par ce hayon, et jusqu'aux égouts.

Megan frissonna.

— Les égouts ?

Adam sourit, et passa son bras autour de ses épaules.

— Ne t'ai-je pas dit, en te souhaitant la bienvenue à Washington…

— Je sais, je sais, dit-elle, ce boulot a ses avantages.

***

02:13:32 PDT
Auditorium Chamberlain,
3e sous-sol

Jack regarda la carte numérique attachée sur son avant-bras. Elle brillait d'une lueur verte dans le sous-sol faiblement éclairé. Il rassembla tout le monde devant un large grillage de métal fixé au mur. Se servant de son passe-partout, il fit sauter le verrou. Le grillage s'ouvrit, grand comme une porte.

Derrière le grillage en maille métallique, une conduite d'aération en aluminium grimpait jusqu'au toit du Chamberlain. Des barreaux d'acier étaient encastrés dans ses parois, menant vers le haut, hors de vue. Jack voyait la lumière briller dans la conduite depuis les grillages des niveaux supérieurs… ceux qui étaient occupés.

— Très bien. Les femmes d'abord, chuchota Jack.

Nina s'avança, vêtue d'une robe à paillettes. Les quatre autres femmes portaient le même type de tenue. Jack s'adressa collectivement à elles.

— Grimpez jusqu'à ce que vous passiez quatre

autres grillages, et sortez au cinquième. Vous vous retrouverez dans un couloir, tout près des toilettes des femmes, au rez-de-chaussée. On peut supposer que les terroristes permettent aux gens de faire une pause pour aller aux toilettes. Je veux que vous vous mêliez aux dames regagnant l'auditorium. Ensuite, approchez-vous aussi près que vous le pourrez de vos cibles respectives. Compris ?

Les agents acquiescèrent de la tête, les traits tendus.

— Sautez-leur dessus dès que vous entendrez le premier tir. Nous ouvrons le feu à 02 h 45, pas une seconde plus tôt.

Jack fit silence, un moment.

— Souvenez-vous que le succès de notre mission repose sur votre action. N'hésitez pas à faire ce qu'il faudra pour sauver des vies. Si vous échouez, des centaines de personnes risquent de mourir.

Jack et les snipers regardèrent leurs collègues entrer dans le tunnel. Quand elles furent montées et hors de vue, Jack Bauer ferma le grillage derrière elles.

— On y va, dit-il, conduisant les snipers dans l'autre conduite d'aération, où ils effectueraient leur ascension.

***

02:32:27 PDT
Auditorium Chamberlain,
Mezzanine

Jack regarda à travers la grille en cuivre de la mezzanine déserte de l'auditorium. Il avait gravi la conduite d'aération, et son équipe de tireurs l'avait suivi. À présent, il observait minutieusement la zone sombre, se servant de jumelles à infrarouges pour s'assurer que chaque siège était vide. Écoutant attentivement, il entendit le murmure de la foule, en bas.

En silence, il glissa son passe-partout dans la fente de la grille et le secoua doucement. Le cliquetis du métal résonna comme une explosion, mais le mécanisme de fermeture très simple fut vite décroché. Dans le bruit de frottement de métaux, Jack Bauer ouvrit la grille décorée, et se faufila dans l'ouverture.

Il rampa sur le ventre, descendant l'allée entre des rangées de fauteuils. La cabine de régie vitrée se trouvait dans son dos et au-dessus de lui. Cependant, elle surplombait la mezzanine, et même si cette cabine était occupée, personne ne pourrait le voir.

Tandis qu'il rampait le long d'une allée couverte de moquette vers le bord de la mezzanine, des tireurs sortaient en silence de la conduite située derrière lui. Jack utilisa des signaux manuels pour placer les snipers à différents points jusqu'à ce que le champ de tir soit complet.

Pour finir, il regarda par-dessus le bord du balcon. En dessous de lui, il vit des centaines de personnes, assises sur des fauteuils ou affalées sur le sol. Des détritus étaient éparpillés sur le tapis et des vêtements drapaient le dos de certains sièges. Encerclant les otages le long du périmètre de l'auditorium, Jack compta seize hommes masqués, et deux autres sur la scène. Deux tireurs manquaient encore, et Jack espérait qu'ils accompagnaient des otages aux toilettes. Comme il regardait, la paire manquante apparut. Ils se mirent à bavarder avec l'homme assis sur une chaise ouvragée qui faisait penser à un trône, au centre de l'immense scène.

Avec des signaux manuels, Jack fit passer la consigne aux tireurs d'assembler leurs armes. Ensuite, il fit de même avec la sienne. Il ouvrit le sac en toile qu'il avait accroché à son dos pendant la longue ascension de la conduite d'aération. Précautionneusement, il sortit le canon, le chargeur, la lunette de tir et les deux récepteurs. Il fourra ensuite les enveloppes de coton dans le sac. Rapide et efficace, Jack assembla le Mark 11 Mod. 0 Type Sniper, de calibre 7.62 mm.

Le Mark 11 était un revolver semi-automatique de très haute précision. Les hommes qui s'en servaient sur le terrain disaient que c'était « un M16 sous stéroïdes ». Léger, petit et souple, le pistolet pouvait être démonté en deux parties principales, ce qui le rendait parfait pour une opération comme celle-ci.

Lorsque Jack eut achevé l'assemblage, il mit le chargeur en place et poussa le bouton de contrôle sur le mode semi-automatique. Il devait atteindre au moins deux cibles en succession rapide, et il voulait une vitesse de tir la plus rapide possible.

Près des toilettes de l'auditorium, Nina venait de fermer le grillage métallique derrière elle. Elle lissait sa robe quand un homme masqué apparut au bout du couloir en marbre. Il vit le groupe de femmes, et s'avança prestement.

— Hé, quoi faire ici ? aboya-t-il, avec un fort accent.

L'homme décrocha la mitraillette noire de son épaule et l'agita dans un geste menaçant.

— Toilettes, cria Nina, en levant précipitamment les mains. Nous sommes allées aux toilettes, c'est tout.

Les autres femmes suivaient Nina. Elles levèrent les mains et se mirent à jacasser.

— Vous taire ! Vous taire ! ordonna le terroriste. Retourner, maintenant. Retourner !

Il les fit avancer d'un geste le long du couloir en marbre qui menait à l'auditorium. Comme elles s'approchaient du public, Nina entendit le murmure de la foule. Un autre homme armé qui gardait les portes se poussa sur le côté pour permettre à Nina et aux autres femmes de pénétrer dans la vaste salle.

— Dedans, dedans ! hurla l'homme armé.

— D'accord, on y va, répondit Nina.

Les sens de Nina furent immédiatement assaillis par la puanteur régnant à l'intérieur de l'auditorium. C'était un mélange déplaisant de renfermé, de sueur froide, et de sang. Pour circuler le long de l'allée, Nina devait passer près d'une montagne de cadavres élégamment vêtus. Ils avaient été empilés comme des fagots contre un mur, des ruisseaux de leur sang maculant la moquette luxueuse. La clameur assourdie de centaines de personnes parlant, pleurant et chuchotant, lui emplit les oreilles.

Une fois dans la salle du Chamberlain, les femmes se dispersèrent rapidement, chacune manœuvrant subtilement pour se retrouver aussi près que possible de sa cible. Nina avait le plus long trajet, depuis l'arrière de l'auditorium jusqu'à la première rangée de sièges. C'était là qu'Abigail Heyer, la vedette de cinéma internationale, attendait pour se faire sauter, elle et un millier de ses proches amis de Hollywood, pour rejoindre le Royaume.

Nina n'avait pas seulement un long trajet. Elle avait aussi la mission la plus difficile. Les autres femmes devaient seulement tuer leurs cibles : leur faire tomber les détonateurs des mains, et leur trancher la gorge avec des couteaux qu'elles cachaient, avant que les porteuses de bombes suicidaires aient la possibilité de faire sauter leurs explosifs. Nina devait empêcher Abigail Heyer de faire sauter sa bombe, mais sans la tuer. Elle avait la mission de ramener la vedette vivante.

*
* *

02:43:16 PDT
Auditorium Chamberlain,
Rez-de-chaussée

Carla mordit le sac à main en satin rose. Son visage était rouge, sa peau recouverte d'une fine couche de sueur. Un gémissement s'échappa de ses lèvres, qui étaient sèches et pâles. Des cernes noirs lui creusaient les yeux. Son regard paraissait lointain, perdu par les assauts de la douleur.

— Oh, Jésus ! Oh, Dieu ! gémissait Carla.

Teri Bauer s'agenouilla sur le sol, empoignant les bras de Carla des deux mains, pour la redresser. Les contractions avaient recommencé. Maintenant, elles ne se produisaient plus qu'à moins de trois minutes d'intervalle. Le bébé arrivait.

— Toi ! Salope américaine. Fais-la taire !

Teri leva les yeux. Un homme masqué la regardait depuis l'allée, juste deux fauteuils vides plus loin. Il tenait une mitraillette, la sangle passée sur l'épaule.

Teri se mordit la lèvre. Carla hurla encore, et plus fort.

— Fais-la taire ! aboya le terroriste.

Carla cria juste à ce moment là, oubliant le danger. Furieux, l'homme s'avança.

— Je la fais taire, grogna-t-il.

Teri Bauer bondit pour se mettre debout et bloqua le passage à l'assassin. Ses genoux tremblaient, mais ses veines s'étaient subitement remplies de glace. Elle refusait de reculer.

*
* *

02:44:06 PDT
Auditorium Chamberlain,
Mezzanine

Par-dessus le bord du balcon, Jack avait déjà pris pour cible l'homme masqué assis au centre de la scène. La déférence des autres à son égard, et la façon dont l'homme tenait son Agram 2000 au creux du bras – à la manière palestinienne –, tout cela indiquait à Jack qu'il s'agissait du chef, Bastian Grost. Si le fugitif serbe pouvait se révéler être un prisonnier de valeur, Jack décida tout de même qu'il ne prendrait pas cet homme vivant. Les mercenaires de Victor Drazen avaient le chic pour échapper à la justice. Bastian Grost ne s'en tirerait pas à si bon compte. Pas cette fois.

Jack regarda la montre numérique placée dans sa lunette de tir. Il restait moins d'une minute, avant l'assaut. Son emprise se raffermit sur le manche en Kevlar, et son doigt se posa sur la gâchette d'acier creusée de sillons. Comme il s'apprêtait à tirer, du raffut dans l'allée attira son attention. Un terroriste faisait de grands gestes, en face d'une femme. Même à cette distance, Jack reconnut sa femme. Il se raidit. Il dévia le Mark 11 de sa cible, pour braquer le canon vers cette nouvelle menace.

Louchant à travers la lunette, il plaça le réticule au-dessus du front de l'homme. À mesure que les secondes s'égrenaient, Jack affermissait sa main, et retenait son souffle.

Cinq secondes…

Le terroriste avança dans l'allée. Teri bondit pour lui barrer la voie.

Quatre secondes…

— Laissez-la tranquille, cria Teri.

L'homme leva son arme, s'arrêta pour frapper Teri et

la faire tomber à terre. Peut-être voulait-il la tuer d'un coup donné avec la crosse de sa mitraillette.

Trois secondes…

Jack pressa la détente. La tête de l'homme explosa.

* * *

02:45:00 PDT
Auditorium Chamberlain,
Rez-de-chaussée

Des fusils semblaient fleurir dans tout l'auditorium à peu près en même temps. Des craquements supersoniques les suivaient quand les balles filaient vers leur cible.

Partout, des hommes armés vêtus de noir se tordaient frénétiquement, tournaient sur eux-mêmes, ou écartaient les bras, cependant que des calibres 7.62 mm leur perçaient des trous sanglants dans la chair, les os et les organes.

Un homme masqué, dont un seul tir avait fait éclater le crâne, s'affaissa sur la cuisse de Chip Manning, toujours assis près de son agent. La cervelle du mort se déversa sur la veste Helmut Lang de la star. Manning le dur se mit à couiner comme une fillette.

Abigail Heyer bondit en entendant un craquement supersonique. Elle avait vu Bastion Grost tomber à la renverse quand deux balles lui avaient creusé une fosse dans la poitrine et dans le dos de sa chaise.

Quand Mme Heyer se leva, Nina Myers vit un piston dans sa main. Il était noir, avait presque la taille d'une aiguille hypodermique, et tirait derrière lui deux câbles fins qui se perdaient dans ses vêtements.

Nina sauta par-dessus un siège, empoigna le bras de la femme et le lui tordit dans le dos, jusqu'à ce qu'elle entende le claquement satisfaisant de l'os. L'actrice hurla et le piston tomba de sa main molle. Nina ne se laissait pas fléchir pour autant. Elle tordit le poignet cassé vers le haut, obligeant Abigail Heyer à se plier en deux. Nina frappa de son avant-bras la nuque de la comédienne, et la projeta vers le sol.

Nina traîna la femme qui se débattait encore dans l'allée, la retourna et lui déchira la robe à l'aide de son Gerber Guardian II, le couteau à lame double qu'elle avait enfoncé dans son porte-jarretelles. Sous les lambeaux de la robe haute couture de l'actrice, Nina vit le harnais blanc. Elle en trancha les bretelles et tira sur la prothèse pour la détacher. L'intérieur du faux ventre était bourré d'explosifs.

— Dégagez ! cria Nina de toutes ses forces.

D'autres voix venues de divers endroits de l'auditorium répétèrent ces mêmes mots. Ce ne fut pas seulement cet écho qui l'informa sur la situation. Ce fut surtout l'absence de l'assourdissant bruit de tonnerre que fait une bombe en explosant. Nina sut que la CAT avait remporté la partie.

— Foncez, foncez, foncez !

Le capitaine Stone hurlait ces mots dans son casque. Il ne s'écoula même pas une seconde avant que surgissent de l'ombre des dizaines de voitures de patrouille appartenant à la police de Los Angeles. Il y avait également des véhicules blindés, des ambulances, et des camions de pompiers. Tous roulaient vers l'Auditorium

Chamberlain. Des sirènes hurlaient et des dizaines de gyrophares faisaient danser leur lueur comme des lanternes rouges.

Stone n'avait aucun moyen de savoir si Jack et son équipe avaient réussi ou échoué. De toute façon, cela n'avait pas d'importance. Il avait reçu l'ordre de faire avancer ses officiers, afin qu'il encerclent le bâtiment, à 02 h 45 précises. Ils devaient ouvrir les portes pare-feu qui avaient été déverrouillées et pénétrer avec le plus de puissance possible dans l'auditorium. Et c'est ce qui eut lieu.

À travers ses jumelles, Stone regarda les pompiers ouvrir les portes métalliques. Ensuite, les unités de la police et du Groupe d'Intervention se précipitèrent dans l'ouverture. Stone écouta un long moment, attendant une explosion, le bruit d'une fusillade. Au lieu de cela, une voix grésilla dans son casque.

— Zone sécurisée. Je répète, zone sécurisée. Les otages sont hors de danger…

02:59:09 PDT
Auditorium Terence Alton Chamberlain,
Los Angeles

Jack trouva sa femme dans l'entrée. Une équipe d'urgentistes emmenait Carla sur un brancard roulant, que Chandra et Teri suivaient de près. Comme elle passait près de lui à toute vitesse, Jack toucha le bras de sa femme. Leurs regards se croisèrent.

— Jack, Jack, cria Teri, en se jetant dans ses bras. Je savais que tu viendrais. J'en étais sûre.

— Tout va bien, murmura Jack, la tenant tout contre lui. Tu es en sécurité, maintenant.

Leur longue étreinte fut un îlot de paix, au milieu de la marée humaine et de son activité bouillonnante. Puis Teri s'écarta, des larmes lui baignant le visage.

— C'est fini, Jack ? C'est vraiment fini ?

— Presque, répondit-il.

Heure 23

CES ÉVÉNEMENTS SE DÉROULENT
ENTRE 03 H ET 04 H, PDT

03:09:10 PDT
Siège de la CAT, Los Angeles

Jamey, Milo et Doris avaient pris le contrôle de la cyberunité. Ils durent s'y mettre à trois pour entrer tous les paramètres de recherche dans le programme limier créé par Fay Hubley. Aux noms des victimes et des acteurs de la tragédie qu'avait été la prise d'otages – Bastian Grost, Nawaf Sanjore, Valerie Dodge, Hugh Vetri, Nikolaï Manos –, ils ajoutèrent la raison sociale de leurs entreprises et organisations comme l'Alliance pour le Commerce en Russie et en Europe de l'Est, pour élargir les recherches au maximum.

Une fois le programme lancé, il y aurait tant d'informations à recouper, tant d'espaces de recherche, que tout autre travail informatique à la CAT devrait être interrompu ou réduit.

— Prêts ? demanda Jamey, quand la programmation fut achevée.

— Allez-y, ordonna Ryan Chappelle.

Jack et Nina observaient les recherches depuis le bureau de verre de Jack situé sur la mezzanine de la

CAT, où ils attendaient qu'une équipe de sécurité prenne en charge leur prisonnière, Abigail Heyer. Nina s'était montrée sceptique sur le fait que ce processus donne des résultats, mais Jack voulait tout essayer. Milo, Jamey et Doris pensaient tous les trois qu'il était possible que l'ordinateur, associé au séquenceur de la CAT, fournisse des indices. Peut-être même des réponses. Cependant, aucun n'avait résolument affirmé que le programme marcherait.

Seul Tony Almeida, qui avait appuyé ses bottes contre le bureau, suivait l'opération en silence. Il croyait que le programme de Fay permettrait de trouver son assassin. Il resta calme quand cinq minutes de recherches ne produisirent pas de résultats. L'unique écran qui aurait dû afficher des pistes prometteuses demeurait sombre.

Puis, après vingt minutes et six secondes de travail, l'écran s'alluma subitement, déroulant des centaines de pistes possibles. L'opération évoluait si vite que Jamey devait s'interposer pour ralentir les choses. Les informations continuaient d'apparaître, en flot continu.

Le lien qui unissait toutes les pièces disparates était Nikolaï Manos. Le programme révéla qu'une des sociétés écran de Manos avait commandé à une entreprise une étude de terrain très onéreuse sur la Forêt nationale d'Angeles.

Les Entreprises MG – une société écran appartenant à Nikolaï Manos – avaient payé pour une série de livraison de matériel de construction, dans une zone proche de la route 39. Elle menait aux monts San Gabriel, et était fermée à la circulation depuis dix ans.

La compagnie d'électricité avait enregistré des pics d'activité et de vols de courant effectués à partir de fils à haute tension dans la zone où l'étude avait été faite. Cela avait duré deux ans.

Trois randonneurs et un couple de campeurs installés

près du lieu où Ibn Al Farad avait été appréhendé avaient disparu sans laisser de traces depuis plus de quatorze mois.

Des gardes de la Forêt nationale d'Angeles avaient remarqué d'étranges lumières dans la nuit.

Des décollages et des atterrissages non autorisés d'hélicoptères avaient été signalés à la direction générale de l'Aviation civile. On avait aussi rapporté qu'une collision avait manqué de se produire entre un avion et un appareil non autorisé, il y avait six mois.

Un article de 1977 émanant de l'Institut national de spéléologie – désormais disponible sur son site Internet –, faisait état de l'existence officieuse d'un important réseau de cavernes qu'on avait découvert dans les monts San Gabriel. Des expéditions envoyées sur place n'avaient pas réussi à les localiser. La dernière, qui remontait à dix-huit mois, s'était achevée de façon tragique. Le véhicule de l'équipe avait été trouvé au fond d'un ravin. Tous les occupants étaient morts. L'incident avait été considéré comme un accident, à l'époque.

Jamey Farrell continuait à resserrer les recherches, jusqu'à ce que, à 03 h 33 précises, le programme donne le longitude et la latitude des monts San Gabriel. C'était une zone de trois kilomètres carrés, située à trois kilomètres et demi de l'endroit où Ibn Al Farad avait été arrêté, alors qu'il cherchait son maître.

Le programme de Fay Hubley venait de mettre le doigt sur *le vieil homme dans la montagne*.

03:46:17 PDT
Siège de la CAT, Los Angeles

Abigail Heyer était assise sur une chaise en aluminium dans la salle des interrogatoires. Elle avait les deux mains sanglées sur les accoudoirs. Et son poignet cassé, maintenant rouge et enflé, avait été traité sans plus de ménagement que l'autre. On avait pratiqué sur elle une fouille au corps. Sa bouche avait aussi été inspectée, et tous ses vêtements, bijoux et objets personnels lui avaient été retirés. Elle n'aurait pas la possibilité d'avaler du poison comme Katya ou Lesser.

La vedette internationale portait une salopette orange de prisonnière, rien d'autre. Elle regardait droit devant, sans ciller, mais Jack pensait qu'elle savait qu'il était là, derrière le miroir.

— Brise-la, Jack. Force-la à avouer.

Tony Almeida portait toujours ses vêtements d'agent infiltré : un jean noir, un sweat-shirt maculé de sang, des bottes de cow-boy à bout métallique. La fatigue ravageait son visage non rasé et hantait son regard. Jack savait que Tony se reprochait la mort de Fay Hubley. Il le savait parce qu'il s'était lui-même trouvé dans cette situation, plus d'une fois.

Nina, toujours vêtue de sa robe à paillettes, regardait, impassible, la femme assise sur la chaise. C'était elle qui l'avait ramenée à la CAT afin qu'elle y soit interrogée. L'actrice avait réclamé ses avocats – au pluriel, car elle en avait toute une équipe –, mais cela lui fut refusé. Elle demeura silencieuse après cela, refusant de répondre aux questions du Dr Brandeis sur son état de santé.

Le médecin demanda du temps pour soigner son poignet cassé. Jack s'y opposa. Le Dr Brandeis sollicita alors la permission de lui administrer un anti-douleur.

Jack la lui refusa également. Brandeis ne demanda pas à assister à l'interrogatoire. Il connaissait déjà la réponse.

La mâchoire grinçante, Jack observait Abigail Heyer à travers la vitre. Nina lui toucha le bras, se pencha vers lui et chuchota :

— La crise est passée, Jack. Laisse le docteur s'occuper d'elle. Garde-la ici, jusqu'à ce qu'elle soit disposée à parler.

Jack repoussa doucement Nina.

— C'est maintenant que ça va se terminer.

Il utilisa la carte magnétique qui pendait à une lanière autour de son cou et pénétra dans la salle insonorisée. La comédienne refusa de prendre en compte sa présence. Jack plaça une chaise métallique en face d'elle et s'assit. Elle continua d'éviter son regard.

Il existait de nombreuses manières de soutirer des informations, Jack le savait : la torture, les drogues, la privation de sommeil, les menaces de mort. Mais ces méthodes demandaient du temps, pour briser la volonté du prisonnier. Et Jack n'avait plus le temps. Il fallait arrêter Hasan. Maintenant. Ils n'avaient jamais été aussi proches de cet homme qu'en ce moment, et ils ne le seraient peut-être jamais plus. Il devait obtenir de sa prisonnière la confirmation dont il avait besoin, et le plus vite possible.

Néanmoins, Jack savait que, dans ce cas précis, les menaces physiques échoueraient aussi, parce que Abigail Heyer était prête à se faire sauter pour Hasan. Elle ne craignait donc pas la mort. Cela signifiait qu'il fallait la frapper vite et fort avec quelque chose dont elle avait peur.

— Hasan est mort, commença Jack.

Malgré elle, la femme esquissa une grimace.

— Nous connaissions sa cachette. Cet endroit

situé dans les montagnes. Nous l'avons détruite il y a cinq minutes. Tous ceux qui s'y trouvaient ont péri. Nous sommes en train d'évaluer les dommages en ce moment. Nous vous montrerons son corps quand nous l'aurons trouvé.

— Hasan ne mourra jamais, dit Abigail Heyer, un demi-sourire étirant ses lèvres pleines.

— Vous avez peut-être raison, fit Jack en hochant la tête.

Le moment était venu de tenter sa chance, de se lancer.

— Hasan, en tant que symbole, en tant qu'idéal, ne mourra peut-être jamais. Mais Nikolaï Manos, l'homme qui se faisait appeler Hasan, est mort. Je l'ai tué.

Jack scruta le visage de la femme. Il observa son attitude calme et contrôlée craquer en mille morceaux. Il vit un trou noir s'ouvrir en elle et l'engloutir tout entière.

En observant la réaction d'Abigail Heyer, Jack sut.

Heure 24

Ces événements se déroulent entre 04 h et 05 h, PDT

04:55:01 PDT
Au-dessus de la Forêt nationale d'Angeles

Jack Bauer avait fait appel à toutes les ressources qu'il avait pu trouver pour cette descente. L'Unité tactique de Chet Blackburn, qui croulait sous le travail, mènerait le raid. Cependant, des éléments du FBI, le Groupe d'Intervention du capitaine Stone, la Garde nationale de Californie – même les gardes forestiers dirigés par le capitaine Lang – avaient été convoqués.

À présent, des dizaines d'hélicoptères encerclaient la montagne. Des spécialistes appartenant à la CAT se servaient d'images du sous-sol pour localiser les voies d'accès cachées menant au repaire souterrain de Hasan, qui n'était plus une cachette secrète.

— Nous avons trouvé deux sorties, toutes deux condamnées maintenant, dit Chet Blackburn à Jack, par-dessus le claquement des hélices. Nous sommes prêts à foncer dès que tu nous en donneras l'ordre.

Jack Bauer acquiesça d'un hochement de la tête.

— Donnez l'assaut…

***

04:59:17
Sous la Forêt nationale d'Angeles

La colère de Hasan était une force quasiment physique qui s'abattait sur tous et sur tout ce qui l'entourait. Nawaf Sanjore suivit une traînée de meubles écrasés et de verre cassé, conduisant au plus profond du repaire souterrain de son maître. Il trouva un certain nombre de ses acolytes, recroquevillés devant une porte métallique.

— Est-il à l'intérieur ?

Les hommes en robe répondirent par l'affirmative.

— Le maître ne souhaite pas être dérangé.

Sanjore ignora l'avertissement. Il poussa la lourde porte pour entrer. Au-delà, la pièce était petite, remplie d'ordinateurs et d'équipement de communication satellite. Hasan était assis dans son fauteuil de contrôle, le dos tourné à la porte. Il regardait droit devant lui, fixant des yeux un ordinateur éteint.

— Hasan ?

— Laisse-moi.

— Maître, une telle attitude est inconvenante. Ce n'est que partie remise, il ne s'agit pas d'une défaite.

Le fauteuil pivota sur son axe. Hasan fit face à l'architecte.

— Je viens d'apprendre que le centre de communication de Tijuana avait été détruit des heures avant que le virus ne soit lâché. Les autorités ont secouru les otages, et la CAT a capturé Abigail… vivante.

— Elle ne sait rien…

— Elle en sait suffisamment. Mais je ne m'inquiète pas pour cette femme. C'est pour le mouvement que je m'en fais. Nous avons été blessés…

— Nous survivons, s'écria Sanjore. Nul ne connaît

votre véritable identité. Il est impossible que quiconque connaisse ce lieu. Même si cette actrice stupide impliquait Nikolaï Manos, qui la croirait ? Le vieil homme dans la montagne survivra.

Hasan sembla se radoucir aux paroles de Sanjore, mais l'ombre d'un doute lui traversa le visage.

— Nous avons perdu des atouts. D'irremplaçables atouts…

— Rien qu'un contretemps. Nous pouvons tout rebâtir. Notre idéal n'est pas mort.

— Mais si je suis exposé ?

— Alors, vous continuerez vos opérations en secret, à partir de cette base souterraine. N'oubliez pas qu'une grande partie de votre fortune demeure intacte, hors d'atteinte sur un compte suisse.

— Mais nous avons tant perdu.

— Pas tout, cependant. Nous ne perdrons jamais tout. Vous êtes encore en vie, Hasan. Et vivant, vous pouvez encore vous battre. Les Américains ou les Russes ne peuvent vous atteindre tant que vous resterez caché dans cette forteresse imprenable. Avec le temps, nous lancerons une autre attaque, à partir de ce lieu secret.

Hasan médita les paroles de l'homme.

— Tu restaures ma foi, Nawaf. Tu es vraiment le plus loyal et le plus valable de mes disciples.

Le cœur de Nawaf Sanjore bondit aux compliments de son maître, qui n'en donnait jamais. Il se courba respectueusement.

— Je vis pour vous servir…

Des explosions, des cris, et des tirs, interrompirent l'architecte. Une voix amplifiée résonna ensuite dans toute la caverne.

— C'est la CAT. Baissez vos armes. Vous êtes cernés, et n'avez aucun moyen de vous échapper. Rendez-vous maintenant, ou vous serez abattus.

Épilogue

Richard Walsh éteignit le magnétophone et s'adossa sur sa chaise. Jack Bauer étouffa un bâillement, luttant contre la douleur qui sévissait derrière ses yeux. Son costume d'assaut noir était brûlé et il sentait toujours la cordite, des heures après la fin heureuse du raid.

Walsh ouvrit un dossier posé sur la table qu'il avait devant lui. Il le feuilleta, secoua la tête.

— Nous avons la preuve que Manos a contacté Hugh Vetri, le producteur assassiné. Ils ont travaillé ensemble dans le cadre d'œuvres de charité. L'année dernière, Vetri a accompagné Manos en Europe de l'Est pour visiter des studios de cinéma remis à neuf.

Jack approuva de la tête.

— Je crois que Manos a essayé un lavage de cerveau sur Hugh Vetri, mais ça n'a pas marché. Peut-être parce que Vetri avait une femme et une famille, une raison de vivre autre que sa seule personne. En ce sens, Vetri était différent de Ibn Al Farad, Richard Lesser, Nawaf Sanjore et Abigail Heyer. Il était certainement plus ancré dans la réalité. Je crois que Vetri a résisté à Hasan et qu'il a été tué pour cette raison.

— La police de Los Angeles a trouvé quantité de dossiers personnels dans l'ordinateur de Vetri, dit Walsh. Dans ses bureaux du Summit Studio, et chez lui. Il enquêtait sur ceux avec qui il voulait faire des affaires. C'est certainement pour ça qu'il avait ce dossier vous concernant, Jack. Il cherchait une personne de confiance à qui dire ce qu'il avait découvert sur Manos, sur Hasan. Lesser a dû fournir ces données à Vetri pour attirer la CAT dans l'opération.

— Ça a autant de sens que n'importe quoi d'autre, répondit Jack.

— Après vous, je vais débriefer Tony Almeida, déclara Walsh. Chappelle m'apprend que je devrais le réprimander pour avoir désobéi à un ordre direct, pour être resté au Mexique dans l'unique but de se venger.

— Chappelle se trompe, dit Jack. Lesser nous a été envoyé par Hasan pour écarter notre attention de cette opération mexicaine. Son plan aurait fonctionné si Tony avait écouté Chappelle. Le virus prévu pour minuit aurait été lâché depuis le centre de commande basé à Tijuana. Hasan aurait été en mesure de coordonner et de diriger des assauts permanents contre notre pays, à partir de sa base secrète de l'avenue Dante.

Walsh tira un autre dossier du bas de la pile.

— Autre chose devrait vous intéresser. Washington a effectué des recherches approfondies sur le passé de Manos, ce qui a donné tout un dossier. Êtes-vous curieux de connaître leur avis, Jack ?

Jack Bauer ne répondit pas. Walsh poursuivit donc.

— D'après Langley, Nikolaï Manos est né quelque part en Europe de l'Est, peut-être en Tchétchénie. En fait, personne ne le sait vraiment. Après le chaos qui a suivi la première insurrection tchétchène, Manos a perdu ses parents et est devenu un réfugié. À l'âge de neuf ans, une riche famille grecque l'a adopté. Alors que nous avons d'abondantes informations sur sa famille adoptive, nous ne savons pas grand-chose de ses parents biologiques. Tout ce que nous savons, c'est qu'ils ont été tués par les Soviétiques, alors qu'il était encore très jeune. Le psy qui a parcouru ces informations pense que Manos voulait se venger des Russes, à cause de leurs crimes à l'encontre des Tchétchènes. C'est pour cette raison qu'il voulait tuer leur Première Dame : il voulait intimider et humilier ces Russes tant haïs. Qu'en pensez-vous ?

— Je pense que l'analyste se goure complètement.

— Pardon ?

— Manos… Hasan. Il est allé au-delà d'une simple vengeance. Il était devenu un guide religieux, et se prenait pour un dieu vivant. Son modèle était un religieux musulman du Moyen Âge, mais il n'était pas musulman. Hasan était en train de créer une toute nouvelle religion, une foi dont il espérait qu'elle lui survivrait.

— Y est-il parvenu ? demanda Walsh en se caressant la moustache.

— Manos a refusé de se rendre. Il s'est suicidé dans son bunker, en compagnie de Nawaf Sanjore. Je crois donc que nous l'avons arrêté à temps. Mais ce n'est peut-être pas le cas. Si certains de ses disciples ont survécu… s'il ne reste ne serait-ce qu'un seul des ses adeptes, alors sa religion continue de vivre.

Walsh remua sur sa chaise. Cette idée le mettait mal à l'aise.

— Eh bien, il y a eu de nombreux décès dans cet auditorium, mais la CAT a sauvé la vie de la plupart des otages, sans parler de nos bien-aimées étoiles du cinéma.

— Je n'ai qu'une étoile à l'esprit en ce moment, répondit Jack.

Walsh comprenait ce qu'il voulait dire. Dans le hall d'entrée du siège de la CIA, à Langley, en Virginie, plus de soixante-dix étoiles étaient accrochées au mur. Toutes étaient anonymes. Chacune représentait un agent de la CIA décédé en servant son pays. Derrière un casier de verre, le Livre d'or contenait certains de leurs noms. Les autres identités étaient encore classifiées. Ni le nom de Fay Hubley, ni sa mission ne seraient probablement révélés avant des décennies, mais Walsh ne doutait pas que son étoile continuait de briller dans le souvenir de ses collègues.

Jack bâilla et se massa le front.

— Vous savez, Jack, cela paraît simpliste, mais j'ai toujours pensé que la famille était la seule chose au monde qui me garde en prise avec le réel. C'est elle qui m'a préservé de la folie, et cette opération ne modifie certainement pas mon opinion.

— Vous disiez ? demanda Jack, que la fatigue de cette interminable journée commençait à rattraper.

Walsh referma le dossier.

— Rentrez chez vous. Embrassez votre femme, et faites un câlin à votre fille. Prenez un bon repas avec votre famille et jouez aux échecs avec Kim.

— Merci monsieur, je crois que je vais faire ça.

Jack se leva pour quitter la table.

— Et agent spécial Bauer…

— Oui, monsieur ?

— Mettez-vous en congé demain.